ИЗДАТЕЛЬСТВО «ЭКСМО»

ТАТЬЯНА
УСТИНОВА

**ЗВЕЗДА СТИЛЬНЫХ
И СОВРЕМЕННЫХ ДЕТЕКТИВОВ**

ПЕРВАЯ СРЕДИ ЛУЧШИХ

"Седьмое небо"

"Пороки и их
поклонники"

"Развод и девичья
фамилия"

"Первое правило
королевы"

Книги, которые
хочется перечитать!

NEWS

ТАТЬЯНА УСТИНОВА

ПЕРВАЯ СРЕДИ ЛУЧШИХ!

Читайте детективные романы:

МОЙ ЛИЧНЫЙ ВРАГ

ОДНА ТЕНЬ НА ДВОИХ

РАЗВОД
И ДЕВИЧЬЯ ФАМИЛИЯ

ПЕРСОНАЛЬНЫЙ
АНГЕЛ

БОЛЬШОЕ ЗЛО
И МЕЛКИЕ ПАКОСТИ

МИФ
ОБ ИДЕАЛЬНОМ
МУЖЧИНЕ

ПОДРУГА
ОСОБОГО НАЗНАЧЕНИЯ

ПОРОКИ
И ИХ ПОКЛОННИКИ

ХРОНИКА ГНУСНЫХ ВРЕМЕН

МОЙ ГЕНЕРАЛ

ПЕРВОЕ ПРАВИЛО КОРОЛЕВЫ

СЕДЬМОЕ НЕБО

ЗАПАСНОЙ ИНСТИНКТ

ТАТЬЯНА
УСТИНОВА

РАЗВОД
И
ДЕВИЧЬЯ
ФАМИЛИЯ

МОСКВА

ЭКСМО

2004

УДК 882
ББК 84(2Рос-Рус)6-4
У 80

Серийное оформление художников
С. Курбатова, А. Старикова и Д. Сазонова

Устинова Т. В.

У 80   Развод и девичья фамилия: Роман. — М.: Изд-во Эксмо, 2004. — 352 с. («Первая среди лучших»).

ISBN 5-699-02176-0
ISBN 5-699-03565-6

Прошло больше года, как Кира разошлась с мужем Сергеем. Пятнадцать лет назад, когда их любовь горела, как подожженный бикфордов шнур, немыслимо было представить, что эти двое могут развестись. Их сын Тим до сих пор не смирился и мечтает их помирить. И вот случай представился, ужасный случай! На лестничной клетке перед квартирой Киры кто-то застрелил ее шефа, главного редактора журнала «Старая площадь». Кира была его замом. Шеф шел к ней поговорить о чем-то секретном и важном... Милиция, похоже, заподозрила в убийстве Киру, а ее сын вызвал на подмогу отца. Сергей примчался немедленно. И он обязательно сделает все, чтобы уберечь от беды пусть и бывшую, но все еще любимую жену...

УДК 882
ББК 84(2Рос-Рус)6-4

Он был в ванной, когда неожиданно позвонила бывшая жена.

— Сереж, — позвала Инга и поскреблась в дверь, — тебя спрашивает какая-то Кира! Говорит, что она — яд.

— Не яд, — пробормотал Сергей, второпях смывая мыльную пену с волос, — Ятт.

— Что? Сереж, я ничего не слышу. Ты подойдешь или нет?

Он толкнул дверь и высунул руку, в которой сразу же оказалась заморская телефонная трубка из шершавой пластмассы.

— Да.

— Сереж, тебе чай или кофе? — закричала Инга уже издалека, и он прикрыл дверь в ванную.

— Привет, — сказала из трубки Кира, — ты уже завтракаешь или только голову моешь?

— Привет, — поздоровался Сергей. На вопрос про голову он предпочел не отвечать.

Она резвится с утра пораньше, а он потом целый день будет думать невесть о чем. День у него и без того планируется сложный.

— Ты зачем по фамилии представляешься? Или ты думаешь, что я не догадаюсь, какая Кира может мне звонить?

— Кто тебя знает, — сказала она весело, — ты у нас явление загадочное и необъяснимое.

— Я не у вас, — пробормотал он, — я сам по себе.

— А к телефону кто подходил? — продолжала Кира все так же бойко, но его натренированное ухо вдруг уловило легкую фальшь. — Очередная дама сердца?

— Кира, ты зачем звонишь?

Она немного помолчала.

Бывший муж кинул полотенце и беспокойно уставился на себя в зеркало. Кира вздохнула на том конце провода. Вечная его манера — смотреть и не видеть. Если бы в зеркале вместо него вдруг оказалось изображение какого-то другого человека, он вряд ли бы это заметил.

— Сереж, Тимкин класс едет в пятницу в Кострому. На все выходные.

— Ну и что?

— Ну, и я не хочу, чтобы он ехал.

— Почему? — удивился Сергей.

— Да потому, что мы понятия не имеем, чем они там будут заниматься! — начала Кира сразу с высокой ноты, как будто продолжала давний, бессмысленный и надоевший спор.

Впрочем, так оно и было. Именно его она и продолжала, и он даже имел название и краткое содержание — либретто, как балет.

Название было «Плоды неправильного воспитания, или Некудышный отец». Краткое содержание: «Тебе наплевать на собственного сына. От тебя не дождешься даже ерундовой поддержки. Ну скажи, чему ты научил его, как отец?! Рассказывать анекдоты?! Кидать снежки?! Лазать через забор на даче?! Ты что, не понимаешь, что не имеешь на него никакого влияния?! Ты что, думаешь, что, если...»

— Кира, — прервал он ее монолог, хотя она давно молчала — весь монолог он прокрутил в голове, — я не понимаю, почему Тим не может поехать в Кострому, если туда едет весь класс?

— Да в том-то и дело, что не весь! Едут человек восемнадцать, как всегда, все его дружбаны, и его тоже тянет! А я не знаю...

— А программа есть, — перебил ее Сергей, — программа пребывания? Что они там делать собираются?

— Есть, наверное, — неуверенно ответила Кира.

— Ты не смотрела?

— Нет.

Он вздохнул:

— Ну, и чего ты от меня хочешь?

— Я хочу, чтобы ты ему запретил.

— Здрасте! — сказал он сердито. — Почему я должен?!

— Я понимаю, что ты ничего не должен, — отчеканила Кира, — ты никогда ничего и никому не должен, особенно нам. Но я не хочу, чтобы он ехал. Я не уверена, что там за ними станут нормально смотреть. Я не желаю потом никаких неприятностей.

— Каких неприятностей, Кира? Им по тринадцать лет!

— Вот именно.

— Если ты имеешь в виду сексуальную сторону, то я научу его пользоваться презервативом. Специально для этой поездки.

— Ты просто придурок, — тихо сказала Кира, — как это я забыла!..

— О чем, — спросил он, — о том, что я придурок?

Но она уже повесила трубку. Ей все было ясно.

Ей давно все стало ясно.

Странно только, что сначала она ничего не понимала и была так влюблена в него, что ему казалось: даже если солнце повернет в другую сторону, она его не разлюбит. Он отлично помнил, что думал об этом именно такими словами — «солнце» и «повернет». И вправду придурок.

Тогда ей исполнилось двадцать, а ему двадцать четыре — гигантская разница в возрасте. Он был взрослый человек, инженер, а она девчонка, студентка.

С тех пор прошло пятнадцать лет, и ей наконец-то все стало ясно. И ему тоже.

— Сереж, — позвала из-за двери Инга, — ну что ты так долго?! Выходи, я кофе сварила.

— Выхожу, — ответил он.

Под конец их брака он готов был ее убить. Просто взять и убить — застрелить из пистолета или подсыпать яду в чашку. Он не знал, куда ему деться от ее ненависти — она была повсюду. Даже его рубашки, которые она вышвыривала из своей половины гардероба, потом долго пахли ее ненавистью. Он не мог бы этого объяснить, но чувствовал очень остро.

Потом она сказала: «Я больше не могу. Я тебя ненавижу».

И они развелись.

Ну и что? Все разводятся. Из тех, кто поженился в один год с ними, вместе остались только Леха и Ленчик — родили троих детей, опростились и предпочли истинные ценности всему наносному и буржуазному. И еще Дима с Ольгой — эти, наоборот, во все лопатки делали карьеры, деньги, детей, и все им удавалось, и все у них получалось, и дети были красивые и умные, и карьеры — успешные, и домик построился в «тихом пригороде», и родители весело и ненатужно помогали им с неразумными чадами, пока еще чада были неразумными, и до сих пор помогают, хотя они уже малость поумнели.

А у Сергея с Кирой так не вышло.

Ну и что? Почти ни у кого не выходит, если не считать Диму с Ольгой, а Леха с Ленчиком не в счет.

— Сережа! Ну это просто невозможно!..

Он распахнул дверь и почти вывалился в коридор. Следом за ним из ванной в коридор повалил пар и заклубился, и повис, и зеркало моментально подернулось пленкой.

— Кто такая эта Кира?

— Моя бывшая жена.

— Иди ты!.. — вдруг брякнула Инга, как будто он сообщил, что Кира — королева монархического государства Нидерланды. — А почему она сказала, что она яд?

— Да не яд! У нее такая фамилия — Ятт. Кира Ятт. Ее отец родился в... английской семье.

— Ух ты! — восхитилась Инга, окончательно уверовав в королеву Нидерландов. — Класс какой! А она из Англии звонила?!

— Из Москвы, — буркнул Сергей.

— Как же, — удивилась Инга, — ты же говоришь, что она из английской семьи?

Сергей вдохнул и с силой выдохнул.

Секс был просто замечательный. Просто отличный секс. Но даже за отличный секс он не готов платить такую дорогую цену.

Спать можно. Разговаривать нельзя. Ну, никак нельзя разговаривать! Как будто он говорит на одном языке, а Инга — Катя, Маша, Тома, Таня, Вика, Ира, Лена, Оля — вовсе на другом, причем выучить этот загадочный язык Сергею никогда не удавалось, хотя он пытался.

Или учил плохо? Или ему попадались все не те учительницы?

После Кириной ненависти он не хотел никаких «тех». Он хотел незамысловатых и понятных удовольствий, и получал их сколько угодно, и чувствовал себя неотразимым мужчиной — до той самой поры, пока не приходилось все же разговаривать.

— Ну и что? — крикнула из ванной Инга.

— Что? — спросил он.

— Зачем она звонила, твоя англичанка?

— А... это по поводу сына.

— У тебя есть сын? — изумилась Инга.

Он усмехнулся, завязывая галстук. Так ведь и не научился завязывать его как положено, на шее. До сих пор все завязывал на коленке — так когда-то было принято у них в общежитии. Это очень неудобно, и длина каждый раз оказывалась неподходящей, и Кира говорила, что это «не по-людски», но он не умел по-другому.

— У меня есть сын, — согласился Сергей, — тринадцати лет. А почему это тебя удивляет?

— Ну, ты та-акой... та-акой...

— Ка-акой?

— Ну, ты са-авсем молодой и та-акой свободный!..

Каким-каким, а свободным он перестал быть в те самые двадцать четыре года, когда влюбился в Киру.

С тех пор прошло пятнадцать лет.

— А чего им надо? — снова выплыла Инга. — Денег, что ли?

— Ингуль, — сказал он, морщась и рассматривая в зеркале свой галстук. Что-то было не так, а что именно, он все никак не мог понять. — Ну какая разница, что им надо? Не от тебя же надо!

— Да мне наплевать, — сообщила Инга издалека. Раздалось непродолжительное шипение, похожее на всплеск, и через некоторое время в нос шибанул запах серьезных, совсем не утренних духов. Инга любила именно такие духи, серьезные и крепкие. — Просто чудно. Она вроде никогда тебе не звонила.

Она звонила часто — на работу. С тех пор как они развелись, общение строго дозировалось — всего несколько минут, лучше всего с работы, когда и ему не до нее, и ей не до него. Так проще и безопасней.

Он допивал кофе и думал уже совсем о другом — кто поедет в апреле на выставку в Париж и кто и что станет докладывать на конференции в Техасе, — когда телефон опять зазвонил.

— Пап, — позвал из трубки странный голос — нечто среднее между петушиным фальцетом и шаляпинским басом, — это я. Привет.

— Привет, — сказал Сергей, — ты чего?

— Я ничего! А ты чего?

— И я ничего, — весело признался Сергей, — ты по поводу Костромы?

— Мама не хочет, чтобы я ехал, — озабоченно прогремел бас и тут же сменился фальцетом. — Пап, ну что такое-то? Я же не грудной младенец! Все едут, а я чего?

— Все? — переспросил Сергей.

— Ну, не все, — признался его сын, подумав, — ну не все, но почти все! А я?

— Тим, я с мамой не договорил. Я думаю, что она мне еще позвонит, и я постараюсь ее уломать. Кстати, почему она не хочет, чтобы ты ехал?

Тимофей моментально заюлил и стал быстренько и аккуратно запутывать следы, как заяц перед носом у лисы. Прорвавшись через поминутно повторяющийся «ясный перец» и «полный отстой», Сергей сообразил, что дело, очевидно, нечисто. Кира взбрыкнула не просто так.

— Так, — спросил он своим самым отцовским голосом, — в чем дело? Ты что? Начал курить?

Все оказалось еще хуже. На прошлой неделе за школой их застукал завуч. Они пили пиво. Сергей ничего про это не знал.

— Все ясно, — холодно произнес Сергей, — на мамином месте я бы тебя не то что в Кострому не пустил, я бы тебя на цепь посадил!

— Папа!..

— Тим, ты же должен соображать! Давай я привезу тебе ящик пива, ты его выпьешь, и потом мы вместе оценим последствия. Ты же не... павиан, а вся реклама рассчитана именно на павианов!

— При чем тут реклама!

— Вот ты мне теперь попробуй сказать, что пиво вы пили не из-за рекламы! Какое там у нас самое «продвинутое»?

— Папа!

— Тим, я никогда в жизни не поверю, что тебе до смерти захотелось пива! Этого просто не может быть. Я же все про это знаю!

— Зна-аешь! — передразнил Тим. — Конечно, знаешь! А сам ты когда начал пиво пить? В тридцать лет, что ли?!

В устах его сына тридцать лет прозвучало как двести. Сергей усмехнулся:

— Я точно не помню. Лет в восемнадцать, наверное. Мне некогда было, и времени было жалко на пиво!..

— Ну ясный перец!

— Да не перец, — сказал Сергей с досадой, — теперь вот не будет тебе никакой Костромы с друзьями и подругами, а все из-за пива. Оно того стоит?

— Папа! И ты тоже!

— Я не тоже! Если тебе нечем занять мозги до такой степени, что приходится занимать их пивом, я моментально найду тебе дело. Все, Тим. Я не хочу это обсуждать. Я позвоню маме и заеду вечером, если... смогу. Мы все обсудим.

— Нет, — вдруг грустно ответил Тим, — не заедешь ты вечером.

— Почему? — удивился Сергей. Придерживая плечом трубку, он мыл под краном свою кружку. Помыл, сунул на полку и посмотрел на стол. Была еще Ингина кружка, но он не стал ее мыть.

— Потому, — отрезал сын, — ты что? Не понимаешь? У нас сегодня этот козлина ночует.

— Какой... козлина? — не понял Сергей. И как только спросил, сразу понял.

— Мамин! — выпалил Тим. — Козлина вонючий! Припрется и сидит перед телевизором в одних носках! Как будто ему больше не в чем сидеть! А меня он зовет Тимоша! Урод! Ух, как я его ненавижу!..

— Тим. Замолчи.

— Почему я должен молчать?! — Фальцет поехал в обратную сторону и переехал в расстроенный бас, — я его ненавижу! После него в ванной на полу всегда лужа, как будто он на пол писает!

— Тим.

— А жрет, как будто три года голодал! Я его спросил в прошлый раз: может, он житель Сомали, а он захихикал как придурочный! Он на всю голову больной, пап!

— Тим.

— А маму он зовет «Кирха», шутит так, блин! И он привез к нам свой халат! — И разгневанный Тим издал горлом звук, который должен был свидетельствовать о том, что его сейчас вырвет. — Халат, ты представляешь?! По утрам он выходит в халате и говорит мне, что его, блин, никто не провожал в школу, а меня мамочка кормит да еще и возит! Я его убью, пап!

— Тим. Успокойся.

Сергей смотрел в окно, за которым стремительно наступало утро, и совсем не знал, что сказать.

— Зачем вы развелись?! — вдруг прогудел в трубке сын и всхлипнул, отчетливо и глубоко, как в детстве, и Сергей вдруг увидел зареванную мордаху, уткнувшуюся в его свитер, золотистый хохол на макушке, выпяченные от горя губы и розовые кулачки, стиснувшие толстую ткань. Столько раз это было — не сосчитать и не вспомнить. — Ну кто вас просил разводиться?! Ну вы бы тогда не женились, придурки проклятые! Ну, что теперь мне делать?! Ну па-апа!

Ему пришлось некоторое время помолчать и ответить, строго контролируя свой голос:

— Тим. Я... позвоню маме. Мы договоримся, и я заеду. Мы все решим.

— Вы уже все решили, черт бы вас всех побрал! — заорал сын. — Вы все решили, а я должен только слушаться! Жду не дождусь, когда вырасту и... и...

— Сереж, — с досадой сказала Инга, — ты сидишь на моих брюках. Что, теперь мне их гладить, что ли?!

Короткие гудки пронзили барабанную перепонку, а Сергею показалось, что мозг.

— Какие брюки?..

— Ну вот! Мои брюки! Я их положила сюда, а ты...

Он сунул трубку в гнездо аппарата и стремительно прошел мимо Инги, которая подхватила свои портки и теперь держала их на весу, как младенца.

Щелкнул замок, лязгнула дверь.

Инга прислушалась, а потом пошла на звук. Брюки свешивались в разные стороны, полоскались, взблескивали шелком.

— Сережа? Ты где? Сережа?! А я?!

Когда она догадалась выскочить на балкон, джип уже отъезжал, небо отражалось в полированной чистой крыше.

— Сережа!!

Полыхнули красным тормозные огни, злобно взвизгнули колеса, машина как будто прыгнула за перекресток и исчезла из виду.

Настроение было отвратительным. У Киры всегда портилось настроение после разговоров с бывшим мужем, как будто это испорченное настроение могло хоть что-то изменить! Каждый раз приходилось уговаривать себя и утешать, потому что уговоры давно не помогали. Тим тоже неожиданно и не ко времени разошелся, и она никак не могла понять, в чем дело, а когда все же поняла, обозлилась еще больше.

Конечно, все дело в отце, будь он неладен! После разговоров с ним сын всегда впадал в нервное состояние, бросался на Киру и чуть не плакал, а сегодня даже плакал — крупными, детскими, неправдоподобными слезищами. Она с большим трудом выставила его к машине и видела в окно, как он плетется, волоча облезлый и чрезвычайно модный рюкзак, в широченных штанах, как будто падающих с попы, в уродливых ботинках и нелепой зеленой шляпе, тоже вроде бы очень модной.

Горькое горе.

Кира была умной и современной женщиной, никаких препятствий бывшему мужу не чинила, он мог встречаться с сыном сколько угодно и когда угодно, и бабушка с дедушкой «с той стороны» тоже никуда не исчезли из его жизни, и вроде бы все прошло с «наименьшими потерями», но невозможно, невозможно было видеть лицо сына, когда Сергей привозил его домой, доводил до двери и уходил, корректно попрощавшись с Кирой.

Может, зря она вела себя, как умная и современная? Может, ей нужно вести себя, как скандальная и отсталая баба, просто запретить им видеться?! Может, тогда ее сын скорее бы все забыл и научился принимать жизнь такой, как есть?!

...Зачем она звонила? Ведь знала же, что ничем бывший муж не поможет, будет только с ослиным упрямством гнуть свое, говорить, что Кира поступает неправильно, если хочет уберечь мальчишку от непредвиденных обстоятельств и влияния коллектива! Вот он сам — вырос в коллективе, и ничего, все в порядке!

В порядке, черт бы его побрал!

Как это вышло, что она так его любила?!

Но ведь любила, и ревновала даже, и в Ригу с ним ездила, где жила тогда его бабушка, и хохотали они, и целовались, и по очереди качали кровать, в которой орал новорожденный Тим, а тот все время орал, и Сергей в пять часов утра выходил с ним во двор, чтобы он не перебудил соседей в их тогдашнем хлипком панельном доме на улице Фрунзе!

Кира потерла глаза и прислушалась.

За стеной начальник опять ссорился со своим замом — ссорился от души, во все горло. Весь коллектив, должно быть, уже в курсе, что начальник и зам крупно поругались.

Все мужики — кретины и недоумки, вне зависимости от возраста и положения. Вот свежая и конструктивная мысль.

Про конструктивные мысли Кира вчера вдоволь наслушалась на заседании думского комитета, где она представляла «прессу». Разговоров было море. Конструктивных мыслей — ни одной.

— ...если ничего не понимаешь! — разорялся за стеной начальник Константин Сергеевич Станиславов. Кажется, его матушка была большой поклонницей русского драматического искусства, вот он и стал Константин Сергеевич, да еще Станиславов! — Я не намерен больше печатать бред, который ты мне подсовываешь! Ты сколько денег имеешь с каждой полосы?! А?! Нет, ты мне скажи!..

— И скажу, — орал в ответ зам. Его звали гораздо менее поэтично, всего лишь Григорий Батурин. И стать у него была не в пример импозантному шефу — мешок мешком. — Я тебе скажу, что, если б не мои ребята, журнал давно бы сдох на х..., а ты все руками машешь и...

— Я не машу руками! Я в следующий раз тебе морду набью за такие дела! Кто так поступает?! Ты же в последний момент всю полосу поменял, а у меня...

Кира решительно поднялась со своего места, прошла по поглощающему звук ковру и открыла полированную дверь, за которой происходила баталия. С некоторых пор три главных начальника — Константин Сергеевич Станиславов — ох-хо-хо! — Гриша Батурин и она сама — сидели в смежных комнатах.

Взъяренные мужики как по команде оглянулись на нее и снова воззрились друг на друга, готовые вцепиться друг другу в глотки.

— Брейк! — объявила Кира хладнокровно. — Один — один. Считаю до десяти. Кто первым уберется вон, тот победил.

— Кира, — заговорил Константин Сергеевич, не отрывая взгляда от врага, — я тебя прошу, выйди! У меня важный разговор. Выйди сейчас же.

— Вся редакция уже в курсе ваших важных разговоров, — проинформировала его Кира, подошла к креслу, устроилась, положив ногу на ногу, и закурила. — Пепельницу дай, пожалуйста, Костик.

Костик перевел на нее взгляд — она невозмутимо курила, — моргнул налитыми кровью глазами, нашарил пепельницу и по длинному полированному столу пустил ее в сторону Киры.

Пепельница поехала, закрутилась, сошла с дистанции и свалилась на ковер. Все трое проводили ее глазами.

— А-а, — вдруг завыл Костик, как будто это было последней каплей, переполнившей чашу, — будьте вы все прокляты!

После чего схватил бутылку минеральной воды в кулак, как гранату, и стал яростно дергать пробкой о край все того же, светлого дерева, стола. Пробка упорствовала и не поддавалась, но он все-таки сорвал ее, оставив на полировке безобразные белые следы, — и выпил примерно половину бутылки.

— Слушай, Григорий, — выговорил он, тяжело дыша и утирая рот, — вот я при свидетелях говорю: я тебя уволю. Ты понял или нет? Еще один раз, даже не раз, а... и все. Я больше не могу.

Батурин некоторое время жевал губами, как будто матерился про себя, изо всех сил стараясь загнать мат обратно в глотку.

— А на мое место, — спросил он, перестав жевать, — кого? Ее?

Кира рассматривала свою сигарету.

— Да хоть бы ее, — в лицо ему выплюнул Костик, — она у меня из-под носа ничего уводить не станет.

— Костик, — медленно и отчетливо произнес Батурин, — я у тебя из-под носа никогда и ничего не уводил. Это все вранье. Я вообще не знаю, откуда ты это взял.

— Откуда надо, оттуда и взял, — сказал Костик устало, — все, Гриша. Иди. Я больше не могу.

Батурин еще постоял, изо всех сил стискивая в кулачище подцепленную на столе ручку, потом швырнул ее на ковер и вышел.

Воцарилось молчание — глубокое, как пишут в романах.

— Ну что? — спросила Кира, когда глубокое молчание ей надоело, — повеселили народ? Небось полредакции под дверью стояло! Жаль, ты не догадался в коридоре орать. Для удобства сотрудников.

— Да наплевать мне на полредакции! — вновь начал Костик, схватил бутылку и вылил в себя остатки воды.

Обошел стол и, отдуваясь, уселся на свое место. — Так больше нельзя. И вообще нам надо все обсудить!

— Нам — это кому?

— Мне, — буркнул он, — с тобой. Ты как-никак мой второй заместитель.

— Костик, если ты планируешь таким образом перевести меня в первые, я не пойду, и не мечтай даже.

— Почему?

— Потому. Ты же все понимаешь! Ты уволишь Батурина, возьмешь меня первым замом, я поработаю два года, а потом что-нибудь стрясется, и мне придется уйти. Куда я денусь, когда все будут уверены, что я его подставила, чтобы заполучить должность?! Он же не пойдет работать сапожником! Он устроится в соседнее издание и...

— Кира, — прикрикнул Костик, — я твой начальник, а не наоборот! Как я решу, так все и будет!

— Ничего подобного, — хладнокровно ответила она, — я тоже что-нибудь предприму, если ты решишь! И вообще я не понимаю, почему ты на него взъелся! Он грамотный редактор, и пока что никто не уличил его во взятках! А то, что у вас разные взгляды, так это даже хорошо. Я только вчера смотрела рейтинги, и мы опять на первом месте. Мы самый читаемый журнал, Костик, а Батурин, между прочим, тут днюет и ночует, контролирует ситуацию.

— Лучше бы он дома ночевал, черт его побери, а ситуацию я и без него проконтролирую! Я... потом тебе скажу.

— Что? — насторожилась Кира.

— Потом, — морщась, повторил Костик и зачем-то показал глазами на потолок. Кира посмотрела. Потолок как потолок, ничего особенного.

— Потом, — повторил Костик с нажимом, — я тут такое узнал...

— Что?

— Батурин, — выговорил он одними губами, без звука, — потом.

— Костик, — осведомилась Кира, — мы играем в войну?

Он снова завел глаза к потолку и беспокойно шевельнулся в кресле.

— Я к тебе сегодня приеду, — объявил он неожиданно громко после своего трепетного шепота, — вечером, часов после девяти. Поговорим.

— Здрасте! — сказала Кира и с неудовольствием услышала в этом «здрасте» интонации бывшего мужа, — ты ко мне приедешь! Я... не готова.

— Да ладно! — вдруг развеселился Костик. — Я к тебе сто раз приезжал, и ты всегда была готова. А теперь что? Или у тебя любовник ночует?

— Любовника выставить не проблема, — ответила Кира небрежно, — я просто не люблю никакой горячки. Давай завтра.

— Нет, — твердо заявил Костик, — сегодня. Мне надо с тобой поговорить. Я на самом деле как-то не очень понимаю, что мне делать дальше. Я тебе расскажу, и мы вместе подумаем.

Кира посмотрела ему в лицо. Лицо было красивое — по обыкновению, и очень обеспокоенное — против обыкновения.

— Ну хорошо, — согласилась она и пожала плечами под безупречной кашемировой водолазкой, — приезжай.

— А любовник?

— Выставлю.

— Ну и отлично. Слушай, посмотри за меня первую полосу, что там в колонке главного редактора наваляли, а?

— Ты что, — удивилась Кира, — не сам писал?

— Нет, — буркнул Костик, — Верочка писала. Я замотался что-то.

— Верочка?! — изумилась Кира. — В твоей колонке?!

Господи, а почему я не могла написать?! Или Батурин?! Как бы ты с ним ни лаялся, он бы все равно лучше Верочки написал!

— Кира! — закричал шеф и даже головой затряс, как эпилептик. — Я тебя умоляю, посмотри колонку! Если надо, перепиши! И иди отсюда, а?! У меня в два совещание в Минпечати, и еще эта должна прийти... дура из отдела новостей!

— Какая... дура из отдела новостей?

— Да бог ее знает! — как бы совсем потерялся шеф. — Ну, дура! Молодая такая! Она в прошлый раз президента назвала Василий Васильевич! Ко мне прибегает Магда Израилевна, приносит материал и говорит: «Не знаю, что делать, второй раз за неделю такие ляпы! А уволить не могу, папочка у нее!»

— Аллочка, что ли? — сообразила Кира.

— Да не знаю я! Не редакция, а публичный дом: Верочка, Аллочка, Розочка...

— Магда Израилевна, — подсказала Кира. Ей стало смешно.

Конечно, корреспонденту столичного политического еженедельника «Старая площадь» непростительно было не знать, что президента зовут вовсе не Василий Васильевич, а также и не Виталий Витальевич, а заодно и не Вениамин Вениаминович, но Костик кипятился как-то уж очень отчаянно, как будто переигрывал немножко. Да еще глаза возводил к потолку, что, очевидно, должно было означать, что в люстре у него подслушивающее устройство. В кино всегда возводили глаза к потолку, когда намекали на прослушку.

Что на него нашло? Какая прослушка? При чем тут Батурин?

— Кира, — вслед ей попросил Костик, — скажи Раисе, что я эту дуру из новостей на полчаса раньше жду! Пусть она ее найдет.

— Ну, пусть найдет, — пробормотала Кира.

Им обоим было хорошо известно, что найти сотрудника вне стен родной редакции почти невозможно, журналисты уходили «на задания» и исчезали, как будто подвергались дематериализации. Через некоторое время они объявлялись, и никому никогда в голову не приходило выяснять, где они были и что именно делали. Лишь бы материал сдали вовремя.

Так что не найдет Раиса «эту дуру из новостей», если только та не сидит на собственном стуле за собственным компьютером в собственной комнате.

Кира открыла дверь в крохотную приемную, чуть не стукнув по носу Верочку Лещенко. Верочка маялась прямо под дверью — Кира была уверена, что подслушивала.

— Привет, — выпалила Верочка и засияла глянцевой улыбкой, — я тебя жду. Или Костика.

Главного редактора почему-то все именовали Костиком, хоть и лет ему было почти сорок, и выглядел он скорее как Константин Сергеевич, нежели как Костик.

— Привет, — сказала Кира, — я уже освободилась. Ты хотела колонку показать?

— Ну да, — смущенно призналась Верочка.

— Верочка, здравствуй! — провозгласил из кабинета шеф. — Написала?

— Написала, — подтвердила Верочка и зарделась. Она всегда краснела, когда шеф к ней обращался, вот какая была застенчивая. — Я старалась, чтобы получилось в вашем стиле, но я точно не знаю...

— Кира посмотрит. — Костик вылез из-за стола и остановился в дверях, упершись руками в косяки.

Широченные плечи, пиджак «Хьюго Босс», стрелки на брюках, свежая стрижка, смуглая кожа — и загар не какой-нибудь там искусственный, а австрийско-горнолыжного происхождения.

Кира отвернулась, а Верочка продолжала смотреть на шефа как зачарованная. Поймав ее отражение в стекле книжного шкафа, Кира усмехнулась. Однажды в Лувре она попала в самый центр японского туристического торнадо. Перед Джокондой японцы стояли точно так же, как Верочка перед Костиком, и одинаковые желтые лица были одинаково непонимающе восторженными, как у Верочки.

— Рая, — сообщила Кира секретарше, — визит барышни из отдела новостей переносится на полчаса раньше. — Костик в дверях согласно кивал. Кире стало смешно — чего он кивает? Раз уж вышел, говорил бы сам! — Константин Сергеевич просит вас найти ее и предупредить.

— Где же я ее найду, если ее на месте не окажется? — недовольно спросила секретарша. — Домашний есть у нее, не знаете, девочки?

«Девочки» — Кира с Верочкой — покачали головами.

— Вера, пошли ко мне в кабинет, я посмотрю материал.

— Чайку? — спросила Раиса и посмотрела на Киру поверх очков. Палец был плотно прижат к тому месту в списке сотрудников, где, очевидно, значилась «дура из отдела новостей». — Кофейку? Или сама поставишь?

— Конечно, поставлю, — согласилась Кира.

— Я вечером заеду, — в спину ей сказал Костик.

— Только ты позвони сначала, — напомнила Кира.

— Ну, ясный перец.

Кира закатила глаза. Этот «перец» вконец извел ее редакторское ухо. Тим практиковал его к месту и не к месту, и его друг Илюха тоже, и в редакции он носился от одного сотрудника к другому, как метеор! Кто его придумал, этот перец дурацкий!

— Костик, — предупредила Раиса у нее за спиной, — если ее на месте нет, я не знаю...

— Ладно-ладно, — бросил шеф, и дверь за ним закрылась. Кира знала по звуку, как закрывается каждая редакционная дверь.

...И все-таки почему Костик?

Никому и в голову не приходило называть ее бывшего мужа Сережик, а ведь они с Костиком ровесники, и Сергей в своей конторе такой же начальник, как Костик — в своей. На работе его звали исключительно Сергей Константинович, хотя неудобно это было и длинно, и язык непременно запутывался между всеми «т» и «н». Может, просто среда другая?

— Тебе чай или кофе? — Кира была недовольна собой и поэтому говорила громко, громче, чем всегда.

Бывший муж вторгся в ее мысли слишком бесцеремонно, и она не знала, как теперь от них избавиться.

Верочка ничего не знала про Кириного бывшего мужа, который застрял в ее мыслях, слышала только громкий недовольный голос и смотрела на Киру с некоторой опаской и некоторым излишком преданности.

— Не обращай внимания, — сказала ей Кира, — я просто думаю о другом. Так чай или кофе?

— Кофе, — выбрала Верочка. — Кир, а почему он меня попросил колонку за него написать? Ему... нравится, как я пишу?

Скорее всего попросил потому, что ее мордашка первой попалась ему на глаза, подумала Кира, Это очень в духе Костика. Самому писать лень. Замов искать лень. Ну пусть хоть вот эта напишет, хорошенькая! Потом в случае чего перепишем!

— Я не знаю, — ответила Кира, не придумав ничего получше. Она понятия не имела, как пишет Верочка, и не хотела авансом говорить, что та пишет хорошо. Просто чтобы потом не сказать, что материал плохой. — Давай посмотрим.

Ее бывший муж Сергей Константинович, которого только-только удалось загнать в темный угол, опять нагло влез в самую гущу Кириных мыслей.

В отличие от большинства мужчин, впавших в популярный нынче «кризис среднего возраста», вышеупомянутый Сергей Константинович девчонок не любил, особенно на работе.

«Мне проще все сделать самому, чем тридцать три раза объяснить, что нужно, потом три часа ждать результата, а потом переделывать заново».

Пожалуй, в этом Кира была с ним согласна.

...Зачем она о нем думает, будь он неладен! Все из-за Тима с его Костромой! Надо было сказать Сергею, что накануне их сын в компании с другом Илюхой надергался за школой пива, и дело именно в этом, а не в том, что Кира вознамерилась оградить его от жизни и... как это говорится?.. да, привязать к своей юбке.

Кира в жизни не носила юбок.

Дело оказалось не так уж плохо. Стиль был неплох, и тон выбран правильный, и даже похоже на то, как обычно писал сам Костик — наверное, проглядела подшивку!

— Все ничего, — сказала Кира с удовольствием и посмотрела на Верочку. Та немедленно покраснела и спряталась за свою кружку. — Только вот здесь надо переделать. Добавить фактуры, ну ты понимаешь.

Кира закрыла файл и отпила из кружки.

— Переделай. Я посмотрю, а Костик туда что-нибудь добавит. Очень неплохо. Молодец.

— Спасибо, — пробормотала Верочка, — мне было... очень страшно. Можно, я сначала тебе покажу, когда переделаю?

— Ну конечно! Я же говорю, что посмотрю. И Костику скажу, что ты молодец.

Верочка улыбалась совсем другой, не глянцевой, а искренней и свободной улыбкой.

— Кир, а из-за чего они с Батуриным поссорились? Я только приехала, вошла в коридор и слышу, как он орет. Если бы он на меня так заорал, я бы умерла, наверное.

— Не умерла бы, — отрезала Кира, — на нашей работе нельзя умирать из-за того, что начальник орет. Он все время орет, сколько я его помню.

— Ты... давно с ним работаешь?

— Лет пять. Как только появился журнал. Он был редактором, а я корреспондентом. Потом я стала редактором, а он ответственным. Теперь он главный, а я его заместитель.

— А Батурин?

— Что — Батурин?

— Он тоже... с вами начинал?

— Батурин пришел года два назад. Он был военный корреспондент где-то на телевидении. Потом вышла какая-то история, я точно не знаю. — Кира все знала совершенно точно, но Верочке рассказывать не собиралась. — Его ранили, он до сих пор хромает. С камерой по ущельям скакать больше не может, вот и работает у нас.

— Григорий? — недоверчиво переспросила Верочка. — С камерой по ущельям? Ты его ни с кем не путаешь?

— Я ни с кем его не путаю, — отчеканила Кира, и Верочка моментально сообразила, что на этот раз выбрала неверный тон. Сообразила и немножко струхнула.

— Налить тебе еще или больше не будешь?

Верочка быстренько и подобострастно отказалась и выскочила из кабинета в приемную.

— Поговорили? — дружелюбно спросила секретарша Раиса. — Чайник у нее горячий небось? Пойти, что ли, чайку налить, пока главный занят...

— У него кто-то есть? — спросила Верочка, замирая от благоговения.

— Из новостей. — Раиса выдвигала один за другим ящики стола, искала кружку, нашла и посмотрела скептически — мыть или не мыть. Решив, что мыть не стоит, она выбралась из кресла и постучала к Кире: — Я у тебя чайку налью, Кира?

Верочка прислушалась.

Главный опять бушевал — не так громко, как полчаса назад, но все же в приемной и даже в коридоре было слышно.

— Я вас уволю к чертовой матери, — кричал он за тонкой стеной, — и мне плевать, где вы работали раньше и что вас сюда пристроил ваш папа! Пусть тогда папа приходит и пишет! Что это такое — за час до сдачи номера такие выкрутасы! Что вы себе позволяете?!

Верочка еще немного послушала его крики — как музыку, потому что очень гордилась собой. Ей-то строгая, чопорная и холодная акула Кира Ятт сказала, что «все ничего»! Она, Верочка, написала такой материал, что сама Кира сказала «ничего»! Это было несколько ниже Нобелевской премии по литературе, но все же выше Букеровской — по крайней мере, она именно так это себе представляла.

Верочка вырулила из приемной и тихонько прикрыла за собой дверь. Она была в самом конце коридора, когда ее обогнала высоченная патлатая девица, похожая на внезапно вспугнутую дикую лошадь. Каблуки у нее стучали, глаза были полны слез, и папка, которую она судорожно прижимала к плоской груди, выглядела щитом — последним оплотом погибающего воина.

— Привет, — с любопытством проговорила Верочка.

— Привет, — выдавила девица, — я... тороплюсь очень, извини.

Оно и видно, подумала Верочка. Небось папе нужно срочно позвонить, наябедничать. Главный, конечно, не подарок, зато умен, хорош, и журналист блестящий, и мужчина хоть куда — не справиться тебе с ним, дорогая. Даже с помощью папы не справиться! У главного скорее всего свой папа имеется, и ничуть не хуже твоего, а может, даже и лучше.

Девица, по-лошадиному переставляя длинные ноги, неслась в сторону отдела новостей, когда наперерез ей выдвинулся откуда-то Григорий Алексеевич Батурин. Выдвинулся так неожиданно, что они столкнулись, и девица даже покачнулась.

— Простите, Григорий Алексеевич, — сказала она хрипло, — я... тороплюсь.

— Ничего, — ответил Батурин после паузы, — все в порядке.

Очевидно, не все было в порядке, потому что он как-то судорожно перехватил палку, на которую опирался, и даже на секунду взялся рукой за белую стену.

Кобылица сделала движение, как будто намеревалась его поддержать.

— Спасибо, не нужно, — твердо сказал он, — я же говорю, что все в порядке.

Просто так таращиться на них, стоя посреди пустого коридора, было неловко, а Верочке очень хотелось посмотреть продолжение. Особенно после того, что рассказала акула. Собственно, она почти ничего не рассказала, но бывший военный корреспондент — боже мой, как романтично! — заинтересовал Верочку, которая раньше на него не обращала никакого внимания.

Она думала только одну секунду, потом вытащила из кармана пиджака оставшуюся с прошлого лета карточку метро и нырнула под блестящий панцирь настенного телефона.

А что такого? Может, ей срочно нужно позвонить! Журналисты то и дело звонили по этому телефону, она сама видела. Карточку она сунула в прорезь и сняла трубку. В трубке громко гудело, мешало слушать. Верочка набрала цифру «два».

— Простите, пожалуйста, — смиренно попросила кобылица еще раз, — я плохо вижу и очень спешу...

— Вы из отдела новостей? — спросил Батурин как-то неуверенно, как будто не сразу вспомнил, как называется отдел, — вас главный вызывал. Правильно?

— Правильно, — согласилась девица, отвернулась и некрасиво шмыгнула носом, — я должна идти, извините.

— Вы что? — Голос у зама был подозрительный. — Ревете, что ли?!

Верочка на миг высунулась из-под панциря, взглянула, спряталась и набрала цифру «три».

— Я... не... реву, — по слогам ответила кобылица, и стало понятно, что она именно ревет, — у меня неприятности.

— Понятно, — мрачно сказал хромой зам главного. — Реветь бросьте. Костик часто устраивает шум по пустякам. Правильно я понял? Вы от Костика идете в такой истерике?

Девица вдруг сорвала очки в модной крошечной оправе и стала судорожно шарить по карманам. От Батурина она отворачивалась.

— Я не... понимаю, правда, не понимаю... за что он меня так...

— Почему вы не понимаете? Он что, не объяснил, в чем дело?! Я не верю, что он вам не объяснил, за что!..

— Да знаю я, за что! — перебила его девица, выхватила из кармана платок и принялась судорожно протирать стекла. Губы у нее кривились, как в предсмертных судорогах. — В том-то и дело, что знаю!

— А чего ревете?

— Я не реву!

— Ревете.

— Я реву потому, что это... это... не я!

— Как — не вы? — искренне удивился Батурин и переступил. Скрипнула его палка. — Если это не вы, то где тогда вы?!

— Нет, — она вдруг улыбнулась, — я — это я. Просто я не делала ничего из того, за что он меня... когда он меня... а я даже не смогла... а я ничего, ничего этого не делала!

В конце коридора показался Леонид Борисович Шмыгун, и зам с кобылицей как по команде замолчали.

— День добрый, Григорий Алексеевич.

— Здравствуйте, Леонид Борисович.

— Я к вам наведаюсь попозже. Вы будете на месте?

— Пока никуда не собираюсь.

— Непременно наведаюсь.

Верочка уставилась на свой телефон и, соблюдая конспирацию, стала набирать все цифры подряд. Леонид Борисович прошел, слегка кивнув в ее сторону. Она тоже слегка кивнула под прозрачным панцирем и нажала отбой. За Львом Борисовичем по коридору волочился густой шлейф дрянного одеколона. Верочка сунула нос в свой рукав, чтобы переждать вонь.

— Я ничего не понял, — негромко сказал Батурин, — что это значит? Вы или не вы или кто там еще! Объясните.

— Не хочу я ничего объяснять, — с тоской произнесла девица, — все равно вы мне не поверите! Ну, не писала я в материале, что Гонконг — европейский город с европейской же культурой! И президента Василием Васильевичем я тоже не называла!

— Гонконг? — переспросил Батурин с сомнением. — Василий Васильевич?

— Ну вот видите! — опять закричала девица. — Конечно, все дело в том, что я такая идиотка, и у меня папа, которым меня все попрекают! Что мне теперь, другого отца найти, что ли?! А про Гонконг я не писала! Я понятия не имею, откуда он взялся в тексте! И я знаю, как зовут премьера, президента и всех остальных! Я же не сумасшедшая!

— Тогда откуда главный это взял?..

— Из моего материала!

— Ну, вот видите.

— Да говорю вам, что я ничего этого не писала!

— А кто писал, — спросил Батурин холодно, — ваши враги? Вам подменяют материалы? Конкурентная борьба за место под солнцем?

Девица кое-как напялила очки и посмотрела на Батурина свысока. Она была почти одного с ним роста.

— Простите, Григорий Алексеевич, я должна идти. Мне как раз будет звонить папа. Может, мне подать на родителей в суд? Их лишат родительских прав, и я перестану всех раздражать!

Батурин усмехнулся.

— Лучше проверьте ваш компьютер на вирусы, — неожиданно посоветовал он. Девица уставилась на него. — Сын Киры Ятт недавно нам удружил один. Десять слов печатаешь, а одиннадцатое — матом. На мониторе все чисто, а из принтера лезет во всей красе. Проверьте.

— Хорошо, — растерянно пробормотала она.

— До свидания.

— До свидания, Григорий Алексеевич.

— Да, и не рыдайте больше в коридоре! — негромко сказал он ей вслед. Она обернулась как ужаленная. — У нас не приняты публичные рыдания. Сожрут.

Он повернулся к ней спиной и зашагал по коридору в сторону Верочки, сильно опираясь на свою палку. Девица еще несколько секунд смотрела ему в спину, а потом пропала за поворотом коридора.

Верочка сунула трубку в гнездо и выдернула из прорези карточку. Батурин проковылял было мимо, но вдруг приостановился.

— Этот телефон бесплатный, — сообщил он Верочке, — зря вы так старались.

— Я не старалась, — пролепетала она, — я звонила...

— Ну конечно, — согласился Батурин и потащился дальше.

Верочке он моментально разонравился.

Скажите, какой наблюдательный! Все заметил! И хромота у него не романтическая, тяжелая хромота, натужная, некрасивая. И сам мешок мешком! Как это он пробился в первые замы!

Наплевать на Батурина, решила Верочка.

Утром в редакции стало известно, что накануне вечером Костик был убит в подъезде дома Киры Ятт, которой он назначил романтическое свидание.

Его нашла бабка-вахтерша, которую за каким-то чертом понесло на последний этаж «проверить двери», хотя никаких дверей там не было, особенно таких, которые нужно проверять.

Время близилось к одиннадцати, и Марья Семеновна

отправилась «проверять двери», и ее вопль, подобный иерихонской трубе, сотряс подъезд.

Приехала милиция.

«Газик» с надписью «Дежурная часть», освещая двор всполохами мигалки, бодро подскочил к подъезду, и из него выбрались усталые равнодушные мужики с кирпично-чугунными лицами и затылками. Им было наплевать на Марью Семеновну, которая заливалась слезами, наплевать на Киру, которая никак не могла прийти в себя и от этого непрерывно курила, и на Тима наплевать, чья бледная и возбужденная физиономия торчала в дверном проеме, и на Костика, который лежал, неестественно вывернув руку — живые так не выворачивают руки, — а его портфель валялся в стороне, как будто он никак не мог до него дотянуться.

Из соседей на лестницу почти никто не вышел, кроме тех, кто жил с Кирой на одной площадке и которых тоже пробрал до костей вопль Марьи Семеновны. Все остальные сделали вид, что ничего не происходит — частная жизнь, черт побери, гораздо важнее трупов на лестнице!

Вокруг Костика ходили чужие люди, присаживались на корточки, фотографировали и клали короткие линейки, как будто мертвый Костик был жуком, которого следовало поместить в энтомологическую коллекцию.

— Ну чего? — спросил с площадки милиционер, опоздавший к началу действа.

— Огнестрел, — откликнулся тот, который сидел на корточках, и они оба глубокомысленно закурили.

Примерно на половине сигареты — наблюдательная журналистка Кира знала это совершенно точно — они решили, что Кира должна быть в курсе, почему убили Костика, и даже вполне вероятно, что именно она все это и устроила. Они продолжали преувеличенно внимательно смотреть друг на друга, а потом один из них — тот, что сидел на корточках возле Костика, — оглянулся и как будто тоже приложил к Кире линейку, измерил с головы до ног.

Она это действо выдержала с блеском, по крайней мере, ей так показалось. Ничего особенного. Эту линейку к ней прикладывали миллион раз. Пережила и сейчас переживет.

Он двинулся к ней, на ходу доставая удостоверение из внутреннего кармана дешевой кожаной куртки.

— Капитан Гальцев, Андрей Степанович, — представился он, подойдя, и сунул ей под нос удостоверение, с которого свешивалась толстая никелированная цепь и пропадала в кармане. Кира подумала, что капитан Гальцев Андрей Степанович намертво пристегнут к своему удостоверению. Потом он произнес какую-то невнятицу, в которой проскальзывали известные ей по фильмам слова «РОВД» и «отделение номер такой-то». Кира кивнула.

— Хотите сигарету, — предложила она, — и, может быть, пойдем в квартиру?

Сигарету он только что бросил прямо на чистый, как будто отмытый шампунем, плиточный пол, и теперь она там лежала, скрюченная и сплюснутая, и отравляла ему жизнь.

Женщина была бледна и держалась прямо, с преувеличенным достоинством.

То ли боится, то ли переживает, решил капитан. Посмотрим, что тут у нас такое. Капитану не хотелось, чтобы это был «глухарь» — квартал кончается, надо бабки подбивать, статистику наводить, а тут — бац! — «глухарь»!

— Пойдемте, — еще раз пригласила она. В голосе была напряженная настойчивость. Капитан оглянулся на площадку и понял, в чем дело.

Мужики в грязных белых халатах взваливали на носилки труп — мертвые руки мотались по бокам, один щегольской лакированный ботинок слетел с ноги, и открылась узкая ступня в черном носке, капли черной крови падали на плиточный пол — не потому, что убитый все еще истекал кровью, а потому, что его одежда насквозь пропиталась ею.

— Костик, — пробормотала женщина, и капитан Гальцев посмотрел внимательно, — господи, этого *просто не может быть*!..

— Чего не может быть?

Она не взглянула на него и не ответила.

На площадку пятого этажа выходило две квартиры. В дверях одной из них маялся худосочный мальчишка в широченных штанах, майке навыпуск и босиком. Вид у него был одновременно любопытный, испуганный и брезгливый.

— Мам, ну что там, а?

— Приехала милиция, — спокойно ответила она, — ты же видишь. Сейчас Костика увезут.

Капитан с некоторым уважением подумал, что она не стала кричать, что «там ничего, и это совершенно не твое дело, и сколько можно повторять, чтобы ты шел спать!». Ведь ему понятно, что никакими силами она не загонит мальчишку спать, что он уже все видел, а потому скрывать от него «правду жизни» глупо.

— Проходите. — Она пропустила капитана вперед. — Я могу оставить дверь открытой, чтобы ваши... коллеги могли зайти.

— Хорошо, — пробормотал капитан.

Протискиваясь мимо нее, он услышал, как она пахнет — дорого и свежо, — и оценил длинную шею, плотные ноги, упакованные в джинсы, и довольно... большую грудь под свободным домашним свитером. У нее была странная прическа. Такие прически капитан видел только в рекламных роликах — сзади никаких волос, а спереди длинная лохматая выстриженная челка. Когда она пыталась заправить ее за ухо, на правой руке звякали два браслета. Больше никаких украшений не было.

Капитан посмотрел — обручального кольца тоже нет. Впрочем, это ничего не означает. В паспорте у нее написано, что разведена относительно недавно, год или около того. Может, она колец вообще не носит.

Интересная женщина. Очень интересная женщина. Не размазня, не рохля, не трусиха.

Ну и что?

Пока ничего.

— Вы знали убитого? — в спину ей спросил капитан.

— На кухню пойдем? — не отвечая, предложила она.

— Как хотите, — пробормотал тот.

— Кофе? Чай?

— Ведро водки, — пробормотал капитан себе под нос. Она не должна была услышать, но услышала.

— Ведра нет, — сказала она решительно, — но немного есть. Хотите?

— Я на работе! — возмутился он с некоторым излишком праведной досады. Она его смутила.

— Тим, ты тоже будешь чай, конечно?

— Буду, — прогудел откуда-то мальчишка, и опять она не стала говорить, что «давно пора спать». И правда умная женщина.

— Это Костик, — неожиданно сказала она, — Константин Сергеевич Станиславов, мой начальник. Главный редактор еженедельника «Старая площадь».

Гальцев длинно присвистнул.

Вот только главного редактора ему и не хватало под конец квартала! Будто все у него было в полном шоколаде, не хватало только журналиста с аккуратной дыркой в животе! Вот за эту подлую подлость он просто ненавидел свою работу!

Главный редактор, мать его!..

Сейчас, через полчаса, на «место происшествия» пожалуют все ведущие телевизионные каналы и все проментовские и антиментовские передачи — от «Дорожного патруля» до «Человека и закона»! Завтра все газеты напишут про убиенного — какой был пламенный борец, настоящий журналист, честный и неподкупный. Савик Шустер объявит, что все это — политический заказ и по-

34

кушение на свободу слова. «Независимое расследование» затеет независимое расследование и нарасследует какую-нибудь дичь, в результате чего окажется, что во всем виноваты менты — то ли они его сами пристрелили, то ли отнеслись без должного внимания, а если уж, оборони боже, «глухарь», тогда прости-прощай квартальная премия и благодарность в приказе!..

Так. Надо быстро найти того, кто его замочил, чтобы к приезду «средств массовой информации» уже был готовый подозреваемый.

Ну, пусть хоть эта баба!..

— Садитесь, — предложила она Гальцеву, — сейчас будет кофе. Вам с молоком, с сахаром?

Он пожал плечами и сел на широкую табуретку веселого деревянно-желтого цвета.

— Он к вам приехал?

— Ну, конечно, — сказала Кира, — он хотел со мной поговорить.

— О чем?

— Я не знаю. — Она достала сахарницу и перелила молоко из пакета в маленький серебряный молочник. — Почему-то на работе он мне ничего не сказал. Сказал только, что вечером приедет, чтобы поговорить. И все.

— Во сколько он должен был приехать? — спросил капитан, нацеливаясь на свою записную книжку.

— Я не знаю, — ответила она с досадой, — по-моему, после девяти.

В записной книжке лежал ее паспорт, который он смотрел, как только приехал «на вызов».

Кира Михайловна Ятт — вот наградил бог фамилией! — тридцати пяти лет, разведенная, незамужняя, сын Тимофей Сергеевич Литвинов, тринадцати лет. Родилась — капитан вздохнул протяжно — в городе Лондоне.

...Знаете такой город, капитан Гальцев? Говорят, неплохое место для жизни!..

Почему она там родилась, да еще тридцать пять лет назад? Какой это у нас год-то был? Шестьдесят седьмой?

Восьмой? В открытый космос вышли, поля засеяли кукурузой, Венгрию давно приструнили, Чехословакию только что за «железный занавес» подергали, проверяя прочность — ничего, прочный, висит! — до Афганистана далеко, до Солженицына в списках — близко. Как в это время можно было родиться в Лондоне?

— Вы зовете его Костик, он ваш... друг?

— Он мой начальник, — объяснила она, не дрогнув. Ловко подняла турку, так, чтобы ни капли кофе не пролилось мимо крохотной чашечки, и стала наливать во вторую. Капитан покосился на чашечку — он любил пить кофе из больших толстых кружек. Полную кружку и сахару побольше. Как пить кофе *из этого*, он не знал.

— Начальник и друг, — настаивал капитан, — или любовник?

Она приткнула турку на край плиты и обеспокоенно взглянула на дверь. Там, за дверью, был ее сын, но закрывать ее Кира Ятт не стала.

— Он никогда не был моим любовником, — отчеканила она, слегка понизив голос, — мы... вместе начинали работать, когда «Ист-Вест холдинг» принял решение о создании этого журнала.

— Когда это было?

— Пять лет назад. Главный редактор был другой, Володя Николаев, он сейчас в Америке живет. Он дружил с Костиком, взял его на работу, стал двигать, а потом уехал, а Костик его заменил.

— А вас кто двигал?

Она пожала плечами под домашним свитером из разноцветной шерсти. У свитера был обширный вырез, и в этом вырезе виднелось много матово посверкивающего чистой кожей тела, и капитану это мешало.

— Меня никто не двигал. Я двигалась сама. Собственно, я особенно никуда и не продвинулась. Я второй заместитель главного редактора. Это весьма... посредственная должность.

— Какая? — переспросил капитан.

— Посредственная, — повторила она сухо, — для моего возраста, конечно. Сейчас все по-другому. Сейчас девочки и мальчики после факультета журналистики приходят, кому двадцать два, кому двадцать три, им уже давно куплены должности. Примерно такие, как моя. Есть еще более привлекательные, например, заместитель коммерческого директора или директора по рекламе. Совсем ничего не нужно делать, все делает директор. Сиди себе и учись, если мозги есть. А если нет, просто денежки получай.

— Ваш... Костик из этой же серии?

— Нет. — Она улыбнулась. Зубы были безупречными, как и плечи. — С чего вы взяли? Я же говорю — его двигал Володя, а они с Володей сто лет назад начинали в ТАСС или в РИА, я точно не помню. Это... профессионалы, а не мальчики, Андрей...

— Степанович, — подсказал капитан. — А у вас есть мальчики, которые хотели бы купить должность главного?

— Должность главного покупать не рекомендуется. Все-таки ведь кто-то должен делать журнал! Это не так просто, как кажется на первый взгляд. Костик очень хороший журналист, — сказала она решительно, словно специально отказываясь добавить «был», — пишет отлично, в политике разбирается, связи у него везде.

— Что значит — связи?

Кира Ятт закурила сигарету и остановилась прямо перед капитаном, который все страдал над своей наперсточной чашкой. Опять он услышал ее запах, что за наказанье такое! И ее матовая кожа мешала думать.

— Андрей Степанович! Чтобы делать журнал, надо иметь доступ к информации. Что такое информация? То, что приходит по линии информационных агентств, — ерунда, вы понимаете, вчерашний день, это никому не нужно. Необходимо первыми узнать то, что может стать сенсацией или даже просто событием. Нужно добиваться, чтобы эти события комментировали те, кто в этом хоть что-то понимает. Можете себе представить, что необходимо преодолеть, чтобы получить согласие на интервью, например, от главы администрации президента?

— Нет, — признался капитан Гальцев, который никогда не пытался интервьюировать главу администрации.

Больше того, он был искренне уверен, что этот глава на самом деле никому не интересен и получать у него согласие на интервью ни за каким чертом не надо! Ну, не хочет он интервью, значит, пусть будет интервью с группой «Блестящие». Ничуть не хуже, а может, даже и лучше!

— Костик знал нужных людей везде — и в Думе, и в администрации, и в правительстве, и в МВД, и в МЧС. Ему почти никогда не отказывали, и у нас всегда была возможность подтвердить или опровергнуть информацию. Или получить доступ к каким-нибудь закрытым материалам. У нас же нет первой поправки! Прессе никто ничего показывать не обязан!

— Ясно, ясно, — пробормотал капитан, глядя в свою записную книжку. В книжке были прочерчены линейки и написано «пон», «втр», «срд».

Ни «пон», ни «втр», ни «срд» ничего не добавляли к общей картине.

В Зоологическом музее, куда капитан Гальцев любил наведываться во времена пионерского детства, была композиция — «Глухари на токовище». Чучела облезлых глухарей, пыльная искусственная трава, пыльные искусственные кусты, на заднем плане — нарисованное озеро и березы. Красота.

«Глухарь» был налицо, а вместо нарисованных берез с озером — модерновая кухня и глоток аристократического кофе.

Все-таки, наверное, он был ее любовником. И она пристрелила его на площадке между четвертым и пятым этажом, когда он приехал к ней, чтобы выяснить отношения. Может, он хотел завести отношения с кем-то еще, а она, эта блестящая Кира, ему мешала. Ревновала, скандалила или что там еще.

Капитан зевнул, не разжимая челюстей. Хорошо бы так и было. Несмотря на свежий и дорогой запах, два браслета и матовую кожу.

— И вы не знаете, зачем именно сегодня он хотел вас видеть? — продолжая скорее свои мысли, чем разговор с ней, спросил он.

— Нет. Они сильно поссорились днем с первым замом, Гришей Батуриным. Я вошла, когда они орали друг на друга. Потом Гришка ушел, вернее, я их разогнала...

— Как — разогнали? — перебил насторожившийся, как овчарка, капитан.

— Да никак, — ответила она нетерпеливо, — велела, чтобы прекратили. Всю редакцию оповестили, что у них опять скандал! Они скандалят всегда... очень громко. Гриша ушел...

— Подождите, — остановил капитан, — как его зовут?

— Кого? — не поняла Кира.

— Того, с кем поскандалил ваш главный.

— Григорий Алексеевич Батурин. Первый заместитель главного редактора, — продиктовала она почти по слогам, как будто капитан был второгодник.

— Он себе тоже должность... прикупил?

— Нет, он пришел к нам два года назад...

Кира вздохнула. Он был как-то непонятно прямолинеен, этот капитан Гальцев, хотя вовсе не производил впечатление дурака.

Чем-то я его раздражаю, поняла Кира и даже незаметно оглядела себя, все ли в порядке. Все было в порядке.

Ей нужно, чтобы он поскорее убрался вон. Она должна дать Тиму «Новопассит», чай и два бутерброда с сыром, уложить его спать, а потом подумать.

Подумать и поплакать над бедолагой Костиком.

Что, черт побери, могло произойти в ее подъезде — «охраняемом», как писали в объявлениях о жилье! — не таким уж поздним вечером, в тихом и спокойном центре старой Москвы! Кто стоял на площадке между четвертым и пятым этажом, поджидая лифт, кто выстрелил ему в сердце, и он упал, нелепо взмахнув руками, и портфель отлетел к стене, и подвернулась нога, и рука как-то странно вывернулась, но для Костика это уже не имело никакого значения. Рука ему больше не понадобится никогда.

Правая, медленно подумала Кира. Правой он писал. Нет, он всегда печатал на компьютере, это она все не могла себя приучить, все ручкой на бумажке строчила, а он печатал.

У него были милые пожилые родители где-то под Москвой и сестра, лет на пятнадцать его младше, которой он постоянно давал деньги, и дорогая машина, и неослабевающий боевой задор в отношении «девчонок».

— Простите меня, — выдавила она и взялась за горло, — одну минуту, простите, пожалуйста.

И выскочила из кухни.

Проняло, понял капитан Гальцев. Осознала. Теперь начнется истерика, и ни черта у нее не вытянешь. Так всегда бывает.

Он понюхал остывшую кофейную гущу в своей чашечке — гущи было ровно до половины. Даже на глоток не хватило того кофе, что сварила Кира Ятт. Вот наградил бог фамилией!..

За деревянной дверью послышалось какое-то шевеление, и капитан, безошибочно распознав это шевеление, негромко позвал:

— Парень! Зайди сюда!

После минутного молчания мальчишка возник в проеме.

— Вы меня? — спросил он вежливо.

— Слушай, — сказал капитан, — твоя мать угостила меня кофе, а я такой не люблю. У вас нет нормального, из банки?

— Есть, — подумав, ответил мальчишка, — сейчас.

Вразвалку — штаны были необъятной ширины и полоскались, как будто он некоторое время шел внутри их, — он вошел в кухню, включил чайник и вытащил громадную белую кружку. Капитан приободрился.

На кружке была надпись «Серый волк, зубами щелк!» и еще почему-то дата.

Странная какая-то кружка. На таких кружках должно быть написано «Я люблю Нью-Йорк» и нарисовано сердце с красной стрелой.

— Почему серый волк? — осведомился капитан.

— Где? — не понял мальчишка. — А... Это папина кружка. Его мама иногда зовет Серый, потому что он Сергей. То есть звала, — поправился он.

Папа, надо понимать, бывший муж и отец пацана.

Н-да. Зубами щелк. Почему-то вдруг смысл этой надписи показался капитану неприличным.

— Слушай, парень, а ты ничего не слышал — может, шум, или крик, или выстрел?

— Не-а, — протянул пацан. — Вам сколько кофе?

— Две ложки. А мать весь вечер дома была?

Мальчишка моментально принял боевую стойку. Капитану даже показалось, что он видит, как со всех сторон выставились и навострились колючки.

— Ну конечно, дома! Вы что, с ума сошли? Вы думаете, это она...

— Я ничего не думаю, — перебил капитан сердито, — я пока просто спрашиваю. Она никуда не выходила?

— Нет, — почти крикнул мальчишка, — да куда ей выходить-то?! Она после работы всегда дома!

— А... по телефону разговаривала?

— Я не знаю! Я не слушаю, что она делает! Я английский учил!

— У тебя своя комната?

— Ну, конечно, чья же еще?

— И ты из нее не выходил?

— Не выходил я! Я никогда не выхожу, если этот козлина приезжает!.. Очень он мне нужен!

— Подожди, — попросил капитан, — какой козлина? Мамин начальник, что ли?..

— Что происходит? — спросила с порога Кира. — Тим, почему ты орешь?

— Ничего, — заспешил капитан, — парень сделал мне кофе. Ваш, — тут он улыбнулся самой обворожительной улыбкой, — я пить не могу, уж извините.

— Мам, я папе позвоню, — угрюмо сказал мальчишка. — Может, он приедет?

— Еще не хватает! — тихо, но очень убедительно воскликнула мать. — Ты знаешь, сколько времени?

— Мам, у меня есть часы и глаза!

— Тогда не говори глупостей. Сейчас мы закончим и будем чай пить. И ты пойдешь спать.

— Мам, ну пусть он приедет!

— Тим. Нет.

— Мам, ему ехать три минуты!

— Нет.

Так-так, подумал капитан. Серый волк, зубами щелк.

— Ну и ладно! — злобно сказал мальчишка, повернулся внутри своих штанов и выскочил из кухни. Штаны скрылись намного позже.

— Что это за мода... — пробормотал капитан, проводив глазами мальчика.

— Такая, — объяснила Кира.

— Значит, вы все время были дома, ничего не видели, не слышали, — неожиданно спросил он, — во сколько вы приехали?

— Около семи, наверное. Или чуть позже семи. Если у меня на работе нет никакого... форс-мажора, я всегда приезжаю примерно в это время.

— А ваш начальник к вам часто приезжал?

— Не слишком. Если у нас возникали проблемы на работе и нам надо было обсудить их в спокойной обстановке, приезжал. Никакого, — она поискала слово, — графика приездов у него не было.

— А почему он с первым замом не обсуждал?

— Я не знаю, — резко ответила Кира, — может быть, он и обсуждал, но без меня. Ко мне Костик всегда приезжал один.

— У вас плохие отношения?

— С кем? — не поняла она.

— С первым замом?

— Почему у нас должны быть плохие отношения?

— Не должны, — раздраженно заявил капитан, — но могут. Вы не хотели стать первым замом? Вы женщина умная, деловая, сразу видно, а всего только второй зам. Тем более вы давно работаете, а этот первый зам — недавно.

Кира поболтала туркой, в которой еще оставался глоток кофе.

— Если вы хотите сказать, — начала она, — что я пристрелила Костика на лестнице собственного дома только для того, чтобы продвинуться по карьерной лестнице и стать первым замом вместо Батурина, говорите это сами.

— Да вы уж все сказали!.. — пробормотал капитан.

— Батурин отличный журналист. У нас почему-то принято говорить — неплохой, — отчеканила Кира, — если говорят, что журналист «неплохой», значит, это отличный журналист. У него есть чувство стиля, он хорошо пишет по-русски, что удивительно при его биографии, он жесткий и... правильный организатор. На месте Костика я бы его боялась.

— В каком смысле?

— Он дышал ему в спину. Я думаю, что через год он вполне мог бы обставить Костика.

«Батурин, — записал капитан, — претендент на должность».

— Это я к тому говорю, — продолжила Кира, словно капитан записал не в записной книжке, а у себя на лбу, и она там легко все прочитала, — что, может быть, Костику имело смысл прикончить Батурина, но никак не наоборот. Все само пришло бы к тому, к чему пришло сейчас — Гришка получит главного, и это будет *его* журнал.

— Зачем же ждать? Можно ведь и не ждать, а застрелить, к.черту, да и все.

Кира пожала плечами. Свитер дрогнул, и матовой кожи открылось еще немного больше.

Капитан дрогнул и отвернулся.

— Господи, — вдруг произнесла она с тоской, — какой ужас! Костика убили, а мы говорим чудовищные вещи, как будто так и надо!

— Если не говорить, тогда никто никогда не узнает, кто застрелил вашего... Костика.

— А узнает, что тогда, — спросила она, — он воскреснет?

Они помолчали.

— Нет, — сказала Кира, — Батурин не мог его убить.

— Почему?

— Выясняйте сами, — с сердцем ответила она, — вы в милиции служите, вам и карты в руки.

— Я как раз выясняю. Кто-нибудь, кроме вашего сына, который, как я понял, учил уроки и ничего не видел и не слышал, может подтвердить ваше алиби?

Вот это был удар так удар.

Она заморгала и даже отступила немного, наткнувшись спиной на полированную стойку. Капитан смотрел на нее, сделав оловянные глаза.

Очень хорошо. Давай. Теряй почву под ногами. Знай, что я могу сейчас же уволочь тебя в КПЗ.

А то «Глухари на токовище», понимаешь!

За дверью опять произошло какое-то движение, шлепанье босых ног, и в кухне возник высоченный красавец в халате. Волосы у него были взлохмачены, на щеке вмятина от подушки.

— Вечер добрый, — сказал красавец и зевнул во всю зубастую розовую пасть, — Кирха, что тут у нас происходит?

Капитан моргнул, прогоняя олово из глаз.

— Да хоть бы вот он, — как ни в чем не бывало заявила Кира Ятт, наградил бог фамилией!.. — Вот он может подтвердить мое... алиби. Да, Сергунь? Ты можешь?

— Я все могу, — согласился красавец и спросил деловито, устраиваясь за столом: — Ты сегодня кого-то прикончила?

— Вы кто? — зверея прямо на глазах, спросил капитан.

— А вы кто?

Опять внутренний карман и удостоверение на собачьей цепи.

— А-а, — уважительно протянул красавец, подцепил из плетенки сушку и стал грызть, сильно сжимая челюсти и хрустя на всю кухню, — а я Сергей Шлях, мы с Кирой... Я ее близкий друг. Ну, вы понимаете.

— Мы понимаем, — согласился капитан.

— А что стряслось-то?

— На лестнице, где лифт останавливается, застрелили моего начальника, — сухо сообщила Кира.

Красавец присвистнул:

— Которого ты ждала?

Кира посмотрела на него и ничего не ответила.

Капитан внутренне застонал. Композиция «Глухари на токовище» предстала перед ним во всей своей потрясающей красе и силе.

Значит, любовник этот, а не тот. Значит, именно этого пацан назвал «козлина» — умный мальчик, козлина и есть. Значит, этот знал, что должен приехать тот.

Так, может, и... убил его? Из ревности?

Да нет никакой ревности, ты же видишь! Он сидит, жрет сушки, разгрызая их идеальными до отвращения зубами, как пить дать вычищенными зубной пастой «32 Норма» при помощи щетки «Аквафреш флекс директ», ничего не боится, на покойника «козлине» наплевать тридцать раз, он даже сочувствия изобразить не может, да и лень ему его изображать.

Конечно, возможно, он выдающийся драматический актер, но не похоже, нет, не похоже...

— Паспорт у вас есть? — проскрипел капитан Гальцев.

— Как не быть, — воскликнул красавец, — а что? Предъявить?

Капитан промолчал. Красавец пожал плечами, поднялся, потрепал Киру по плечику привычным хозяйским жестом — вся эта матовая гладкая кожа, очевидно, давно и надежно принадлежала ему — и вышел.

Кира долила воды в чайник.

— Он все время был здесь? — спросил капитан.

— Он приехал минут на двадцать позже меня, — не глядя на него, как будто ей было стыдно, быстро ответила Кира, — мы поужинали, и Сергуня сел работать. Он часто привозит из офиса бумаги. Потом завопила Марья Семеновна, и я отвлеклась.

Отвлеклась. Хорошее слово, учитывая, что она отвлеклась на труп начальника, которого ожидали к семейному ужину. В смысле начальника, а не труп.

— Он с вами живет?

— Нет. Он приезжает, когда мы договариваемся.

— О сегодняшнем приезде вы тоже договаривались?

— Вот, — провозгласил красавец и шлепнул на стол паспорт, — вот она, моя краснокожая паспортина! С пропиской все в порядке.

— Где вы работаете? — спросил капитан, рассматривая паспорт.

— А что? — вдруг насторожился красавец.

— Ничего. Мне нужны все данные.

— Моя работа, — внушительно сказал Сергуня, — к вашим данным не должна иметь никакого отношения.

— Отвечайте на вопрос, — потребовал капитан сурово, — я сам знаю, что имеет, а что не имеет.

Как они ему все надоели — и Кира с ее запахом и матовой кожей, и красавец с зубами, и пацан в штанах шириной с Тверскую улицу!..

— Я работаю директором по продажам в компании «Юнико Бест», — сказал Сергуня, сел и стал трясти ногой, — это крупная западная компания, и я не хотел бы, чтобы на моей работе мне задавали вопросы по поводу... трупа.

— Где надо, там и зададим, — пообещал капитан.

Сергей Шлях, тридцать семь, разведен, еще раз разведен, не женат, две дочери — Диана Сергеевна Шлях и Жанна Сергеевна Шлях, соответственно пятнадцати и семи лет от роду.

— Во сколько вы приехали сюда?

— В полвосьмого где-то. А что?

— Вы договаривались о своем визите?

— Договаривался. А что?

— Вы всегда договариваетесь?

— Всегда. А что?

— Как часто вы здесь бываете?

— Это зависит от того, насколько я занят. Да почему вас интересует сей факт, я не понимаю?! Убили его не у нас в квартире, а где-то там на лестнице, мы туда не выходили, спросите лучше у вахтерши, кто мог в подъезд войти!

— Спросим, — согласился капитан, — конечно, спросим. Вы знали, что к вашей... подруге сегодня должен прийти начальник?

Сергуня пожал атлетическими плечами:

— Кира, я знал или не знал?

— Знал, — откликнулась Кира, — я тебе звонила.

— Точно, — вспомнил Сергуня и искренне улыбнулся капитану Гальцеву. Должно быть, в крупной западной компании научился так улыбаться. — Кира мне позвонила и сказала, что у нее сегодня деловой разговор, и этот... как его... Костик должен приехать после работы и что все это может затянуться.

— Зачем вы его предупредили?

Кира закурила и выдохнула дым.

— Затем, что вечер у меня мог оказаться занят. Я предложила Сергуне перенести... визит.

— Но я уже настроился, — подхватил Сергуня безмятежно, — мне не хотелось просто так менять планы. Я даже взял с работы бумаги, чтобы их посмотреть, пока Кира будет занята.

— Вы тоже не слышали ничего подозрительного?

— Ни-че-го, — по слогам ответил Сергуня, — я люблю музыку. Джаз. Я работал в наушниках. Я всегда работаю в наушниках.

Должно быть, в крупных западных компаниях принято работать в наушниках.

Все помолчали.

— Да нет, — сердечно сказал Сергуня, — мы — это не то, что вам нужно. Мы никого не убивали, правда, Кирха? Мы мирные обыватели, слушаем музыку, ковыряемся в бумажках, ничего интересного.

— И все-таки его застрелили в подъезде вашего дома, а не его собственного, — буркнул капитан, — хотя в вашем подъезде стрелять очень неудобно. И кодовый замок тут, и вахтерша! Мы ее допросим, конечно, но вряд ли она могла постороннего подозрительного человека впустить, а потом выпустить! И выстрела никто не слышал! Почему?

— Потому что пистолет был с глушителем, — предположил Сергуня и взял еще одну сушку.

— Или это была снайперская дальнобойная винтовка и стреляли с Покровского бульвара.

— Почему с бульвара? — спросил Сергуня. — Это же далеко!

— Он шутит, — объяснила Кира.

— Я шучу, — подтвердил капитан.

Что делать? Ну вот что делать?! Что начальству докладывать?! Да еще журналист, мать его!.. Где там «Дорожный патруль»?! Уже на подходе?

— Надеюсь, — сказал Сергуня нежно, — вы получили ответы на все ваши вопросы. Надеюсь также, что в моем офисе не станет известно об этом недоразумении. Американцы, знаете, до ужаса щепетильны в таких делах, а я должен получить повышение.

Мысль о повышении расстроила его, капитан голову мог дать на отсечение. Расстроила и заставила пожалеть о том, что он вообще приехал в этот «злосчастный день» к возлюбленной. Она ведь предупредила, что будет занята с начальником, а он все-таки приперся и теперь влип в историю!

Он переложил ноги — одну на другую — и стал трясти другой. Кира снова закурила.

Послышался странный стук — пальцем по деревяшке, — и откуда-то позвали:

— Андрюш!

— Да, — откликнулся капитан.

— Андрюш, тут гости в двенадцатую квартиру. Принимай!

— Гости? — пробормотала Кира и смяла в пепельнице сигарету. Вид у нее стал встревоженный. — Какие еще гости?

— Кого вы ждете? — быстро спросил Гальцев. — Кто еще должен нагрянуть?

Мужские голоса, гулкие на лестничной площадке и приглушенные в квартире, телефонная трель, шаги — Кира застонала сквозь зубы, услышав эти шаги, и капитан посмотрел на нее.

— Пап!! — завопил пацан в отдалении. — Пап, как хорошо, что ты приехал! У нас тут маминого главного грохнули на лестнице, и маму уже два часа допрашивают!

— Подожди, Тим, я ничего не понимаю, — послышался низкий голос, и в кухню заглянул взъерошенный мужик в джинсах и куртке, надетой почему-то прямо на майку, хотя до лета было еще далеко.

— Добрый вечер, — произнес он, оглядев кухню. — Кира, что случилось?

— Вы кто?! — рявкнул капитан, хотя все было и так понятно.

— Литвинов Сергей Константинович, — ответил тот, — бывший муж. Мне позвонил сын и сказал, что здесь убийство и подозревают мою бывшую жену. Это правда?

Кира закрыла дверь и на одну секунду прижалась к ней лбом. Лоб был горячий, а дверь холодная.

Господи, что теперь будет с ее жизнью?.. Кому понадобилось убивать Костика в подъезде ее дома, и этот милиционер — она видела! — так и не поверил, что это не она его убила!

И Тим зачем-то позвонил Сергею. Она же не разрешила! Что себе позволяет ее сын?! Их общий с Сергеем сын?!

Она оторвала лоб от полированной двери, потому что услышала шаги, а ей не хотелось, чтобы ее застали в позе полного киношного отчаяния. Из глубины квартиры к ней шел Сергуня в костюме, при галстуке и при портфеле. Он ей улыбался.

Литвиновых — отца и сына — не было ни видно, ни слышно.

— Я решил уехать, Кирюха! — провозгласил Сергуня, как будто сообщал что-то очень-очень приятное. — Я же вижу, тебе не до меня! Да еще бывший пожаловал! Так что я лучше поеду. Еще не так поздно.

«Позвольте, — стремительно подумала Кира, — а утешать меня? Застрелили *моего начальника*, когда он шел *ко мне*, и милиция, кажется, абсолютно уверена, что это *я* его застрелила!»

— Я вполне успею выспаться, — доверительно сообщил Сергуня, как будто она беспокоилась, успеет он или не успеет, — мне ехать недолго. Это Тимоша ему позвонил?

Кира молчала.

— Слушай, — обуваясь, продолжал Сергуня, — а может, Костик сам застрелился? Так бывает. Человек совершает необдуманные поступки, особенно весной. Может, он хотел с тобой поговорить, признаться в чём-нибудь, но не выдержал и застрелился. А? Ты не знаешь, у него были финансовые проблемы?

— Он не мог застрелиться, — сообщила Кира, глядя в длинную и сильную Сергунину спину, — возле него не было пистолета.

— А может, пистолет кто-то украл!

— Например, убийца, — предположила Кира.

— Ну да, — согласился Сергуня радостно, — видишь, какая хорошая версия!

— Отличная, — процедила Кира.

Нужно позвонить Батурину. Нужно позвонить Вовке Николаеву в Нью-Йорк. Нужно позвонить родителям Костика, а завтра к ним поехать.

Костика убили. Беда пришла.

Ей предстоит ночь с бедой.

— Кирюх, я тебе позвоню, когда доеду, чтобы ты не волновалась, — сказал Сергуня, — а завтра ты мне позвони, чтобы я знал, встречаемся мы в пятницу или нет.

— Если меня не заберут в тюрьму, позвоню, — сухо пообещала Кира.

— Ну-ну, — предостерегающе как будто попросил Сергуня. Ему неприятно было даже слышать об этом. — Не переживай, все обойдется, Кирха! Ты никуда не выходила, я-то знаю!

— По-моему, этого недостаточно.

— Должно быть достаточно. Выше нос!

Ух, как Кира ненавидела такие стандартные «устойчивые» выражения!

Сергуня обулся и потопал ногой, получше размещая ее внутри ботинка. Он был спокоен и доброжелателен и вроде ничем не озабочен, кроме вполне объяснимого желания оставить Киру наедине со своими проблемами и «бывшим», но она чувствовала его страх.

Он был чем-то сильно напуган и уезжал именно из-за этого страха, а не «из благородства».

— Пока, дорогая. Обещай мне, что не будешь переживать!

Кира пообещала и во второй раз за эту ночь закрыла дверь.

Завтра весь дом, все соседи до одного, будут знать, что в их подъезде убили ее начальника, когда он шел к ней. Впрочем, скорее всего все знают уже сегодня.

Кто?! За что?! Зачем?!

Кому мог помешать Костик в ее подъезде?! Кому он вообще мог помешать, ловелас, плейбой и бонвиван?!

И Тим зачем-то вызвал Сергея!

Она подергала дверь, проверяя, заперта ли — раньше она была уверена, что живет в спокойном и безопасном месте, — и пошла разыскивать своего сына, чтобы наподдать ему как следует. Уж в этом удовольствии она себе точно не откажет!

Сын оказался на кухне. Вместе с отцом.

На круглом столе стояли три тарелки синего английского фарфора — подарок свекрови к прошлому дню рождения, который должен был означать, что, несмотря на то, что она развелась с ее сыночком, *их отношения* с Кирой остались прежними. Еще стояли бокалы, бутыль вина и пакет с соком. Бывший муж жарил мясо. Тим уныло жевал морковку из вакуумной упаковки.

— Мама!

— Ты ее мыл? — спросила Кира, хотя было совершенно очевидно, что нет.

— Садись, — сказал Сергей, не оборачиваясь, — поешь.

Он все про нее знал — пятнадцать лет не прошли даром. Он знал, как лучше всего ее успокоить.

Он знал все ее слабости, страхи, все камни, о которые она спотыкалась. Знал и плевать на них хотел.

— Мама!

Очевидно, Тим боялся, что она начнет кричать и выставит его драгоценного папочку, она бы и начала, но у нее не было сил. Просто не было сил.

Она приткнулась на табуретку и закурила. Табак щипал язык и глотку — сколько она выкурила за вечер? Пачку? Две?

— Хватит, — велел Сергей, — остановись. Поешь лучше.

Но сигарету у нее не выдернул и в мусор не швырнул, а в прежние времена отобрал бы и выкинул.

Бывший муж положил ей на тарелку кусок мяса, выжал на него пол-лимона и налил в бокал вина из пузатой бутылки — до краев.

— Водки я не нашел, — буркнул он, — а привезти не догадался.

— Черт с ней, — сказала Кира и залпом отпила примерно половину от своей дозы. Вино оказалось вкусное, сухое, и в пустом желудке от него как-то сразу потеплело, как будто оно было горячим.

— Тим, — скомандовал Сергей, — быстро есть и спать! Время второй час ночи.

— Папа!

Есть втроем на кухне, как они ели всегда, всю жизнь, было непривычно и странно. Неловко как будто.

— Ты почему в майке, — спросила вдруг Кира, — ты уже спать собирался?

— Я не собирался, я спал.

— Тим, я три раза сказала, чтобы ты отцу не звонил! — начала Кира. — Ты же не маленький ребенок, почему я не могу на тебя положиться?

— Ты можешь на меня положиться, — заявил Тим с ослиным упрямством, унаследованным от папочки, — но я испугался, что они тебя заберут в тюрьму! Ты что? Глупая? По ящику все время показывают, как менты, чтобы дело закрыть, берут первого попавшегося — и в тюрьму! А этот Костик к тебе шел!

Оба — и отец, и мать — перестали жевать и одинаково смотрели на отпрыска так, словно никогда раньше его не видели и будто это чей-то чужой отпрыск.

— Вы чего? — спросил Тим и тоже перестал жевать.

Конечно, у него был тайный план!

Очень тайный и очень хитроумный план, как заставить их жить вместе. Для того чтобы мать снова полюбила отца, нужно, чтобы он ее от чего-нибудь спас.

Это же дураку ясно — когда тебя спасают, ты непременно влюбляешься в спасителя!

Ну вот. Отец спасет ее, она перестанет на него сердиться, а он перестанет прятаться от нее за свою работу, и они заживут втроем, как раньше! Тогда хоть и ссорились, но хоть жили в одной квартире, а теперь не поймешь что — у мамы этот козлина с портфелем и в халате, у папы девица сказочной красоты с волосами до середины спины, ужас один!

Маму очень долго ни от чего не нужно было спасать, и Тим замучился ждать подходящего случая, а тут такая удача — труп! Конечно, он позвонил, разве он мог не позвонить!

— Они и вправду решили, что это... ты? — спросил наконец Сергей, глядя в свою тарелку.

— Я не знаю, — злобно ответила Кира, — но у меня спрашивали, где была, не выходила ли и почему не слышала выстрела.

— А почему ты не слышала?

— Потому что у нас на шестом этаже ремонт, пап, — вмешался Тим.

— Тим, не разговаривай с набитым ртом.

— Ну и что? При чем тут ремонт?

— Да они стены разбирают, там с утра до ночи грохот! Скажи, мам! Хоть из пулемета стреляй!

— Точно, — сказала удивленная Кира, как это она забыла про ремонт и грохот, который надоел им ужасно! — Там действительно грохочут.

— У Басовых? — не поверил Сергей.

— Басовых там давно нет, — уточнила Кира, — они квартиру продали еще прошлым летом. Там теперь какие-то новые. Я видела только ее. Зовут Марина. Очень приятная.

— Приятная, а грохочут, — буркнул Тим.

— Ремонт есть ремонт, — философски заметил Сергей.

— Мяса нет больше? — спросила Кира небрежно.

— Конечно, есть, — ответил бывший, не глядя на нее, встал и положил ей еще кусок и опять полил соком из половинки лимона.

Черт побери. Он все про нее знал. Даже про этот лимон, которым нужно непременно полить мясо. И вина добавил в бокал. Это было не ее вино, выходит, он привез.

Какой заботливый, понимающий мужчина, ее бывший муж! Образец и пример для подражания.

— Значит, тот, кто стрелял, знал, что у Басовых, то есть не у Басовых, а у новых, ремонт? — рассуждал Сергей задумчиво.

— Почему?

— Потому, — ответил он с досадой, — потому что стрелял в подъезде и не боялся, что из всех дверей выскочат люди, а с первого этажа прибежит Марья Семеновна. Правильно? Никто не слышал выстрела, потому что и так грохочет с утра до ночи. Все уж привыкли. И убийца должен был про это знать. Кстати, лифт не работает. Давно?

— Как не работает? — спросила Кира удивленно. — Когда я приехала, он работал. Я на лифте поднималась.

— Сейчас не работает, — заявил Сергей, — я шел пешком. А... милиция у тебя спрашивала про лифт?

— Нет, — ответила Кира, подумав, — нет, не спрашивала. А что? Ты думаешь, это имеет значение?

— Не знаю.

— Пап, что нам теперь делать-то? Если маму... если они думают, что это мама...

— Тим, — сказал Сергей очень твердо, — мы ничего толком не знаем. То, что они задавали маме вопросы, ничего не означает. То есть не означает ничего плохого. Они должны были задавать вопросы, потому что Костик приехал именно к маме, а не к Марье Семеновне. Правильно?

— Я не знаю, — возразил Тим, — но я все слышал, и это какие-то... неправильные вопросы.

— Что значит неправильные?

— Это значит, что они считают, что это мама его... того...

— Тим, не выдумывай, — прикрикнула Кира не слишком уверенно, — тебе просто давно пора спать, и ты перенервничал.

— Ничего я не перенервничал, — буркнул сын.

— И вообще ты не должен подслушивать!

— Как же не должен, когда он к тебе привязался, а ты даже папе не хотела звонить!

— Тим, — тоже очень твердо сказала Кира, не глядя на Сергея, — папа тут совсем ни при чем. Это... не его проблемы. А ты его втягиваешь...

Сергей поднялся со своей табуретки. Кира быстро взглянула — у него было расстроенное, бледное от усталости лицо с пролезшей темной щетиной.

— Тим ни во что меня не втягивает. — Он с грохотом распахнул дверь посудомоечной машины. — Все правильно. Он испугался и позвонил мне. Не нужно его ругать за это, Кира. Он не виноват в том, что ты не... можешь меня видеть.

— Я могу тебя видеть, но я не желаю, чтобы он...

— Мы все это потом обсудим. Тим, давай. Надо хоть немного поспать.

— Я не хочу спать.

— Хочешь.

— Нет.

— Я дам ему успокоительное, — вмешалась Кира, — конечно, он не уснет после таких событий!

— Ему не нужно никакое успокоительное, — заявил Сергей упрямо, — ему не сто лет, и он не бабка-сердечница. Он сейчас ляжет и уснет.

— Сергей, он два часа торчал на лестнице и смотрел на труп!.. Ему нужно принять «Новопассит».

— Прими сама свой «Новопассит», а ему нужно принять душ, и больше ничего. Тим, сколько раз нужно повторять?!

— Я уже иду, — пробормотал сын испуганно, — вы только не ссорьтесь!..

Кира и Сергей посмотрели друг на друга и разом отвернулись. Он — к посудомоечной машине, она — к своей тарелке с остывающим мясом.

В последний год перед разводом они только и делали, что ссорились. Ссорились из-за грязных ботинок, в которых он поперся на чистый ковер, из-за денег, которых вечно не хватало, из-за майки, брошенной мимо корзины для белья, из-за того, что лучше на завтрак, чай или кофе, из-за футбола, который показывали по «НТВ-Спорт», из-за работы — Сергей считал, что пописывать статейки на отвлеченные темы и работой-то назвать нельзя, а она уставала, злилась, все пыталась ему что-то доказать, а он не слушал, отмахивался и тоже злился, злился...

Бедный Тим. Он был не так уж мал, чтобы всего этого не замечать. Он боялся, отсиживался в своей комнате или бегал от мамы к папе с расстроенным и испуганным лицом и пытался их мирить, и еще он пытался предотвратить очередную катастрофу, и иногда ему это удавалось, и тогда он весь день вел себя как образцовый ребенок из рекламного ролика — только бы не нарушить, только бы не разбить хрупкий мир, только бы не спровоцировать новую катастрофу.

А потом они развелись. Кира была уверена, что, как только они разведутся, жизнь станет в сто раз проще и легче.

Жизнь стала в сто раз проще.

Легче не стало нисколько. Стало только тяжелее и очень обидно.

Она ведь его любила. Столько лет.

Она даже была уверена, что будет любить его всегда — вот как! Он сложный человек, но Кира никогда не признавала простых! Всегда, с двадцати пяти лет, он был очень занят — сначала своей наукой, потом карьерой, когда стало ясно, что с наукой покончено навсегда и призрак ее не восстанет из гроба даже просто затем, чтобы прошвырнуться по Европе. Он нашел себе дело, максимально приближенное к тому, которое знал и любил, и преуспел в нем, и продвинулся, и стал хорошо зарабатывать, и научился носить дорогие костюмы и льняные рубашки, и пить кофе, который не любил, и вести светские разговоры, и Кира гордилась им и любила его.

Когда он защищал докторскую, какой-то старик, повернувшись к Кире, сказал прочувствованно, что «Сергей Константинович непременно, непременно станет нобелевским лауреатом, если только сумеет остаться в науке», и Кира слушала его с ужасом и восторгом — из доклада, который делал ее собственный муж, она не поняла ни слова. То есть ни одного. Но он говорил так, как будто ему вдруг открылось какое-то великое божественное знание, и выглядел соответственно — словно осененный этим знанием. Аудитория была залита агрессивным весенним солнцем, в котором танцевали пылинки, никто не шептался, не кашлял, не зевал, не вертелся, не рисовал — все смотрели на него и слушали, слушали, и следили за его рукой, на которой взблескивало обручальное кольцо, самое первое, купленное в магазине для новобрачных после трехчасового стояния в очереди. Рука тоже казалась осененной божественным знанием. Потом долго аплодировали, поздравляли, окружали, протискивались, пожимали руки, хлопали по плечам, а он все выглядывал из окружения, отыскивал Киру, ему нужно было убедиться, что она видит его триумф, что она все оценила, все поняла, удостоверилась, что он умница, гений, черт знает кто!..

По сравнению с ним все остальные казались пресными и какими-то укороченными, что ли, как купленные не по росту брюки, и ей было искренне наплевать, куда он бросил майку — в корзину или мимо, и чьим шампунем — своим или ее — он сегодня вымыл голову.

А потом она его разлюбила. Вернее, возненавидела.

Он постоянно терял ключи от квартиры и от машины и оказывался на грани истерического припадка, когда не мог их отыскать в течение сорока секунд. Он все на свете забывал — что нужно купить хлеба, забрать вещи из химчистки, договориться с бабушкой о том, что она приводит Тима из школы. Он ничего не читал, кроме своей специальной литературы, в том числе и Кирин журнал, который она подсовывала ему в надежде, что он обратит внимание на то, как классно она пишет, как она научилась во всем разбираться, как далеко она ушла от девчонки, на которой он женился, но он неизменно клал журнал себе на живот и засыпал сном младенца. Кира хватала журнал и швыряла его на пол, испытывая жгучее желание надавать им муженьку по физиономии. Он то и дело издевался над ней за то, что она отдала Тима на теннис — «ну, конечно, все аристократы играют в теннис, и наш ребенок должен, как же иначе! Отдай его еще в школу верховой езды, тоже очень модно!». По его мнению, Тим должен был заниматься демократической легкой атлетикой или лыжами, на худой конец. Когда Кира спрашивала, какие в Москве могут быть лыжи, когда два месяца из трех зимних под ногами и над головой льет как из ведра, он с ослиным упрямством говорил, что настоящему лыжнику вода не помеха, из чего следовало сделать вывод, что «настоящий лыжник», в которого должен превратиться Тим, может кататься и вовсе без снега. Он ругал его за четверки по математике, и когда принимался что-то объяснять, выходило нечто вроде той самой защиты докторской — не понятно ни слова. Тим запутывался окончательно, пугался собственного тупоумия и начинал выть.

На все случаи жизни у Сергея были заготовлены теории, абсолютно непригодные к употреблению, но зато «устойчивые», как советская власть в шестидесятые годы. Он долго ездил на «Жигулях», потому что согласно его теории отечественные машины можно починить на каждом углу и купить к ним запчасти в любом ларьке, а в то, что иностранные чинить вообще не нужно, он не верил, потому что это не совпадало с вышеупомянутой теорией. Он купил «Тойоту», когда на работе его вынудило к этому начальство — неприлично стало ездить на «Жигулях». Относительно «прилично — неприлично» у него была еще одна, отдельная, теория о том, что пиджак «Хьюго Босс» ничем не отличается от пиджака швейного комбината №4 города Балашихи и платить бешеные деньги за торговую марку и имидж не имеет никакого смысла. Темные очки и в Африке темные очки, будь то «Кристиан Диор» или китайское кооперативное производство. Тем не менее пиджаки он покупал в бутиках, а очки в салонах, и это нарочитое лицемерие выводило Киру из себя.

У-уф... Вот сколько всего накопилось.

И все-таки, все-таки она его сильно любила и даже не поняла, когда и за что разлюбила. Он всегда был таким, и именно таким она его и любила, вернее, ей удавалось любить его именно таким.

Что изменилось? Критическая масса раздражения стала совсем уж критической?

Кира ничего не понимала в критической массе. Зато ее муж только в ней и разбирался.

Бывший муж.

— Ты извини меня, Кира, — вдруг сказал он совсем рядом, — я не знал, что ты не разрешила ему звонить. Я бы не приехал, если бы знал, что ты не разрешила. Твой... приятель уехал из-за меня?

Она так знала своего мужа, что моментально поняла, о чем этот вопрос. К отъезду Сергуни он не имел никакого отношения.

— Нет, Сереж, — пояснила Кира, отвечая на тот, *на-*

стоящий вопрос, — ничего особенного. Мы познакомились три месяца назад, на дне рождения у Юльки Андросовой. И он стал... приезжать.

— Тим его ненавидит, — сообщил Сергей буднично, — просто ужасно. Сегодня утром сказал мне по телефону, что он его убьет. Может, ты воздержалась бы и не стала приглашать его к нам... в смысле, сюда.

— А куда мне его приглашать, — холодно спросила Кира, — в сквер на лавочку? Или ты думаешь, что я всю оставшуюся жизнь должна по тебе страдать?

Он знал, что не должна, но ему хотелось, чтобы страдала.

Ее любовник — в халате, на их кухне, где столько всего было, хорошего и плохого, смешного и стыдного, и трогательного, и забавного, они когда-то даже любовью занимались на узком гобеленовом кухонном диванчике, потому что у них не хватило сил дойти до спальни и закрыть за собой дверь, — ее любовник, красавец-мужчина, атлет, победитель, оскорбил его ужасно.

Он все не мог выбросить его из головы и ревновал так, что ревность, кажется, прожгла в желудке дыру. Почему она оказалась именно там, Сергей не знал, но больно было именно в желудке и немного в голове.

Черт подери, никто, кроме него, не имел на нее никаких прав! Она принадлежала ему всю жизнь, с тех самых пор, когда он впервые ее увидел — он читал лекцию второкурсникам, аспирантов заставляли читать лекции, а она сидела в первом ряду и зевала до слез. Тогда впервые он всерьез усомнился в своих преподавательских способностях.

Сергей вдруг подумал, что, несмотря на развод, он так и продолжает считать ее своей. Если бы не Тим с его утренним воем в трубку, ему и в голову бы не пришло, что у Киры есть... любовник. Почему-то наличие Инги — Тани, Оли, Кати, Маши, Ксюши — у него самого совершенно не подготовило его к тому, что у Киры тоже может быть Саша, Вадик, Коля, Вася, Дима, Боря или даже Гена.

— Я помылся! — протрубил из комнаты их сын. — Мам, давай мне этот чертов новохренит, и я спать пойду.

— «Новопассит», — устало поправила Кира, — и не смей выражаться.

Тим пришел на кухню — в халате и нелепых пижамных штанах, торчащих из-под него, — выпил ложку темной вязкой жидкости, сморщился, запил кипяченой водой и утерся рукавом.

— Пап, — сказал он, подумав, — может, ты у нас останешься? Чего тебе ехать, поздно уже!..

— Тим! — в один голос воскликнули оба родителя, и их драгоценный ребенок понял, что лучше быстренько убраться восвояси. Хорошо хоть, не орут друг на друга, сидят тихо, как все нормальные родители.

Они думали, что он не помнит, но он помнил очень хорошо, как все было раньше, давно, он тогда еще маленький был. Эти воспоминания, самые лучшие, самые важные в жизни, он бережно и старательно прятал, любил и то и дело проверял их сохранность.

Все было в порядке, все цело.

Вот суббота, самая обычная суббота, одна из многих суббот, тогда он еще не знал, какое это счастье — такая суббота. С утра отец вез их кататься на лыжах. Они брали с собой термос, снегокат, запасные валенки и свитер и катались с горы до полного изнеможения, а потом пили чай и играли в снежки, и всегда получалось так, что отец побеждал — он был сильный, ловкий и очень быстрый, и победить его в честном бою было невозможно. И тогда Тим с мамой затевали какой-нибудь отвлекающий маневр, и отец делал вид, что отвлекался, и тогда они бросались, и валили его, и прыгали на него, и он катался с ними по снегу, и они визжали и брыкались, и он все равно побеждал — всегда.

— Оставайся у нас, пап! — крикнул Тим с безопасного расстояния, юркнул за дверь и быстро ее прикрыл.

— Не обращай внимания, — пробормотала Кира, — он в последнее время какой-то странный.

— Я не обращаю, — холодно ответил Сергей. — Ты бы рассказала мне, в чем дело, Кира.

— В каком смысле? — насторожилась она.

— В смысле, что произошло сегодня вечером. Я ничего не понял. Расскажи.

— И понимать нечего, — отчетливо выговорила она, — ты все видел своими глазами. Костика убили. Приехала милиция, забрала труп и стала допрашивать меня. Все.

— Не злись.

— Я не злюсь. Ты тоже считаешь, что это я его... застрелила?

Он посмотрел с высокомерным сочувствием — как плохой врач на невменяемого пациента.

— Тебе тоже нужно принять новохренит и лечь.

— Сергей! Ты повторяешь за Тимом всякую чушь, а я потом должна объяснять ему, что...

— Почему милиция решила, что это ты его пристрелила?

— Не знаю! Но он со мной так разговаривал, этот милиционер, как будто и вправду решил, что это я. Я удивилась, почему меня не забрали! Хотя он старался быть вежливым и милым.

— Он старался не пялиться в твой вырез, — поправил Сергей мрачно.

— Что? — растерялась Кира. Посмотрела вниз и подтянула свитер повыше.

— Расскажи мне, — повторил Сергей, — все по порядку.

— Да я не знаю, что рассказывать! Днем Костик поругался с Батуриным. Очень громко. Они орали, но, когда я зашла, замолчали. Гришка сразу ушел, а Костик сказал, что ему нужно вечером со мной поговорить, ну, как обычно, когда на него находит, ты же знаешь.

— Знаю, — согласился Сергей.

— Мне это было неудобно, потому что Сергуня обещал приехать, и мне пришлось звонить, предупреждать его, что вечером будет Костик, но он все равно...

— Сергуня? — пробурчал себе под нос Сергей, и Кира неожиданно смутилась — даже ее матовая кожа в низком вырезе свитера стала розовой.

Как он умел смущать, ее бывший муж, удивительно даже!

Теперь он смотрел на нее, пристально и не моргая, как птица гриф, которую она однажды видела в передаче «В мире животных».

Кира никак не могла вспомнить, о чем говорила.

— Костик собрался приехать, и ты должна была предупредить Сергуню, что романтическое уединение отменяется, — подсказал он бесстрастно.

— Я приехала... не помню когда. Потом приехал Сергуня. Мы поужинали. Тиму ужин я отнесла в комнату. Он кривлялся и говорил, что ужинать с Сергуней не станет. Потом я стала ждать Костика, а Сергуня изучал какие-то свои бумаги. Костика все не было и не было, а потом Марья Семеновна заголосила на лестнице, я выскочила, а она почти в обмороке, и Костик... лежит. Мертвый. И кровь кругом, целое море.

Ее вдруг так затрясло, что зазвенели браслеты на запястье. Кира перехватила их другой рукой, чтобы не звенели. Сергей встал, достал из холодильника валокордин и накапал в ложку. По кухне поплыл резкий эфирный дух.

— На.

— Дай запить, — попросила она, и он почему-то сунул ей вино, оставшееся в его бокале.

— Кто вызвал милицию?

— Соседи. Михаил Петрович тоже выскочил, и я его попросила...

— Ты подходила к Костику? Трогала его?

Кира допила вино и посмотрела на бывшего мужа.

— Ты что? С ума сошел?

— Ты сразу поняла, что он... убит?

— Да! — крикнула Кира. — Да, поняла! У него вся одежда была в крови, и он лежал, и рука у него вывернулась!.. У живых руки так не выворачиваются!

— Ты трогала его, Кира?

— Да что ты ко мне пристал!

— Я не пристал. Я ничего не понимаю в убийствах, но даже я слышал про отпечатки пальцев!

— Про... какие отпечатки?

— Про такие! На нем могли остаться твои отпечатки пальцев? На портфеле, на очках, на чем-нибудь?

— Конечно, могли, — пробормотала Кира, — и не потому, что я его... трогала, а потому, что мы в одном месте работали и я сто раз брала в руки его портфель, папки, бумаги, ручки!

Сергей помолчал.

— Да, — сказал он наконец, — не слишком хорошо.

— Что не слишком хорошо?

— Все.

Кира моментально вышла из себя.

— Перестань говорить, как Эркюль Пуаро, — процедила она, — меня это бесит.

— Тебя бесит, когда я говорю, как Сергей Литвинов, тоже.

— Да, — согласилась она, — бесит. Когда ты изображаешь следователя по особо важным делам.

— Кира, мы должны во всем разобраться сами, как же ты не понимаешь?! Никто не станет выяснять, что произошло на самом деле! Если найдутся отпечатки, или следы, или не знаю что, какие-нибудь свидетельства того, что это *могла* сделать ты, они немедленно решат, что ты это *сделала*!

— Почему? — с ужасом спросила она.

Он вздохнул.

— Потому что это называется «громкое дело»! Потому что твой Костик не бомж с Казанского вокзала, а главный редактор политического журнала! Потому что завтра все газеты напишут, что он погиб в твоем доме, и никто не поверит, что ты не имеешь к этому никакого отношения! Уже сейчас никто не верит.

— А почему на лестнице его не мог поджидать... киллер? Всех больших бизнесменов и неподкупных журналистов в нашей стране на лестнице рано или поздно поджидает киллер!

— Я рад, что тебе не изменило чувство юмора, — сухо заметил Сергей после некоторой паузы, — киллеру логичнее было бы поджидать жертву в его собственном подъезде. В нашем... в твоем, — поправился он быстро, — киллеру вообще неудобно. Кодовый замок и вахтер.

Кира налила себе вина и залпом выпила.

— Ты хочешь сказать, — начала она, тяжело дыша, — что мы должны найти убийцу и подарить его милиции, иначе милиция всерьез решит, что убийца — это я. Правильно я поняла?

— Ну конечно, — согласился он.

— Тогда мне лучше пойти и собрать вещи, — заявила Кира и налила еще вина, — какие из нас сыщики! Из тебя особенно!..

Он не обратил никакого внимания на последнюю реплику, хотя она надеялась его задеть.

Задеть, чтобы он заорал, взбесился, чтобы стало понятно, что он выдумал все это просто для того, чтобы позлить ее, заставить чувствовать себя «маленькой преступницей», и чтоб он непременно оказался благородным героем, в духе ее сына, и чтобы она почувствовала опасность и необходимость защиты.

Впрочем, ее муж никогда не был способен на такие тонкие чувства. Он всегда был прямолинеен, как штыковая лопата.

— Я не поняла, — уточнила она на всякий случай, — ты всерьез считаешь, что кто-то может подумать...

— Да, — перебил он, — всерьез считаю. И еще я считаю, что ты должна все вспомнить, все детали, все мелочи...

— Какие еще мелочи, Сергей?!!

— Как он сказал тебе о том, что приедет, куда он при этом смотрел, не звонил ли у него телефон, не заходил ли кто-нибудь в это время, о чем он хотел с тобой поговорить, почему так срочно, почему он поссорился с Батуриным, кто ненавидел его так сильно, чтобы убить.

— Ничего себе мелочи, — пробормотала Кира.

Внезапно ей стало холодно в свитере с низким вырезом, и она потянула с дивана плед.

Плед всегда лежал на гобеленовом диване, в самом углу. Тим накрывался им, когда ему взбредало в голову пить на кухне чай и читать, и Сергей часто подкладывал его под голову. Кира готовила ужин, а он сидел на диване, если сильно уставал, подложив под голову свернутый плед, и что-нибудь ей рассказывал. Он любил сидеть близко от нее. Даже когда жизненное пространство расширилось так, что можно было существовать, почти не попадаясь друг другу на глаза, — он все равно сидел на гобеленовом диване, вытянув длинные ноги и мешая ей.

Только в последний год не сидел.

В последний год она его не выносила.

— Кира, — позвал он, — не спи! Хочешь, давай кофе сварим.

Давай сварим — на языке ее бывшего мужа означало, что должна варить именно она.

— Мне не надо никакого кофе.

— Тогда не спи и вспоминай.

— Прямо сейчас?

Сергей вздохнул. Было половина третьего.

— Ладно. Не сейчас. Сейчас действительно уже поздно, а у тебя... стресс.

— У меня не бывает стрессов, — пробормотала Кира.

То ли от вина, то ли от стресса, которого у нее не могло быть, она вдруг почувствовала, что сейчас упадет в обморок — постыдный дамский обморок в духе красавиц из романов, и Сергею придется вызывать «Скорую» и возиться с ней весь остаток ночи, а он с детства терпеть не мог врачей — боялся.

— Я... мне надо полежать, — сказала она медленно, чтобы он не понял, что она собирается упасть в обморок. — Я... пойду. Полежу.

И она пошла, и на середине дороги оказалось, что это он ведет ее, крепко придерживая под локоть, так что больно было костям.

— Пусти меня, — велела она, — я сама.

Руки и ноги сильно замерзли, как будто она долго сидела в снегу, дышалось тоже плохо, потому что этот чертов снег залепил горло и легкие, и внутри было холодно, очень холодно, и мысли были холодные, медленные и отвратительные, а потом их вовсе не стало, никаких.

Снега нет. Март кончается, и снег давно растаял.

Он растаял не только на улице, но и на Кириных руках и ногах, и замороженное горло отпустило, и стало тепло и легко, и она засмеялась во сне, потому что там наконец-то все стало на свои места, и, хотя она толком не поняла, что случилось, было ясно, что все хорошо.

Все хорошо... Все хорошо...

— Мама!!!

Откуда-то во сне взялся ее сын. Откуда он мог там взяться, Кира не знала — она ведь уложила его! Дала «Новопассит» и уложила.

— Мама!! Ты где?!

И тут она проснулась.

Утро, поняла она. Позднее.

Так, все ясно. Я опоздала на работу. Катастрофа. Конец света.

Однако оказалось, это еще не конец света. Конец света был впереди.

Она лежала на боку, прижатая спиной к кому-то, кто обнимал ее обеими руками и глубоко и беззвучно дышал. В панике она ощупала руки, как в игре с завязыванием глаз, и моментально поняла, чьи они. Она бы узнала их не то что с закрытыми глазами. Она узнала бы их,

68

даже если бы неожиданно стала глухой, слепой и заодно потеряла обоняние и осязание.

Вот почему снег растаял так быстро! Никакой снег на свете, даже ледяной антарктический панцирь не выдержал бы температуры, которая возникала, когда ее обнимал муж.

Нет, бывший муж.

Он дышал ей в шею тепло и щекотно, как дышал много лет, и держал крепко, прижав спиной к себе, и тяжелые смуглые руки уверенно и спокойно лежали на ней, и именно поэтому она проспала остаток ночи без всяких кошмаров и чувствовала себя такой счастливой.

Господи, что это?.. Что это такое?! Это неправильно! Это неправильно от начала до конца!

Почему он... здесь?! Почему он с ней спит?!!

— Мама!! — надрывался за дверью Тим. — Мам, ты что, ушла, что ли?!

— Я не ушла, — пискнула Кира, — я еще не встала! Подожди, я сейчас!..

Это была большая ошибка. Ее сын, не страдающий никакими комплексами, радостно подбежал к двери — она слышала его приближающийся топот и зажмурилась — и распахнул ее.

— Здорово, мам! Слушай, а школу-то мы проспали... — Он замолчал на полуслове, рот у него открылся, глаза стали круглыми и блестящими, и он вдруг улыбнулся идиотской улыбкой человека, внезапно открывшего формулу счастья.

Кира застонала и сделала энергичное движение, пытаясь спихнуть с себя тяжелые руки, но не тут-то было. Бывший муж расслабленно хрюкнул, порылся носом в ее волосах и прижал еще крепче. Голыми ногами Кира чувствовала джинсовую шершавость — слава богу, хоть штаны не снял! — а под джинсами все было набухшим и твердым, как всегда по утрам. Кире внезапно стало жарко. Так жарко, что взмокла шея.

— Тим, сейчас же закрой дверь. Я встаю. Сколько времени?

— Полдесятого. Мам, а папа...

— Тим, я не хочу никаких разговоров!

Вот что теперь ей делать?!

Что было сил она вдавила локоть Сергею в ребра, и он опять хрюкнул, на этот раз обиженно.

— Тим, быстро ставь чайник! Черт побери, мне надо на работу! Тим, закрой дверь и умойся!

— Я давно умылся, — ответил он и ухмыльнулся, как щенок. — Мам, а папа...

— Тимка!!

— Да-да. Чайник. Сейчас, только не злись!

Он прикрыл дверь и некоторое время выжидал под ней, Кира слышала, как он сопит. Потом вдруг вскричал: «Йо-хо-хо!!» — и, дробно топая, умчался в сторону кухни.

Ее тринадцатилетний сын — младенец и дурачок. Он решил, что... Впрочем, и так понятно, что именно он решил.

Ее тридцатидевятилетний муж — подлец и дурак. Он спал с ней в одной постели, он обнимал ее своими ручищами — и ножищами! — он решил, что ему все можно, раз у нее стресс!

Сейчас она покажет ему стресс!

Впрочем, никакой другой постели, кроме этой самой «одной», в квартире не было. В «другой» спал Тим. Имелись, правда, еще два модерновых дивана, и, для того чтобы разложить их, требовались инструкция и два специально обученных человека, вооруженные набором инструментов.

— Пусти меня, — сквозь зубы процедила Кира и спихнула наконец с себя его ногу, — пусти сейчас же!

— М-м, — сказал ее муж, — да.

Бывший, черт тебя побери!.. Бывший муж!..

Тяжелые руки напряглись и расслабились, он чуть подвинулся, освобождая ее, и, когда она уже ринулась было от него, перехватил, поймал, повернул и поцеловал. Даже глаз не открыл.

У него было чистое дыхание, горячие со сна щеки, крепкая шея и чуть-чуть заросшая грудь, прижавшаяся к Кире. Она начала брыкаться, но очень быстро перестала, потому что никогда не могла сопротивляться ему, потому что никто на свете не умел любить друг друга в постели так, как любили они, потому что на нее неожиданно рухнула ужасная мысль о том, что она невыносимо, постыдно, безумно соскучилась по нему, по его рукам, ногам, по его чистому дыханию, по его утренним поцелуям, по его натиску, когда его невозможно остановить, по всему, что получалось у нее только с ним и чего уже так давно не было.

Она погладила его грудь, и живот, и спину — у позвоночника, над самым ремнем джинсов. Она знала, что это непростое место, и он в ответ сдавленно ахнул и распахнул глаза.

Несколько секунд они молча смотрели друг на друга.

— Не смей извиняться, — приказала Кира тихо.

— Я и не собирался, — пробормотал он и перевел взгляд на ее губы.

— С тебя станется.

— С меня станется, — согласился он.

— Нет, — сказала Кира. — Нет, Сережка. Хватит. Мы не должны этого делать. Нам нельзя.

— Нельзя, — опять согласился он и не двинулся с места. Она чувствовала его желание и знала, что он справится с ним.

Он всегда виртуозно справлялся с собой, ее бывший муж.

Да, вот теперь правильно. Бывший.

— Ехать домой было уже поздно, — объяснил он.

— Я поняла. Мне нужно вставать, Сергей. Тим уже... приходил.

— Черт побери, — выговорил он.

— Вот именно. Наверное, он решил, что мы с тобой после завтрака опять поженимся.

Что-то дрогнуло в его лице, и она быстро продолжила:

— Мне нужно быстрее на работу! Там, наверное, содом и гоморра! Если туда уже милиция нагрянула...

— Я уверен, что нагрянула.

— Нужно звонить Батурину. Господи, что теперь будет! Отвернись, Сережка!

— Зачем? — не понял он.

— Я хочу встать, — объяснила Кира. Шее опять стало жарко. — А халат далеко.

— Ты с ума сошла, — пробормотал он тихо, — окончательно.

Лег на живот и сверху положил на голову подушку.

— Так достаточно? — спросил он из-под подушки.

Неожиданно для себя Кира выхватила подушку и треснула его по заросшей темными волосами макушке.

— Вот так достаточно!

— Я не понял, — лениво протянул он и подпер подбородок кулаком, — ты со мной заигрываешь, да?

— Нет, — соврала Кира решительно. Стараясь держаться очень прямо и ни на сантиметр не отклоняться ни влево, ни вправо, напряженная, как подводная лодка на боевом дежурстве, она дошла до кресла, в котором валялся халат, быстро напялила его на себя и обвязалась поясом.

Ну вот. Так-то лучше.

Думать о том, что он ее раздевал, и, может быть, трогал, и уж наверняка смотрел, было нельзя, и махровая броня халата придавала ей сил.

— Вставай, — велела она, — я сейчас приготовлю какой-нибудь завтрак, и мне надо ехать. Тебе, наверное, тоже.

— Я пока на работу не пойду, — объявил он задумчиво.

— Почему?!

— Мне нужно... разобраться в ситуации.

— В какой ситуации тебе нужно разобраться?

— В ситуации с трупом твоего начальника.

— Сереж, это вряд ли...

— Меня касается, — подхватил он, откинул одеяло и стал выбираться из постели, — мне наплевать, что именно ты думаешь. Я останусь и поговорю с людьми.

— С какими еще людьми?!

— С Марьей Семеновной, с соседями, с Михаилом Петровичем. Это он милицию вызвал?

— Не смей! — закричала Кира и топнула ногой. Халат колыхнулся, и она судорожно его запахнула. — Что ты выдумываешь? Тебе что, заняться нечем?! Ты решил играть в частного детектива?! У меня и без этого вполне достаточно проблем!

— У тебя будет целая куча проблем, если мы сами не разберемся в ситуации, — сказал он упрямо.

Господи, он упрям, как мул, ее муж!.. То есть да, да, — бывший муж. Нет, он упрям, как целое стадо мулов!

— Я могу отвезти Тима в школу, — предложил он, воздвигнувшись рядом с ней, — мне только нужно позвонить на работу, предупредить, что я не приду.

— Нет, ты пойдешь на работу!

— Нет, не пойду. Все, хватит. Иди лучше умойся, у тебя помятый вид.

— Ты просто... ты просто...

— Свинья, я знаю, — сказал он и зевнул. — Ты не видела мою майку?

Он умел выводить ее из себя как никто другой. Он точно знал, что нужно делать, чтобы вывести ее из себя. Он даже знал, когда именно она взбеленится — моментально или через некоторое время.

— Убирайся, — приказала Кира, чувствуя, что ведет себя в полном соответствии с его планом выведения ее из себя, — сейчас же убирайся вон из моей квартиры!

— Ну конечно.

— Не «ну конечно», а пошел вон!

— А, — удовлетворенно сказал он, — вот она!

И выудил свою майку. Почему-то она лежала на полу за маленьким туалетным креслицем, на котором Кира обычно сидела, когда наводила красоту.

— Сергей, не смей ни у кого ничего выяснять! Ты уедешь, а я останусь, мне с соседями всю оставшуюся жизнь жить, и я не хочу....

— Да какое это имеет значение, хочешь ты или не хочешь! — вдруг вспылил он и раздраженно натянул майку. Кира посмотрела — натянул наизнанку. — Все уже случилось! Костика застрелили практически на пороге твоей квартиры! Тебе *на самом деле* повезло, что тебя не забрали в КПЗ еще вчера! А ты все выламываешься, все какие-то высокие чувства изображаешь! Ты что, думаешь, мне охота заниматься всем этим дерьмом с твоими начальниками и любовниками?! Да провались они все пропадом!

Кира тяжело дышала, и ей уже было наплевать на то, что халат расходится на груди.

— Уезжай сейчас же, — медленно, контролируя себя, произнесла она, — или я вызову милицию и скажу, что это ты застрелил Костика, потому что ты — маньяк.

— Давай, — разрешил он, — вперед.

— Мама!! Яичницу жарить?

— Сергей, я говорю совершенно серьезно.

— Я тоже, — нащупав на плече толстый шов, он рывком сдернул через голову майку и снова натянул, и снова наизнанку, — я буду делать то, что мне нужно, и мне, честное слово, наплевать, что именно об этом подумает Михаил Петрович!

— Пап, ты будешь яичницу?!

— Да, Тим, — откликнулся он преувеличенно громко и снова содрал свою майку.

— Тебе с сосиской?

— Да. С сосиской. Если ты не понимаешь, что сама должна разобраться в ситуации, значит, ты просто дура.

— Хорошо, дура, но я сто раз просила тебя не лезть в мою жизнь!

— Я не лезу. Мне наплевать на твою жизнь. Но у нас ребенок, который живет с тобой. Я не желаю, чтобы у него на глазах его мать отволокли в тюрьму! Он и так...

— Что — так?

— Он и так... живет плохо, — почти прорычал Сергей.

— И кто в этом виноват?

— Ты, — выпалил он, — ты и твой козел, которого он ненавидит!

Кира, которая уже давно подумывала, не швырнуть ли в бывшего супруга каким-нибудь предметом потяжелее, вдруг внимательно на него взглянула. Он отражался в зеркале и даже не догадывался, что Кира его изучает.

У него был абсолютно несчастный вид, как у собаки, которую побили неизвестно за что. В глазах отчаяние. Отчаяние выражал даже длинный нос.

Что это с ним такое приключилось?! Только что, пять минут назад, он был довольный и счастливый и даже томным голосом справлялся, не заигрывает ли она с ним!

Кира была женщиной очень умной, по крайней мере, ей нравилось думать, что она очень умная. Кроме того, именно за этим человеком она пробыла замужем пятнадцать лет.

— Сережка, — спросила она нормальным голосом, отвернулась от него зеркального и посмотрела на него настоящего, — ты что, ревнуешь?!

Ее муж никогда не врал. Была у него такая черта. Он никогда не врал *ей*, даже в личных целях, даже для того, чтобы выглядеть лучше, чем на самом деле, даже когда вранье могло спасти его от ее гнева или от очередного скандала.

Он не врал *никогда*.

— Да! — выпалил он, как будто плюнул ей в лицо. — И не смей мне говорить, что это глупо и что твоя личная жизнь меня не касается!

Кира даже представить себе не могла, что ревность ее мужа — да, да, бывшего! — доставит ей такое удовольствие. Раньше он никогда ее не ревновал, даже когда следовало бы. Она считала — это оттого, что он равнодушный.

Или он ревновал, только она не замечала?..

— Я боюсь, — вдруг призналась ему Кира, — ужасно боюсь, что они решат, что это... я. Даже думать об этом боюсь.

Он бросил свою майку, которую переодевал уже в третий раз — она опять свалилась за креслице, — подошел и обнял Киру. Он всегда ее так обнимал — двумя руками за голову, так что щекой она оказывалась прижатой к его плечу, и мир вокруг суживался до его плеча и рук, которые держали ее голову.

— Разберемся, — сказал он негромко, — хотя, конечно, все не слишком хорошо. Но... разберемся.

Это было самое странное утро за последние несколько лет.

Они даже не поссорились, когда Тим заявил, что в школу не пойдет, раз уж все равно опоздал, и Сергей произнес что-то назидательное и очень отцовское, содержащее выражения «балду гонять» и «репу чесать», а Тим в ответ рубанул «ясным перцем». Ему было очень весело. Маминого начальника он жалел, конечно, но для него происшедшее было приключением, кроме того, хитроумный и тонкий план по примирению родителей и поселению их на одной территории работал даже слишком хорошо, и Тим страшно озаботился тем, чтобы нигде ничего не заело и не сбилось.

Кира стояла уже в дверях, когда прибыла Валентина.

В замке завозился ключ, Кира вздрогнула и уронила портфель, в котором копалась. Портфель грохнул всеми своими внутренностями и повалился набок.

— Доброе утро! — провозгласила Валентина насморочным голосом. В нем была непередаваемая театральная печаль. Когда-то Валентина занималась в художественной самодеятельности и блистала в роли панночки по повести Николая Васильевича Гоголя. — Какое несчастье, какое страшное, ужасающее несчастье!.. Такой милый, милый молодой человек, и такая ужасная, кошмарная смерть! Вот оно, наше время!.. Жить страшно!

На последних словах она сильно вздрогнула, повела очами и слегка прикрыла их лиловыми веками. Кире хотелось, чтобы она поскорее захлопнула за собой дверь, не демонстрировала бы соседям свою вселенскую скорбь!..

— Доброе утро, Валентина. — Кира проворно подняла с пола портфель и снова стала в нем копаться. — Да где же этот чертов телефон!..

— Такое утро не может быть добрым! — строго поправила ее Валентина. — Боже мой! Бедный мальчик!..

— Да.

— Как несправедливо и расточительно обходится жизнь с самыми лучшими!..

— Да. Тима, ты не знаешь, где мой телефон?!

— Я знаю, — сказал Сергей, — ты его вчера сунула в банку с кофе. Держи. Здрасте, Валентина.

Та ахнула и зажала рот рукой, как будто средь бела дня увидела привидение.

«Единственное в мире привидение с мотором!» — вспомнилось Кире.

— Сергей Константинович, — воскликнула Валентина полушепотом, — вы ли это?

— А это вы, Валентина? — таким же полушепотом осведомился Сергей. — Я позвоню тебе, — сказал он Кире, — если приедет милиция и ситуация... выйдет из-под контроля, звони мне на мобильный. Обязательно. Ты поняла?

— Поняла, — согласилась Кира. Необыкновенное утро кончилось, и что там будет дальше, она даже представить себе не могла.

Все-таки хорошо, что Тим его вызвал и он остался ночевать. Если бы она оказалась одна этой ночью, утром ее можно было бы смело везти в психбольницу.

— Сергей Константинович, вы пришли, чтобы поддержать нас в трудную минуту? — пафосно вопросила Валентина. — Ах, как все мы беззащитны перед лицом смерти! Она находит нас в самом расцвете сил и...

— Замолчите, — приказала Кира, — немедленно замолчите!

Та испуганно умолкла.

Валентина была домработницей. Она работала у Киры уже много лет и, сколько Кира помнила ее, всегда выглядела одинаково — в лиловом берете, с лиловыми веками и губами и в неизменном клетчатом пальтишке. Она была «романтической натурой» — в первый день весны непременно приносила букетик «подснежников» — несколько чахлых бледнолицых былинок, которые наглые продавцы выдавали за весенние цветы, — и подсовывала их всем под нос и требовала, чтобы вдыхали «ароматы грядущей весны». Все послушно вдыхали. Затем следовала ветка цветущей яблони, затем кисточка сирени, затем астры, с декламацией: «Я пью за военные астры, за то, чем корили меня...» Когда она провозглашала: «За рыжую спесь англичанок», то всегда поворачивалась к Кире и подмигивала ей, словно подтверждая, что она-то, Валентина, отлично осведомлена о том, кто здесь «рыжая спесивая англичанка», хотя Кира никогда не была рыжей, да и на англичанку тянула с трудом. Когда Кира и Сергей развелись, Валентина «до ужаса» переживала, проливала слезы над Тимом и успокоилась, только «решив для себя», что Сергей — злодей и тиран и «бедной малютке» Кире ничего не оставалось, как бросить его и «начать новую жизнь».

Как себя вести, когда «злодей и тиран» обнаружился с утра в квартире «бедной малютки», она не знала и на всякий случай испугалась.

При всем этом она была чистюлей, искренне любила Тима, в первом классе даже помогала ему учить уроки и рисовать северного оленя в тетрадь по природоведению, пекла потрясающие пироги и куличи на Пасху, носила их святить, возвращалась просветленная и торжественная, накрывала стол с окороком, крошечными пирожками, крашеными яйцами и букетиком гиацинтов посередине и объявляла «пасхальный завтрак», а до этого самого завтрака откусить от кулича позволялось только Тиму, и вообще жила исключительно *интересами семьи* — семьи Сергея и Киры, когда та еще у них была.

Своей личной семьи у Валентины никогда не было.

— Валентина, Тим сегодня в школу не пошел, потому что мы все проспали. Проследите, чтобы он позвонил Илье и узнал у него уроки. Сергей Константинович пока остается здесь.

— Он будет обедать? — немедленно спросила домработница, которая даже в трагическом пафосе не забывала о своих обязанностях.

— Я не знаю, вы с ним это потом решите. Если будут вопросы, звоните мне на работу. — Тут ей пришло в голову, что с работы ее могут увезти в милицию. — Или на мобильный телефон.

— Мам, пока, — протрубил Тим, — я уроки узнаю, не переживай!

Кира, уже в ботинках и короткой курточке, вбежала к нему в комнату — он загружал компьютер, ясное дело! — быстро поцеловала и перекрестила.

— Не смей сидеть весь день в пижаме! — напоследок сказала она, и каблучки истерической дробью простучали по полу.

Все. Ушла.

Сергею вдруг стало обидно, что она оставила его одного. То есть, конечно, с ним остался его сын и экзальтированная домработница, которую он побаивался, но Кира ушла, и он теперь один.

Так было всю жизнь — она уходила, а он страдал, даже если все было наоборот, даже если он уезжал в командировки и на конференции, все равно ждал, скучал, томился именно он.

А она? Он даже и не знал толком.

Мысль о том, что она попала в переделку, доставляла ему почти удовольствие. Костика жаль, конечно, но Сергей слишком мало его знал, чтобы печалиться по-настоящему. А не по-настоящему все это напоминало передачу «Криминальный дневник», чувство он испытывал соответствующее — осторожно-зрительское.

Кому могло прийти в голову, что его жена — его бывшая жена! — способна выстрелить из пистолета в сердце своему начальнику, а потом спокойно вернуться домой к Тиму и ужину?! Кира, которая, несмотря на всю внешнюю холодность и уравновешенность, жалела всех бездомных собак и плакала над фильмами с плохим концом!

Марью Семеновну, «героиню дня», он нашел очень быстро. Она сидела в своей стеклянной будочке на первом этаже и не моргая смотрела, как отрываются пузырьки от витой пружины кипятильника. Марья Семеновна еще «не сменилась с ночи, а сердце с вчера прям надвое раскалывается», объяснила она Сергею.

— А вы что, Сергей Константинович, — спросила она, скорбно сморкаясь в гигантский носовой платок, — как вчера приехали, так и не уезжали?

Взгляд, которым она прошлась по Сергею поверх платка, был остреньким, кое-где даже колющим.

«Да, — подумал Сергей. — Не Марья Семеновна, а рентген».

Вчера, когда он приехал, она была почти в обмороке, сидела на ступеньках и обмахивалась газетой, а ее дрожащий от застарелого алкоголизма и возбуждения супруг держал перед ней кружку с кипятком. В том, что там именно кипяток, Сергей был совершенно уверен — от кружки шел пар.

— Так и не уезжал, Марья Семеновна, — признался он почти весело — ее тигриная наблюдательность давала надежду на то, что она сможет ему помочь: — Это ведь вы нашли... его, да?

Марья Семеновна вынырнула из платка и взялась за сердце.

— Я, — призналась она и повела мясистым, в прожилках, носом, — я, Сергей Константинович! Господи, да что ж это делается, когда среди бела дня...

— Почему среди дня, — быстро, пока ее причитания не зашли слишком далеко, спросил Сергей, — ведь был уже вечер!

— Да ведь такая жизнь, Сергей Константинович, что никогда покоя нет, ни днем, ни ночью, ни утром, ни вечером! Из дому страшно выйти! Да и выходить не надо, вот в подъезде-то и прикончили! Совсем ведь молодой и такой видный мужчина! Знакомый Кирочкин, да, Сергей Константинович? Я ж его несколько раз видала, он приезжал, еще когда вы жили! Да, Сергей Константинович?

Марья Семеновна явно была не промах, и сердце, которое «раскалывалось надвое», нисколько не мешало ей продолжать наблюдение.

— Это ее начальник, — объяснил Сергей доверительно. — Так во сколько вы его нашли?

— Да ведь милиция спрашивала у меня, а я говорю, что точно-то не могу сказать, потому что как я глянула на него, как зашлось у меня все внутри, так и не помню, что со мной дальше было! Помню только, что Кира меня усадила прямо на площадке, в кресло усадила, недавно поставили кресла-то, когда у этого бандюгана жена забеременела, чтоб, значит, ей легче ходить, а в домоуправлении мне сказали, что кресла все он на свои деньги купил и поставил, а они-то живут на третьем этаже, а кресла по всем площадкам, а я думаю — зачем они по всем площадкам, если жена его выше третьего этажа никогда не всходит?!

Сергей вытаращил глаза. К креслам, площадкам и беременной жене бандюгана он готов не был.

— Какой... бандюган? — спросил он осторожно. — У нас в подъезде вроде бы...

— Да точно я вам говорю, что бандюган он, — затараторила Марья Семеновна, — здоровенный такой бугаище, и машина у него бандитская, и эти... — тут она энергично потыкала двумя пальцами себе в глаза, — ...стекла темные! Прячется он от людей, боится им в глаза смотреть! А к жене заботливый, кресла, вишь, купил!

— Какой бандюган? — повторил Сергей растерянно.

— Да этот, этот, — зашептала Марья Семеновна, — вот этот самый, глядите! И на улице его то и дело поджидают! Сядют и покатют!

По лестнице неторопливо и вальяжно спускался широченный, наголо бритый атлет с черном костюме и очень темных, почти слепых, очках. В одной руке он нес черную сумку, а второй легко касался полированных перил. Сергею показалось даже, что он насвистывает себе под нос.

— Лифт не работает, — негромко сказал он, чуть-чуть не дойдя до Сергея с Марьей Семеновной. — Бригаду вызвали?

— Вызвали, вызвали, — заспешила Марья Семеновна, чуть не кланяясь в пояс, — в течение часа, говорят, все исправим, приедем и все исправим.

— Я вам позвоню, — то ли пригрозил, то ли пообещал бритоголовый. — Здорово, Серега. Ты че? Не узнаешь?

И тут он весело сдернул свои очки.

— Ну, ты мастер перевоплощения, — так же негромко восхитился Сергей и с удовольствием пожал здоровенную ручищу, — не узнал даже. А ты чего здесь? Ты же был в Канаде?

— Я в Канаде и остался, — отозвался бритоголовый. — Ленка говорит: «Давай съездим, хочу к маме, а то потом, перед родами ты ж не повезешь!» Беременная она у меня, Ленка-то!

Тут он расплылся в такой улыбке, что на резиновых щеках прорисовались очаровательные мальчишеские ямочки, шевельнулись уши, лоб собрался складками, а лысина засверкала, отражая свет.

— Мальчик у нас будет, Серега! Маль-чик! Приезжай, когда родим. Бери свою Киру с пацаном и приезжай! Ты че, обратно к ним вернулся?

Сергей промолчал, и бритоголовый проявил невиданные чуткость и такт, да и Марья Семеновна ловила каждое слово, так что даже забыла про кипятильник, и вода давно и бурно плескала из литровой банки на подстеленную газетку.

— Ну, извини, — сказал бритоголовый со слоновьим сочувствием. — Слушай, ты в курсе, какой у нас ночью шухер был? Менты приезжали, «Скорая», все дела! Да это на вашем этаже где-то! Ленка всю ночь не спала, я уж хотел идти скандалить, блин!

— На нашем, — согласился Сергей, — а ты, часом, ничего не видел подозрительного, Данила-мастер?

— Знаешь, как меня зовут эти козлы из НХЛ? — доверительно спросил тот и наклонился к Сергею, как будто собрался сообщить некий большой секрет. — Дэн! А?! Ты слыхал?! Данила Пухов — Дэн!

Тут он зашелся тяжелым смехом и стал утирать глаза, так весело ему было, что «козлы из НХЛ» зовут его Дэн.

Сергей переждал приступ его веселья.

— Ну так как? Не видел?

— Чего?

— Ничего подозрительного не видел?

— Да ты че, больной, Серега? Я приехал в одиннадцать, прямо с базы, вижу — цветомузыка, менты, люди какие-то! Ну, думаю, все, приехали, сейчас Ленку мне до смерти перепугают! Зачем, блин, думаю, мы сюда приперлись? Лучше бы мамашу в Канаду вызвали! Ленке, конечно, хотелось, а она у меня беременная, как ей откажешь-то... — Лысина опять засверкала, ямочки опять обозначились отчетливо, взгляд стал маслено-умильным.

«Вот черт возьми, — подумал Сергей с тоской. — Ничего он мне не расскажет. Он вообще ничего не соображает, кроме того, что у него «Ленка беременная».

— Лифт не работал ни хрена, я пешком. Дошел до вашей площадки, просто так, чтобы мне знать, хоть что случилось, потом увидел кровь и белый контур тела на полу, ну, думаю, все как в кино — трупы и кровь заказывали? Щас будет! Ну, и домой пошел. Ленка все равно все знала. Насилу я ее успокоил и спать уложил. Она меня даже отпускать не хотела, — с неимоверной гордостью добавил Данила. — Говорит, не ходи никуда, говорит, боюсь за тебя!

— А она вчера целый день дома была?

— Вроде да. А что?

— Я хотел спросить, может быть, она видела, кто из подъезда выходил? Или входил? Чужой, не наш.

— А че, — негромко спросил Данила, — менты на Киру, что ль, валят?

— Я не знаю.

— А ты че? Не отмажешь, что ли?

— Я постараюсь, — пообещал Сергей, — только неплохо бы выяснить, кто у нас в подъезде людей убивает.

— Да это не из наших, — сказал Данила убежденно, — у нас тут отморозков нет, все люди приличные, сам знаешь.

— Знаю, — согласился Сергей.

— Я бы тебе помог, — извиняющимся тоном добавил Данила, — да времени у меня нет. Мы через две недели обратно отваливаем, а пока я, как кенгуру в пампасах, скачу.

— Ясно.

— А с Ленкой поговори, конечно. У Ленки моей глаз-алмаз, под землю видит. Так вызвала ты ремонтеров, мать? Или нет?

— Вызвала, вызвала, — запричитала Марья Семеновна, — уже должны быть! Как не вызвать, вызвала, конечно! Починют, починют они лифт, будьте покойны!

— Ну, бывай, Серега! — попрощался Данила и с размаху стиснул Сергею руку. — Про Канаду — я всерьез приглашаю. Я всегда все всерьез делаю.

— Спасибо.

— Кире привет передавай. Вернись к ним, и пусть она тебе еще девочку родит! — Очень довольный своим чувством юмора, Данила Пухов жизнерадостно захихикал и пошел к двери, помахивая черной сумкой.

— А машина у него — страсть божья, — просвистела из-за спины Марья Семеновна, — ужасть одна, танк, а не машина, и сам он как пить дать бандюган! И чой-то он с вами вежливый такой, Сергей Константинович?

— Да никакой он не бандюган! — весело запротестовал Сергей. — Он хоккеист. Знаменитый. Звезда мирового спорта. Вы разве его по телевизору никогда не видели? У вас муж хоккей не смотрит? Он уехал лет семь назад и с тех пор приезжает сюда на несколько дней каждый год. Мы в этот дом вместе въезжали, еще когда никакого элитного жилья в природе не было!

— Да врет он все, — с истовой убежденностью проговорила Марья Семеновна, — подделывается он! Бандюган он! Он вчера небось и убил дружка жены вашей, Сергей Константинович!

— Начальника, — поправил Сергей. Следовало непременно убедить Марью Семеновну, что Костик именно начальник, а не дружок.

— Он сказал, что в одиннадцать приехал, а ведь наврал, наврал, Сергей Константинович! Как же в одиннадцать, когда я сама его видала в восемь, вот те крест!

— В восемь? — переспросил Сергей. — Данилу?

— Вот те крест святой, видала! Как входил, не видала, врать не стану, а вот как выходил — видала. Сел на свой танк и покатил, покатил!.. Зачем он наврал, если дружка не он прикончил, а?

— Начальника.

— Ну да, ну да, хоть бы и начальника!

— А кто еще входил, Марья Семеновна? Или выходил?

— Чужой никто не входил, вот те крест святой! Только ведь я не стражник, я к дверям-то не приставлена, может, и пропустила кого! А выходить... Да почти никто и не выходил! Время такое, все только со службы воротились и по домам сидели. Валентина ваша выскочила. «До свиданья, — говорит, — Марья Семеновна, до завтра!» Вежливая она у вас больно. Вот бандюганище этот. А еще... нет, не знаю. Мальчонка из восьмой с нянькой прошел, эти вроде на детскую площадку. Ночь на улице, а нянька его на улицу тащит! Конечно, когда мать с утра до ночи груши околачивает, так мальчонка и по ночам... Бабулька Евсеева спустилась, это уж после восьми, куда после!..

— А труп вы во сколько нашли, Марья Семеновна? — нежно спросил Сергей.

Вахтерша задумчиво бросила в банку щепотку чаю, и от банки сразу пошел дух, как от пропаренного веника. Чай, очевидно, был самый что ни на есть натуральный.

— Вот не скажу точно, Сергей Константинович, — призналась она с сожалением, — у меня внутри как все взялось, как от огня, Кира, значит, усаживает меня, а жилец из одиннадцатой квартиры, Михаил-то Петрович, говорит: «Ну, я за милицией пошел», а во сколько... Нет, точно не скажу.

— А Михаил Петрович откуда взялся?

— Так я закричала, со страху-то, — тут Марья Семеновна от души перекрестилась, — выскочила Кира, и Михал Петрович за ней. Чуть мне все нутро не отшибло, как увидала, как он лежит, и кровь вокруг черная! Сколько живу, такой страсти не видала! Вот в пятьдесят восьмом мне было двадцать лет, и пошли мы с подругой на пруд купаться. Молодые были, и все нам хотелось ночью искупаться-то. А тогда жизнь другая была, по ночам все спокойно, мы и пошли. А дорога мимо кладбища. Вот так все в горку, в горку, а потом...

— Спасибо, — сказал Сергей. Слушать про молодость

Марьи Семеновны он никак не мог, даже из соображений политеса.

— А вам зачем знать, кто приходил, кто не приходил, — жарко спросила Марья Семеновна, — вы, видать, милиции-то не верите, а, Сергей Константинович? И я не верю, от нисколечко не верю! Я как увидала Юрку, участкового, ну, думаю, бог мне судья, а только этот самый Юрка еще хуже бандюган, чем хоккеист ваш. Его, Юркина, мамаша, Зоя Петровна, самогон еще тогда гнала, когда постановление ЦК вышло и по всем квартирам ходили и аппараты искали, а они, хитрые, в эвакуации, в Мордовии их научили...

— И больше никто не приходил и не уходил, — подытожил Сергей, — Данила в восемь часов. Потом Валентина, потом няня с ребенком, потом старушка Евсеева. Правильно?

— Ну, и этот еще, — небрежно сказала Марья Семеновна, — который к Кире-то ходит. Интерес ее. Видный такой мужчина, серьезный, с порфелем всегда, вежливый. Да вы его знаете или нет?

— Знаю, — сказал Сергей.

— Вы меня извините, Сергей Константинович, если я лишнего сболтнула, — продолжала вахтерша, пристально рассматривая его физиономию, — я, конечно, ничего против не имею, только зря вы все это допущаете! Я старый человек, вы меня слушайте, а не обижайтесь!..

— Что... допущаю?

— Вот чтоб гоголь этот к ней ходил, интерес ее. Кто его знает, что у него за мысли, да и сам-то он откудова? Порфель у него, конечно, и видный он из себя-то, а вот так ночью даст ей по голове, а из квартиры все и тю-тю!..

Голова Сергея болела так, как будто Кирин «интерес» уже врезал по ней своим «порфелем».

— А самогонщикам этим верить нельзя, не-ет, нельзя!

— Каким самогонщикам?

— Да Юрке-участковому и мамаше его, Зое Петровне.

Я ж и говорю! Они когда из Мордовии вернулись, это еще папаша мой жив был...

— Спасибо, Марья Семеновна. Я пойду, пожалуй. Мне еще нужно позвонить.

— Конечно, конечно, — запричитала Марья Семеновна. — А у меня сердце так жмет, так жмет, и голова болит, сил нет! Это ваша Валентина вчера меня своими душищами обдала, с тех пор и болит!

— Какими душищами? — жалобно спросил Сергей. — Как она вас... обдала?

— Приятные такие духи, ничего плохого не скажу. Только уж больно сильно надушилась-то! Небось не девочка, чтоб так-то уж... ароматы распускать. Мимо прошла, прям хвост за ней духов этих! Голова у меня сразу зашлась, а потом еще...

И Марья Семеновна грустно махнула рукой.

С лестницы Сергей оглянулся. Она пила чай вприкуску — наливала в блюдце и сосредоточенно дула, а потом громко разгрызала сахар, похожая на старую печальную курицу.

Марья Семеновна, черт ее возьми!.. Что она расскажет ментам, если они станут ее допрашивать? И что уже рассказала? Что в Кириной квартире столкнулись «дружок» и «интерес», а что было дальше, всем известно?

Он поднялся на бывший свой пятый этаж и открыл дверь в свою бывшую квартиру.

Тима не было слышно, а Валентина на кухне пела негромко, но с чувством:

— «Я встретил вас, и все былое в отжившем сердце замерло...»

— Это я, — громко сказал Сергей, чтобы она не испугалась. Она все время пугалась и опускалась на стул, придерживая рукой «готовое разорваться» сердце.

— Боже! — вскрикнула после некоторой паузы Валентина. — Как вы меня напугали!

— Во сколько вы вчера ушли, — спросил Сергей, — помните?

— Что? — переспросила Валентина.

Сергей заглянул на кухню. Валентина в подаренном Кирой клетчатом добропорядочном английском фартуке месила тесто. Руки у нее были по локоть в муке. На голове — снежно-белая шапочка с кокетливым клетчатым бантом, очевидно, шедшая как дополнение к фартуку. От всей этой клетчатой английской добропорядочности лиловые веки казались еще лиловее.

— Когда на сердце печаль, — объявила домработница с грустным пафосом, — нет ничего лучше, чем плюшки с изюмом. Особенно для мальчика, который пережил такой ужасный вечер! Кире придется всерьез заняться его здоровьем. Я не понимаю, как она, мать, могла допустить, чтобы маленький беззащитный мальчик стал свидетелем...

— Маленький беззащитный мальчик, насколько я понимаю, счастлив, что ему удалось отвертеться от школы, и сейчас сидит в Интернете. Так что вы не очень убивайтесь, Валентина.

Она посмотрела с неодобрением:

— Я никак не могу понять, когда вы шутите, а когда говорите всерьез, Сергей Константинович.

— Я и сам иногда не могу, — признался Сергей. — Так во сколько вы вчера ушли?

— Как обычно, — ответила Валентина и опять занялась своим тестом, — как только Кира вернулась с работы. Бедная девочка, она еще не знала, какое тяжкое испытание уготовила ей...

— ...злодейка-судьба, — подсказал Сергей, — это, значит, во сколько?

Валентина дико на него взглянула.

— Наверное, в... полвосьмого, — выдавила она, — Кира приехала около семи, я точно не помню, я ей рассказала, как прошел наш день, собралась и ушла. У меня вчера... спину прихватило, — призналась она смущенно, — радикулит. Я, конечно, платочек из собачьей шерсти привязала, — тут она улыбнулась улыбкой девочкишалуньи, — но спина все равно... Я даже нагнуться не могла, Кира мне сапоги застегивала. И по лестнице я медленно спускалась.

— Быстрее, чем за полчаса? Или медленнее?

— А сейчас, — подозрительно спросила Валентина, — вы шутите или нет?

— Нет.

— Быстрее. А что? Или вы думаете, что бедный молодой человек к тому времени уже мог быть убит?

— Если вы не видели на площадке его труп, значит, не мог, — сказал Сергей любезно.

Тут он вспомнил, что так и не выяснил у Марьи Семеновны самого главного — заметила ли она, когда в подъезд вошел Костик, — и огорчился из-за собственного тупоумия.

— Вы будете обедать, Сергей Константинович, — чопорно поджав губы, спросила Валентина, — и во сколько подать?

Сергей понятия не имел, «во сколько подать». Ему нужно еще поговорить с соседом, вызвавшим милицию, и еще раз с Марьей Семеновной, раз уж он упустил такую важную деталь, и еще с Леной, беременной женой легендарного хоккеиста Данилы Пухова, которого «козлы из НХЛ» называют Дэн и который соврал, что не был дома до одиннадцати часов, а по сведениям все той же Марьи Семеновны — был. Еще неплохо было бы позвонить на работу, где его скорее всего уже давно потеряли и теперь ищут по всей Москве.

Инге тоже нужно позвонить. Он бросил ее среди ночи в постели одну и не испытывал по этому поводу никаких угрызений совести, но позвонить все-таки нужно.

Он пошел в гостиную, чтобы не звонить из кухни на глазах у Валентины. Нет, не на глазах. На ушах, точнее будет.

— Пап! — Тим возник на пороге своей комнаты. Он услышал шаги и моментально вынырнул — несмотря на то, что все пока шло хорошо, в полном соответствии с хитрым планом, процесс следовало все же контролировать. — Пап, ты чего? Уезжаешь?

— Нет пока, а что? — спросил Сергей.

— Да нет, — ответил Тим и пожал плечами, — ничего. А когда ты уедешь?

Сергей посмотрел на него. Пижамные штаны он заменил на широченные, болотного цвета брючищи с карманами, оттопыренными настолько, что создавалось впечатление, что в каждом из них лежит по килограмму картошки. Тощая шея наивно выглядывала из выреза байковой пижамной кофты, переодеть которую у сына, очевидно, сил уже не хватило. На макушке торчал нелепый золотистый хохол, а сбоку волосы были сильно примяты — раз уж пижама осталась на месте, то заодно можно и не причесываться!

— Пап, ты чего? — спросил Тим и почесал одной ногой другую. — Ну переодену я сейчас эту хреновину!..

— Тим, не выражайся, — сказал Сергей машинально.

Какого черта они развелись с Кирой?! Ни одна из их самых сумасшедших ссор, в которой ни разу никто никому и ничего не доказал, не стоит этого встревоженного, тщательно замаскированного, «контролирующего» выражения на детской физиономии — только бы не пропустить, только бы вовремя перехватить, чтобы не уехал, чтобы пообедал, чтобы дождался мать, и, может быть, тогда все наладится.

Что наладится? Разве что-нибудь может наладиться?

— Пап, ты чай будешь? Валентина печет что-то.

— Буду.

— А ты когда уедешь?

— Я пока уезжать не собираюсь, — ответил Сергей и дернул сына за хохол на макушке. — Может, после обеда. Но вечером я обязательно приеду, Тим.

— Приедешь? — переспросил сын недоверчиво. — А козлина? Не приедет?

— Козлина не приедет, — сообщил Сергей, — пижаму

переодень. Ты же не инвалид в больнице, чтобы весь день в пижаме ходить!

— Точно козлина не приедет?

— Козлина точно не приедет.

— Тимочка, — позвала Валентина нежно, — Тимочка, мой ручки, сейчас будут плюшки. А бутербродиков сделать?

Тим закатил глаза.

— И у папы спроси, он будет с нами чай пить или ему в кабинет подать. — Тут она выглянула в коридор, увидала Сергея и схватилась за сердце: — Боже! Боже мой, как вы меня напугали!..

— А вы-то меня как! — признался Сергей. — Подавать мне не надо, я сейчас позвоню и стану с вами пить. На кухне.

Валентина явно предпочла бы пить без него. Он был «злодей и тиран», Кира — «бедная малютка», а Тим — «несчастный ребенок», и все это явственно читалось на ее физиономии.

Сергей вздохнул.

Он закрыл за собой дверь в Кирин кабинет — бывший свой — и первым делом позвонил на работу.

— Сергей Константинович, слава богу, — вскрикнула секретарша, как будто он пропал по меньшей мере на три недели, — звоню, звоню, а вас дома нет!..

— Вы бы мне на мобильный позвонили, Ирина Федоровна.

— Не работает, — с готовностью доложила секретарша, — выключен или находится вне зоны действия сети.

— Да что вы? — удивился Сергей. Он свой телефон не выключал, но был твердо уверен, что знает, кто его выключил.

Тим, вот кто.

Сергей сказал секретарше, что сегодня на работу не приедет, пообещал перезвонить американскому партнеру, который ни с того ни с сего этим утром вздумал его искать, выслушал доклад о том, кто и зачем сегодня приходил в его приемную, нажал «отбой» и набрал номер Инги.

— Сережка! — крикнула она. — Ну, куда ты пропал?!

В трубке слышался отдаленный ровный шум, очень похожий на ресторанный или магазинный. Пожалуй, ресторанный, потому что звенела какая-то посуда. Очевидно, Инга решила, что глупо идти на работу, раз начальника там все равно нет.

Молодец. Умная девочка.

Он наскоро соврал что-то примитивное: «Метрополь», доктор Лассаль из Парижа, только один день, старая дружба и деловые интересы. Кира никогда не проглотила бы доктора Лассаля из Парижа, впрочем, ей он никогда и не скармливал ничего подобного. Инга для порядка поныла в трубку, что соскучилась, он для порядка поутешал ее — ей не хотелось ныть, а ему утешать, и оба об этом прекрасно знали. Расстались на том, что он понятия не имеет, где будет вечером.

Это ее насторожило. Связь с начальником, такая удобная, такая безопасная, такая обнадеживающая, была самым большим ее достижением за последние несколько лет. Он, конечно, страшный зануда, домосед, консерватор и вообще пень березовый, но — зато! — начальник, да еще разведенный. И штамп в паспорте есть, что разведенный, сама видела — не удержалась, выудила из пиджака, когда он был в ванной!

Валентина с Тимом пили чай из больших кружек, и плюшек в корзинке была целая гора, и золотистый сыр толстыми ломтями — его сын любил, чтобы сыр непременно нарезали толсто и солидно, чтобы было что укусить, — и немудрящие конфетки в вазочке, и немецкий джем в пузатой банке — неожиданный выходной день, хоть и связанный с «трагическими обстоятельствами», шел полным ходом.

Сергей тоже попил с ними чаю, съел две плюшки и нехотя поплелся в одиннадцатую квартиру, к Михаилу Петровичу. Почему-то он был уверен, что Михаил Петрович дома, несмотря на то, что время было самое рабочее, и не ошибся.

— Добрый день, Сергей Константинович! — бодро начал сосед, еще не до конца открыв дверь, как будто с утра ждал, когда тот наконец пожалует. — Надо же, какое несчастье! Знаете, вот так слушаешь, слушаешь про всякие ужасы и почему-то думаешь, что нас это никогда не коснется. А тут — на тебе! Прямо под носом. Кира Михайловна переживает, наверное?

— Конечно, переживает, — отозвался Сергей, протискиваясь в прихожую, — еще бы ей не переживать, когда это ее начальник и даже, можно сказать, друг!

— Ну да, ну да, — сочувственно покивал Михаил Петрович. — Да вы проходите, проходите, пожалуйста! Сейчас найду вам тапки.

Сергею показалось, что найти что-либо в квартире Михаила Петровича не удастся никому и никогда — так густо и плотно, как на складе утиля, здесь стояли, лежали, теснились и громоздились вещи. Непонятно было, как среди старой мебели — кресел, шкафов с распахнутыми дверцами, за дверцами висели шубы в чехлах, тяжеловесных буфетов, Сергей насчитал их три, поставленных друг на друга столов, наваленных книг и кип старых газет — могут помещаться люди. Тем не менее они помещались: сам Михаил Петрович ловко лавировал между мебельными рифами и скалами, прорываясь к дальнему свету, и откуда-то выскочила куцая собачонка и, выкатив мутные от старости глаза, зашлась хриплым негодующим лаем, и женский голос позвал в отдалении:

— Мишенька! Мишенька, кто там? Слесарь?

— Это сосед, Сергей Константинович, — отозвался Мишенька и объяснил Сергею: — Елена Львовна, жена.

— Здравствуйте! — на всякий случай крикнул Сергей. Он пробирался с трудом, непривычный к лавированию, и делал это менее успешно, чем хозяин, то и дело натыкаясь на углы и какие-то выступающие части.

Вещи чуть-чуть расступились, и хозяин и гость гуськом протиснулись в комнату, которая ничем не отличалась от коридора, разве что в ней было немного светлее. На свободном пятачке в самой середине комнаты стояло кресло, а в нем помещалась женщина в пуховой шали. Женщина улыбалась доброй слабой улыбкой.

— Сереженька, — воскликнула она, — простите меня! Я думала, что слесарь пришел!

— Ничего, ничего, — пробормотал Сергей. От пыли у него свербело в носу, и он даже потер переносицу, чтобы не чихнуть. — Здравствуйте, Елена Львовна!

— Здравствуйте, Сереженька! Давно вас не видно. Как там Кира и сынок после ночных происшествий?

— Ничего, спасибо.

— Мишенька, наверное, нужно поставить кофе. Или чаю, Сереженька?

— Нет, нет, — перепугался Сергей, — спасибо, ничего не нужно. Я только что пил.

Куцая собачонка вкатилась в комнату, хрипло и натужно зарычала, потом кинулась к креслу и стала лезть на колени к Елене Львовне, стягивая пуховый платок.

— Мася! — Елена Львовна наклонилась, подхватила собачонку, нежно прижала к груди и поцеловала старческую оскаленную морду. — Не волнуйся, не волнуйся, маленькая. Что ты? Что ты? Это же Сереженька, наш сосед! Забыла, — с извиняющейся улыбкой сказала она Сергею и еще раз поцеловала морду. — Совсем вас забыла. А помните, как гуляла с вами, когда вы с сынком на бульвар ходили?

Сергей кивнул, что помнит.

Ничего он не помнил — ни про бульвар, ни про Масю.

Михаил Петрович перестал потирать руки, подошел и поправил платок, сбитый Масей.

— Ужасно, да? — спросила Елена Львовна. — Просто ужасно! Кире, наверное, вдвойне, она же его знала!

— Знала, — согласился Сергей.

— Может, все-таки чаю?

— Нет, спасибо! Я просто хотел спросить... я зашел, чтобы узнать... — Старики смотрели на него участливо и выжидательно, только Мася глухо и злобно ворчала, зарываясь в платок, и Сергей вдруг растерялся.

— Что узнать, Сереженька? — помогла Елена Львовна. — Я-то и не выходила, а Миша вышел, когда Марья Семеновна закричала, вернулся и стал в милицию звонить. Потом он опять вышел. А я... так и не нашла в себе сил. Мы с Масей вообще слабые духом. Мишенька у нас сильный, а мы... никуда не годимся.

Сильный Мишенька смущенно потупился, как будто ему было четырнадцать лет и его неожиданно пригласила на свидание барышня из десятого класса.

— Вы целый день не выходили, Елена Львовна?

— Целый день, Сереженька. Я в последнее время мало хожу. Сил почти нет, да еще весна. Весной мне всегда как-то не по себе — сыро и холодно. Все Мишенька — и в магазин, и в аптеку, и за квартиру заплатить, а мы с Масей... — И она махнула рукой.

— Да, — непонятно зачем сказал Сергей, — да, конечно. И ничего такого... подозрительного не видели и не слышали?

Елена Львовна переглянулась с Мишенькой, вид у нее стал озабоченный.

— Подозрительного? — переспросил Мишенька. — Что, собственно, вы имеете в виду, Сергей Константинович?

— Сам не знаю, — признался Сергей и улыбнулся. Их внезапная озабоченность ему не понравилась. — Каких-нибудь чужих людей?.. Или, может быть, слышали что-нибудь странное?

Тут неожиданно, как бы в ответ на его вопрос, где-то обвалился приглушенный стенами отдаленный грохот, как будто лавина сошла, а потом быстро и громко застрекотало и опять стихло.

— Что это такое? — спросил Сергей с изумлением.

Мася, успокоившаяся было, опять хрипло заворчала и оскалила желтые зубы.

— Это ремонт, — объяснила Елена Львовна все с той же слабой извинительной улыбкой. Она вообще все время улыбалась. — У Басовых. То есть не у Басовых, а в их квартире.

— Все время грохочут, — подхватил Мишенька, — как с утра начинают, так до ночи. Леле нужно отдыхать, а как тут отдыхать, в таком грохоте! Я ходил к ним, но... мне объяснили, что поделать ничего нельзя. Нужно ждать, когда закончатся строительные работы.

Сергей вполне мог себе представить, как именно ему это «объяснили».

— Нет, нет, — заспешил Мишенька, словно увидев что-то у него на лице, — это вполне интеллигентные люди. Очень приличные. Вполне, вполне приличные. Квартира старая, и... планировка им не совсем подходит, так что приходится все переделывать. Даже стены.

Стрекотание возобновилось. Теперь оно шло очередями, как будто стреляли из автомата.

Да. Одиночного пистолетного выстрела, который убил Костика, в стрекотании пулемета и обвальных ударах о пол чего-то тяжелого расслышать действительно было нельзя.

Выходит, тот, кто стрелял, *знал*, что в бывшей квартире Басовых ремонт и выстрела никто не услышит. Выходит, стрелял кто-то из соседей? Из соседей?!

— А Марья Семеновна зачем наверх поднималась? Вы не знаете?

— Откуда мы можем знать?! — воскликнул Мишенька, снова приходя в раздражение, и Мася наддала рыку.

Одной рукой Елена Львовна погладила Масю, а другой — Мишеньку.

— Сереженька, вы все забыли. Марья Семеновна у нас очень... любопытная дама. Ей до всех есть дело. Она у нас все время на посту.

— На каком посту? — не понял Сергей.

— На боевом, Сереженька. Я не удивлюсь, если окажется, что она шла послушать, что происходит в вашей квартире.

— В нашей?!

— Ну да, — подтвердила Елена Львовна и слегка покраснела. — Ведь к Кире приехал ее... друг. А потом еще... покойный приехал. Она ведь его знала, да?

— Да, да, — нетерпеливо согласился Сергей.

— Наверное, Марья Семеновна решила поинтересоваться, как проходит их... встреча.

Сергей усмехнулся.

Вполне возможно, что так оно и было. Вполне возможно, что ей до смерти хотелось узнать, что делается за закрытой дверью его бывшей квартиры, как там Кира справляется сразу с двумя «интересами». Кажется, именно так Марья Семеновна их называла.

Нужно узнать, сразу или не сразу по приезде Костика Марья Семеновна кинулась на свой «боевой пост». Если сразу, значит, на лестнице она могла видеть убийцу. Конечно, в том случае, если он не вернулся в свою квартиру.

Хоккеист Данила зачем-то приезжал домой в восемь часов, а Сергею соврал, что приехал в одиннадцать. Зачем он врал?

— Так что ничего подозрительного, Сереженька. Мишенька вышел, только когда на лестнице закричали, а до этого мы все время были дома и ничем не можем вам помочь. — Елена Львовна вздохнула и прижала к себе исходящую истеричным рыком Масю. — А она как будто предчувствовала, знаете? Это не собака, это самый настоящий человек, да что человек, она в сто раз разумнее любого человека!

Сергей покосился на старческую брюзгливую морду собаки. Теория о ее «разумности» вызывала у него серьезные сомнения.

— Вчера вечером она так беспокоилась, вы не поверите! — продолжала Елена Львовна восторженным, слегка придушенным от высоты чувств голосом. — И лаяла, и лаяла, и бросалась, и беспокоилась, и в руки не давалась — как будто знала!

Сергей хотел сказать, что Мася беспокоилась и не давалась не от нечеловеческого ума, а от скверности характера и старческого маразма, но благоразумно воздержался.

— Это уж ты напрасно, Леля, — неожиданно вступил Мишенька, — она рычала потому, что услышала на лестнице Валентину Степановну. Просто не узнала, а не потому, что у нее было предчувствие! Не нагнетай, Леля!

— Да, — печально согласилась Леля, — с ней иногда такое бывает, она не узнает даже нас. Старенькая стала.

Дрогнувшей рукой она погладила старческую шерсть на боку.

— Она умрет, и я вместе с ней, — неожиданно добавила Елена Львовна с извиняющейся улыбкой. — Сереженька, вы тогда Мишеньку не оставьте...

— Леля, — воскликнул муж, — что за глупости!

— Правда, Елена Львовна, — сказал и Сергей, которому до смерти хотелось вырваться из этой квартиры, — зачем вы так себя настраиваете?..

— Я не настраиваю, — тихо произнесла Елена Львовна, — я знаю, что так и будет. А Мася... да. Бывает, что обманется.

— А может, не на Валентину лаяла? — спросил Сергей осторожно. — Может, кто-то чужой на лестнице был?

— Нет, — Мишенька опять принялся потирать свои руки, — никого не было. Я выглянул — Валентина спускалась. Я ее видел, Сергей Константинович. А больше никого не было. Н-да...

— Спасибо, — поблагодарил Сергей, — спасибо вам большое. Я пойду, мне еще нужно... — И он сделал в воздухе неопределенный жест, который должен был означать, как много всего ему еще нужно.

— Кире привет, — напутствовала напоследок Елена Львовна, — и сыночку. Я никогда не могла поверить, что вы разошлись... навсегда. Такая прекрасная, благополучная пара!.. Таких сейчас почти нет. Я так рада, что все наладилось!

Ничего не наладилось, сжав зубы, подумал Сергей, все только усложнилось, потому что Костика убили и потому что вчера я застал у нее любовника.

Любовника, черт побери все на свете!..

— Не знаю, что делать, — пробираясь по мебельному лабиринту, тихо прошелестел Михаил Петрович, — чахнет с каждым днем. Внуков не нажили, жить незачем. Ведь и не старая еще!.. Что делать, Сергей Константинович?

Сергей понятия не имел, что нужно делать. Он не верил, что человек может просто так «зачахнуть». Ни от чего. От того, что нет внуков.

— Позовите врача, — посоветовал он первое, что пришло в голову, — может быть, витаминов не хватает.

— Витаминов!.. — воскликнул Михаил Петрович, и Сергей понял, что сказал глупость. — Витаминов!..

Еще несколько раз ударившись об углы, Сергей добрался до двери и раскрыл было рот, чтобы попрощаться, как Михаил Петрович сказал неожиданно:

— Хорошо, что вы вернулись, Сергей Константинович. Мальчик без вас совсем заскучал. В молодости не умеешь ценить такие вещи. Пользуйтесь тем, что сейчас вы ему нужны. Только вы, и больше никто. Нашему сыну нужна карьера, а мы... нет, не нужны. И жена ушла, и внука нет. И карьеры-то никакой нет, так, разговор один... И пусть у вас будет еще один мальчик или девочка, и им вы тоже будете нужны!

Второй раз за это невозможное утро Сергею пророчили «девочку или мальчика» — сначала хоккеист Данила, теперь вот Михаил Петрович.

Голова болела от этих пророчеств и еще от того, что вчера в подъезде его дома — бывшего дома — застрелили начальника его жены — бывшей жены, — и менты решили, что это именно она его застрелила, а потом он нос к носу столкнулся с ее любовником, а утром проснулся от того, что желание было почти невыносимым, как когда-то, когда все еще было хорошо, и он гордился этим желанием, и любил Киру, и хотел ее днем и ночью — всегда.

Пробормотав какую-то прощальную, привычно-вежливую фразу, Сергей вышел на площадку, и тут у него в кармане зазвонил мобильный телефон.

— Сергей, — быстро сказала Кира, — они нашли какую-то записку, в которой я угрожаю Костику. Приезжай прямо сейчас. Можешь?

Батурин смотрел в окно, и его затылок красноречиво выражал все, что он думает.

Кира была совершенно уверена — думает он о том, что теперь главный он, Григорий Батурин, а вчера Костик грозился его уволить и делал какие-то непонятные пассы, и закатывал глаза, и многозначительно смотрел в потолок, и намекал на то, что на его, батуринском, месте хотел бы видеть Киру.

И еще он думает, что ему некогда будет возиться с Кирой Ятт, и выяснять ее причастность к убийству, и оправдывать ее, если понадобится оправдывать, и искать доказательства, и выяснять подробности.

Теперь у него на руках журнал, и до тех пор, пока Володя Николаев, владелец и бывший главный редактор, а ныне простой американский миллионер, не прислал никого на его место, он, Батурин, здесь командир.

Он командир, на лихом коне, с шашкой и развевающимся знаменем впереди всех, и нужно быстро определиться, в какую сторону скакать, и каким флагом махать, и что делать, если налетят вдруг лихие махновцы из Думы или Минпечати, и у кого можно поживиться салом и гусями, а кого лучше бы оставить в покое, а с кем и поделиться добычей.

Григорий Батурин отлично знал, что он хороший журналист и амбиций у него целый воз. Особенно этих амбиций прибавилось после того, что тогда с ним случилось, и больше всего на свете ему хотелось доказать неизвестно кому — всем, — что он еще на что-то годен, кроме того, что на самом деле умел, чему полжизни учился и что пришлось в одночасье бросить — навсегда. Но он понятия не имел, что нужно, чтобы быть хорошим главным редактором, хоть и храбрился и делал вид, что он с шашкой на лихом коне впереди всех.

Трудно делать вид.

— Ну что? — спросил он, повернулся, опираясь на свою палку, и оглядел кабинет. За распахнутой дверью слышались всхлипывания и подвывания — это страдала Раиса, только что узнавшая о смерти шефа.

— Что? — тоже спросил капитан Гальцев.

Он курил какую-то невиданную махру, и от ее духа слегка мутило даже привычного и закаленного Батурина, что уж говорить о Кире. Батурин подумал и, с трудом дотянувшись, открыл замок и рванул на себя оконную створку. Сырой холодный воздух ворвался в кабинет, разогнал по углам махорочный дух, зашелестел планками немецких жалюзи.

— Я не писала Костику никаких угрожающих записок, — отчеканила Кира. — Это просто какая-то дикая чушь.

— Это? — снова переспросил капитан, как будто удивившись, и потряс перед носом у Киры сложенным вдвое листком бумаги. — Это не чушь, уважаемая. Это называется вещественное доказательство, и найдено оно в портфеле у вашего покойного друга и начальника.

— Я не знаю, как это попало к нему в портфель. Это моя старая рукопись.

— Рукопись? — еще пуще удивился капитан. — Что за рукопись?

Кира вздохнула. Она сражалась одна — Батурин, очевидно, так и не забывший вчерашнего концерта, ничем ей не помогал.

— Я никогда не пишу на компьютере, — холодно сказала Кира. — Это, конечно, очень неудобно, и главный меня всегда за это ругал, но я так себя и не приучила. Я пишу только от руки, а потом машинистки набирают текст. Это страница из моей рукописи. По-моему, месячной давности.

— Позвольте, — вкрадчиво начал капитан Гальцев, — это в рукописи вы написали... — Он развернул листок и прочел с выражением: — «Если наш сюжет полностью соответствует законам жанра, значит, непременно произойдет убийство, а вот будет ли найден убийца — неизвестно. Идея непременного разоблачения зла нынче отошла на второй план, уступив место кровавым и шокирующим деталям. Если вам не хочется на себе испытать действие этих кровавых подробностей, послушайтесь моего совета. Вернее, нескольких советов. Они очень просты, но, последовав им, вы сможете уберечь себя... » Это *часть вашей рукописи*, Кира Михайловна?

Кира беспомощно посмотрела на него.

— Да, — неожиданно сказал Батурин. — Если я не ошибаюсь, дальше было так: «Вы сможете уберечь себя от бездарной и безрадостной траты времени на дрянные детективные романы». А потом про то, что и детективы можно писать хорошо, а можно плохо, только плохие лучше не читать. Ваша цитата, капитан, как раз о плохих детективах. Верно, Кира?

— Да не о плохих детективах это написано! — громко сказал капитан, которого с утра уже вызывали к генералу по поводу «громкого дела» об убийстве «прогрессивного журналиста и борца за свободу слова Константина Станиславова», и долго накачивали, и песочили, и промывали мозги, поэтому капитан с самого утра был как будто целлулоидный — накачанный, пропесоченный и промытый. — Это написано об убийстве. Вот, вашим почерком, Кира Михайловна, черным по белому. Ах, нет. Синим по белому. И сюжет упомянут с трупом вначале и «глухарем» в конце, и кровавые подробности, и...

— С каким глухарем? — перебила его Кира.

— Ну-у, — протянул капитан, — это теперь каждый дурак знает, Кира Михайловна. «Глухарь» — это как раз то, что в этой так называемой рукописи описано. В начале труп, а в конце — шиш. Дело закрыто. Виноватых нет. Труп сам по себе труп, а убийцы как будто нет. Вы про это писали?

— Я писала про детективные романы. Статью.

— Вы что? Литературный критик?

— Я не критик, но у нас нечего было поставить в номер, а тогда только-только объявили премию за лучший детективный роман. Костик попросил меня написать. Я написала.

— Можно статью-то поглядеть?

— Она не вышла, — негромко сказал Батурин. — Кто-то тогда помер. Кто, Кира?

— Ну во-от, — протянул капитан с таким удовлетворением, как будто Кира наконец-то призналась, что это она пристрелила Костика почти на пороге своего дома, — не вышла! Значит, нет никакой статьи.

— Есть, — Кира старательно и глубоко дышала. Батурин видел, как ей трудно, а капитан нет. — Статья есть. Рукопись очень большая. Это только один абзац. Тогда в Париже умер художник Михаил Швидинский, и пошел материал про него, а детективы остались про запас. У нас так часто бывает.

— А у нас, — сообщил капитан, рассматривая свою папиросу, — часто бывает так, что сначала пишут записки с угрозами, а потом убивают. Даже, бывает, киллеров нанимают, чтоб самим, так сказать, руки не марать.

— Да поймите вы! — закричала Кира, и всхлипывания за дверью прекратились — очевидно, Раиса стала слушать и перестала рыдать. Кто там еще слушает и сколько их? Полредакции? Или уже вся собралась? — Да поймите вы, что это очень глупо — убивать Костика в собственном подъезде! Ну я же не идиотка, чтобы этого не понимать! Да еще с запиской в портфеле! Ну неужели вы думаете, что я не забрала бы записку, если бы знала, что она у него в портфеле?!! Неужели вам даже в голову не приходит, что если я ему угрожала, то должна была элементарно... замести следы! Так это называется?

Батурин тяжело прохромал мимо, вышел в приемную и закрыл за собой дверь. Капитан проводил его взглядом.

— А вам, — спросил он у Киры, которая судорожно пыталась закурить, — вам в голову не приходит, что все сходится именно на вас? Я вам не герой сериала, я в Лос-Анджелес не поеду международный заговор против вашего Костика разоблачать. Мне и здесь все ясно.

— Что тут такое?! — громко говорил за дверью Батурин. — Почему общий сбор?! Раиса, прекратите рыдать! Леонид Борисович, у вас ко мне что-то срочное? Всем немедленно разойтись по рабочим местам, собрание коллектива я назначаю на четыре часа, тогда и будете рыдать, а сейчас по местам, и чтобы я в коридорах никого не видел! Это ясно?

Капитан Гальцев посмотрел на дверь.

— Во дает командир, — то ли с осуждением, то ли с одобрением сказал он. — Это его потерпевший вчера уволить грозился?

Кира ничего не ответила. В пепельнице была гора окурков, и ей почему-то казалось, что все дело в этой пепельнице, полной окурков. От нее так невыносимо и муторно болит голова и желудок, но как от нее избавиться, Кира не знала.

— Вы, Кира Михайловна, не молчите, — душевно попросил капитан, — вы на вопросы отвечайте.

— На какие вопросы?

— На мои. На мои вопросы.

— Вы ни о чем меня не спрашиваете.

— Спрашиваю. Я спрашиваю про вашего нового начальника, которого потерпевший собирался уволить не далее как вчера.

— Что вы про него спрашиваете?

Капитан начал медленно, но верно наливаться свекольным цветом.

— Я спрашиваю... — Тут он неожиданно сообразил, что и впрямь ни о чем не спрашивал, потому что и так было ясно, что это именно тот зам, которого главный собирался уволить, и свекольный цвет стал вызывающе свекольным.

Хлопнула дверь, вернулся Батурин.

— Хрен знает что, — выпалил он со злобой, — не редакция, а Институт благородных девиц! Все ревут, твою мать!.. Кира, ты бы пошла разобралась с ними как-нибудь. Номер завтра сдавать. А у нас конь не валялся.

— Я не могу, — холодно ответила Кира. Ей казалось, что ее сейчас вырвет. — Меня допрашивают.

— Идите, — разрешил капитан, — только недалеко, чтобы я мог с вами еще... поговорить, если мне понадобится.

— А подписку о невыезде? — спросила Кира. Нужно срочно встать и выйти, но ей было так плохо, что она совсем обессилела. — Возьмете?

— Возьмем, — пообещал капитан неторопливо, — успеется. А вы пока... того. Сбежать не вздумайте.

Отпускать ее не хотелось, но и увозить было рано. Доказательств никаких, черт бы их побрал. Записка запиской, но в ней ни обращения, ни даты, и вообще никакой «конкретики», как выражался один известный всем политик. Оружия нет, а санкцию на обыск в ее квартире прокурор ни хрена не даст — больно уж хлипко все. Ну, застрелили его у нее в подъезде, но там еще одиннадцать квартир, все обыскивать будем или через одну? И непонятно пока, какие у нее связи — сунешь в КПЗ, а завтра по всем каналам заголосят о произволе и бессилии власти, о той же свободе слова, — далась она им! — да еще какой-нибудь богатый покровитель выищется, надавит на руководство, и пойдет, и пойдет...

А генерал сказал — чтобы к вечеру подозреваемый в камере сидел и признание писал!

Признание, мать его!..

— Кира, — как будто поторопил Батурин.

Она поднялась — прямая как палка, со стеклянными глазами и зеленью возле висков, — и вышла. В другую дверь, не ту, за которой была приемная.

— Вы что, — спросил Батурин, когда дверь тихонько закрылась, — думаете, что это Кира Костика застрелила?

— Ну, кто-то его точно застрелил, — сообщил капитан, — и приехал он именно к вашей Кире. А что? Она прямо такой вот божий одуванец, цветок роза, что пристрелить никого не может?

Батурин пожал здоровенными плечищами под толстым свитером. Вообще на журналиста он был не похож. Капитан Гальцев был не то чтобы уж очень большим знатоком пишущей и снимающей братии, но телевизор тем не менее смотрел и журнальчики читал, когда они ему попадались.

Журнал «Старая площадь» был изданием «солидным». Статьи все больше про политику, про больших людей, про значительные события — намеки, недомолвки: президент на Давосском форуме на этого посмотрел, а от того отвернулся, и поэтому акции на рынке ценных бумаг подскочили вдвое, а валютный курс укрепился. А может, наоборот, акции упали, а курс рубля обвалился. Реклама тоже была «солидной» — внедорожники «Тойота», горные лыжи из «Спортмастера», мобильные телефоны с подключением к Интернету, тарифный план «Элитный». Никаких «аппаратов для повышения потенции «Эрос плюс» или тайских таблеток для похудения.

Поди тут разберись, кого из этого «солидного» издания можно в кутузку посадить и чтоб к утру без погон не остаться!..

Взять хотя бы этого, хромого. Ни тебе лакированных ботинок, ни пиджака с галстуком, ни альпийского загара. Здоровенный, коротко стриженный, почти квадратный, в джинсах, темном свитере и с палкой. Хромает сильно. В аварию, что ль, попал?

Вчера Кира Ятт — наградил бог фамилией! — сказала, что у него не было никакого резона убивать. Еще она сказала, что именно потерпевшему следовало прикончить зама, потому что зам... Как она выразилась?.. Да, вот как — дышал ему в спину.

Гальцев распахнул свой блокнот и уставился на надпись «Батурин — претендент на должность». Читал он ее долго и внимательно.

Это был психологический прием — противник должен знать, что у тебя на него целое досье: как в четвертом классе окно выбил, а в пятом булку из магазина утащил, а потом в скверике подрался и еще что-нибудь в этом духе. Противник должен знать, что ты читаешь это самое досье, и пугаться.

«Читая», капитан пересчитал все полоски на обеих страницах блокнота, и все надписи «пон», «втр», «срд», узнал, что Батурин наоборот звучит как «нирутаб», а также продолжительность дня и время восхода Луны — вот сколько всего.

Батурин — «нирутаб» наоборот — сидел в кресле и молчал. В кресло покойного главного он не уселся, примостился напротив капитана, и палку свою пристроил рядышком, и неотрывно смотрел в стол. Потом почесал ухо и стал опять смотреть.

Не действует психологический прием, решил капитан со вздохом. Ладно. Попробуем другой.

— А почему у вас телефон не звонит? — неожиданно спросил он. Ошарашить неподходящим вопросом — вот отличный прием, и тоже вполне психологический.

— А я его выключил, — рассматривая стол, сообщил Батурин.

— А тот, который на столе? Тоже выключили?

— А тот, который на столе, на приемную перевел.

От созерцания стола он так и не оторвался, опять не сработал прием, черт его дери.

— Из-за чего вы вчера поссорились с потерпевшим?

Плечи опять равнодушно дрогнули.

— Мы всегда ссорились из-за одного и того же. Из-за денег.

— Вы одалживали у него деньги или он у вас?

Батурин перестал созерцать стол и с тем же равнодушием принялся созерцать капитана.

— Никто ни у кого не одалживал. Он все время подозревал меня в том, что я за его спиной ставлю в номер оплаченные материалы, а с ним не делюсь.

— Что значит — оплаченные материалы?

— «Джинсу», — сказал Батурин.

Свекольный цвет опять стал во все стороны распространяться по капитанской физиономии.

— «Джинса» — это заказные материалы, — неторопливо объяснил Батурин, — не реклама, а, как бы это сказать, имиджевые статейки. Например, статья в рубрике «Карьера» о каком-нибудь начальнике или политике. Какой он умный, тонкий, любит жену, детей, собаку и отечество. Честный, порядочный, образованный, но в то же время «из народа» — по выходным на участке в бане парится и местному фермеру Горемыкину пробил в сельсовете трактор. «Джинса» — ходовой товар, особенно перед выборами или какими-нибудь крупными кадровыми перестановками. Бывает, конкуренты «заказывают» друг друга, тогда мы пишем, что банк такой-то вот-вот лопнет, ибо там неграмотный менеджмент, а председатель правления вообще алкоголик или раньше сидел в Матросской Тишине.

— А если за задницу возьмут?

— Возьмут, извинимся. Это очень просто — на последней странице. Извините, ошибка вышла, ваш председатель вовсе не алкоголик, а человек уважаемый и приличный во всех отношениях, любит жену, собаку и так далее. Кроме того, мы же не лохи, чтобы все подряд гнать, мы информацию грамотно собираем, так, чтобы подкопаться было трудно.

— Значит, заказали, заплатили, вы напечатали. Потом опять заказали, заплатили...

— Нет, — перебил Батурин, — не совсем так примитивно. Мы точно знаем, с кем и против кого в данный момент дружим. Хозяева и друзья — табу, ни за какие деньги. Остальные на усмотрение и в соответствии с интересами текущего момента.

— Свобода слова, твою мать! — в сердцах воскликнул капитан. — А эта ваша вчера мне про первую поправку пела!.. На черта вам сдалась первая поправка, когда у вас сплошная, блин, мешковина!..

— «Джинса», — поправил Батурин невозмутимо. — Политическая пресса — такое же оружие, как «стечкин». Прошу прощения за банальность. У оружия нет никакой свободы. Оно стреляет в зависимости от того, у кого в руках. Это для вас новость?

— На черта тогда вам свобода слова, если вы как проститутка — кто заплатил, под того и легли?!

Батурин помолчал немного, оценивая искренность капитанского гнева. Гнев производил впечатление вполне искреннего.

В самом деле такой наивный? Не прикидывается?

— Благодаря этой самой свободе мы знаем, что «Курск» утонул, а в Чечне война, — сказал наконец Батурин.

— Так и про «Курск» врут, и про Чечню врут!

— Врут, — согласился Батурин, — но могли бы вообще молчать, как про Афганистан молчали, и про все остальное. Сгинул рязанский ОМОН на Кавказе и сгинул, как не было его. Или мужики в Баренцевом море. Через три года жене бумажка, где написано «причина смерти — утопление». Ну как? Или все-таки лучше, когда есть свобода и первая поправка?

— Да что вы заладили про эту поправку! — озверел капитан. — Далась она вам!

— Она не нам далась, а американцам. Кстати, это

очень символично, что первая поправка именно о свободе слова.

— Идите вы с вашей символичностью куда подальше!..

— Дискуссию затеял не я.

— Да идите вы с вашей дискуссией!.. — заорал капитан. — О чем вчера говорили с потерпевшим, отвечайте!

— Прошлый номер вышел с материалом о выборах мэра в Новом Уренгое. Костик считал, что он заказной и что мне за него заплатили.

— А вам что, не заплатили? Или вы делиться не захотели, денежки пожалели?

— Нет, — твердо сказал Батурин, — мне не платили. Меня... попросили помочь, и я... помог.

— Кому? Новому Уренгою?

— Ох-хо-хо, — неожиданно пробормотал Батурин, неуклюже повернулся и стал смотреть в окно. Капитан насторожился.

— Костику я не сказал о том, что меня... просили. Не знаю, что именно он там решил, но взбеленился на этот раз по-настоящему. Мне кажется, он бы меня уволил, если бы не Кира. Она зашла и как-то его остудила.

— Водой окатила?

Батурин промолчал.

— Григорий Алексеевич, кто просил вас поставить в номер материал о Новом Уренгое? И почему сделал это через голову главного редактора?

— Это не имеет никакого значения, — отрезал Батурин.

— Я сам решу, что имеет значение, а что не имеет. Кто?

Батурин посмотрел на Гальцева и покачал головой.

— Тогда я вас сейчас арестую по подозрению в убийстве, — пригрозил капитан, и Батурин разрешил равнодушно:

— Арестовывайте!

Да уж. Психологический прием.

Пыльная искусственная трава, пыльные искусственные кусты, выцветшие птичьи чучела. «Глухари на токовище», одним словом.

Может, это и не бытовуха вовсе, а высоколобое политическое убийство с участием израильской и палестинской разведок, а также новоиспеченного мэра Нового Уренгоя?

Как там? Знаменитый биатлонист Сидоров собирался отравить папу римского елеем подпольного дагестанского производства, ибо папа самым подлым образом вмешивался в бизнес бывшего биатлониста, всячески мешал и строил козни. Недавно что-то в этом духе капитан видел по телевизору и диву давался, что история рассказывалась вполне серьезно и даже с некоторым трагическим пафосом.

— Да что за секреты-то? — решив играть в дурака, спросил капитан. — Неужели вы думаете, что я не узнаю? Или это государственная тайна?

— Тайна не тайна, но Костик не должен был знать. Я поставил этот материал и пошел как бы против своих.

— Каких своих?

— Капитан, — отчеканил Батурин, — это не имеет отношения к убийству. Это все политика, да и то не самой высшей пробы, а так, серединка на половинку.

Я ничего от него не добьюсь, понял Гальцев совершенно отчетливо. Он будет стоять на своем. Пудрить мне мозги, читать лекции про первую поправку и американское законодательство и ни слова не скажет о том, что меня интересует.

Кремень мужик.

То ли ничего не боится, то ли очень в себе уверен. Права была Кира Ятт — такого только и опасаться, даром что на вид мешок мешком.

Ну и ладненько.

— Как вы думаете, кто из ваших коллег, кроме Киры, мог слышать, что вы поссорились с главным?

— Все, — весело ответил Батурин, — все мои коллеги

до одного могли слышать, что я поссорился с главным. У нас слышимость исключительная, а Костик всегда орал от души. И вчера орал.

— Вы были в этом кабинете?

— Да.

— В какую дверь вы вышли?

— В приемную.

— Кто был в приемной?

— Раиса была, — подумав, сказал Батурин, — по-моему, еще Леша Балабанов, корреспондент. Я злился и от злости... плохо соображал.

— Так злились, что плохо соображали?

— Видите ли, — объяснил Батурин и улыбнулся короткой улыбкой, — меня никто и никогда не обвинял в воровстве. А Костик сказал, что я вор. Я готов был его убить. Киру, кстати, тоже. Она влезла в самый неподходящий момент, и Костик моментально этим воспользовался.

— Как именно?

— Он заявил что-то в том смысле, что возьмет на мое место Киру, она-то уж воровать не станет. Он вообще умел задевать людей.

— Что значит — задевать?

— Он всегда умел обидеть. Если бы он сказал мне, что я плохо пишу или не умею работать, я бы послал его подальше, и дело с концом. Он заявил мне, что я вор, и я обозлился. По-настоящему. Какой-то девице из отдела новостей он устроил разнос за то, что она не знает, как зовут президента. Корреспондент не может не знать, как зовут президента, даже если он очень тупой. Но Костик считал, что...

— Что за девица?

— Я не знаю ее имени. Она недавно появилась. Я потом встретил ее в коридоре, она рыдала и говорила, что ни в чем не виновата.

«Леша Балабанов, — записал Гальцев в блокноте на

строчке с буквами «втр», — девица из отдела новостей рыдала».

Кто же, черт побери, сегодня в камере будет писать признание? Похоже, что сам капитан напишет объяснительную, если ему не удастся запихнуть в КПЗ хотя бы эту Киру!..

— Куда потом делся корреспондент из приемной?

— Я не знаю. Лучше у Раисы спросить или у Киры. Я ушел, а Кира осталась.

— У вас есть враги, Григорий Алексеевич?

Батурин опять улыбнулся.

— Есть, — сказал он почти весело, — у меня полно врагов. Но никто из них не имеет отношения к моей нынешней работе.

— А ваша прошлая работа в чем заключалась?

— Я был военным корреспондентом, — привычно соврал Батурин, зная, что проверить это никак невозможно, даже если капитан решит проверять. — После ранения ездить на войну не могу. Теперь занимаюсь писаниной. С моей ногой это единственная возможная работа.

— Где вы получили ранение?

— На войне.

— Понятно.

— Может, кофе? — предложил Батурин после непродолжительного молчания. Ему совсем не хотелось дразнить капитана, но заниматься «искренними излияниями» и выкладывать «как на духу» все подробности своей биографии он не собирался.

— Где вы были вчера между двадцатью и двадцатью четырьмя?

Батурин немного подумал.

— Я уехал отсюда примерно в полдевятого. По дороге заправлялся и еще в магазин заезжал. Купил пива и еды. Потом был дома. До утра.

— С кем вы живете?

— Один.

— Вчера тоже в одиночестве жили?

— И вчера жил в одиночестве.

— Маме с папой не звонили, к бывшей жене не наведывались?

— Родителей у меня нет, жены тоже. Ни бывшей, ни настоящей.

— Что это вы так, — спросил капитан, — бобылем?

Батурин опять пожал плечами:

— Так сложилось.

— Плохо сложилось, Григорий Алексеевич. Некому ваше алиби подтвердить.

— Некому, — согласился Батурин.

Наплевать ему на алиби, решил капитан Гальцев. Морда кирпичом, ничего не дрогнуло даже. Не станет Батурин в КПЗ признание писать, хоть и сказал, что вчера готов был шефа прикончить.

И заставить его нельзя, это ясно как день.

— Правда, что ли, была статья про детективы? — вспомнив про «психологический прием», неожиданно спросил Гальцев.

— Была. Кира всегда пишет от руки, и это кусок из ее статьи, точно.

— Вы наизусть помните?

Батурин посмотрел исподлобья.

— Все, что касается моей работы, я помню наизусть, — вдруг изрек он высокомерно, — или почти наизусть.

— Кто мог подсунуть потерпевшему в портфель страницу из рукописи?

— Не знаю, капитан. Кто угодно. У нас тут никогда ничего не запирается и почти не охраняется. Есть так называемая «секьюрити», три придурка, но они ничего не охраняют. Им достаточно сказать, что в редакцию, и они пускают всех подряд. На прошлой неделе наряд вызывали — пришел какой-то полоумный и заявил, что подожжет себя, если мы не напечатаем его фотографию. И канистру с керосином приволок, поганец.

— И поджег? — спросил Гальцев с любопытством.

— Приехала дежурная часть, дала ему по мозгам и увезла, — скучным голосом сообщил Батурин, — а канистру забрал Витек, водитель Костика. Говорит, керосин чистейший, он у бабки в деревне этим керосином всех клопов поморил.

Капитан посмотрел на Батурина подозрительно — не смеется ли. Батурин не смеялся.

— Значит, врагов у вас полно, погибший считал, что вы вор и взяточник, статью про уренгойского мэра вы тиснули за его спиной и не отрицаете этого. Вчера он грозился вас уволить, чему свидетелей — вся редакция, а вы до полдевятого проторчали на работе, а потом поехали домой и в одиночестве пили пиво. Так?

— Примерно так, — согласился Батурин. — Еще можете добавить, что, если бы Костика не пристрелили, Николаев никогда не сделал бы меня главным. Он дружил с Костиком много лет, а для таких, как Николаев, старая дружба важнее всего.

Черт бы его побрал, подумал про Батурина капитан Гальцев. Куда его несет? Или у него романтическая страсть к холодной и чопорной Кире и он таким образом пытается отвести от нее подозрения? Переключить капитана на себя?

— Вы хотите, чтобы я начал вас подозревать?

— Я хочу, чтобы вы знали положение дел.

— А теперь вас назначат главным?

— Не думаю, — ответил Батурин легко, — скорее всего назначат Киру. Володя Николаев знает ее гораздо лучше, чем меня, и гораздо лучше к ней относится.

— Выходит, я должен Киру подозревать?

— Это уж на ваше усмотрение. Я в этом ничего не понимаю.

Он не понимает! Капитан едва сдержался, чтобы не стукнуть кулаком по столу. Жена утверждала, что нужно «выплескивать эмоции, а не копить их в себе». Сейчас он с удовольствием выплеснул бы немного эмоций в физиономию этого подлюги-журналиста.

На войне его ранили, скажите пожалуйста!

— Вы тоже никуда не уезжайте, — заявил капитан неприятным голосом, — вы мне еще понадобитесь.

— Да я и не собирался, — пробормотал Батурин.

Дверь за капитаном закрылась, и бывший зам некоторое время смотрел на нее. На ее полированной поверхности дрожал какой-то непонятный красный огонек, и Батурин не сразу понял, что это отражается дежурный зрачок телевизора.

Времени на раздумья не было. Нужно выходить из кабинета — как из бомбоубежища во время бомбежки, — и включаться в работу, и раздавать задания, и контролировать ситуацию, и принимать соболезнования, и ехать в Минпечати, и держать в кулаке «трудовой коллектив» так, чтоб никто не смел пикнуть, потому что завтра сдавать номер, а вчера убили главного.

Главного, которого все любили, который знал по именам всех симпатичных — и несимпатичных! — девиц, а машинисток по дням рождения внуков, который умел разговаривать как-то так, что хотелось много и с полной отдачей работать и выполнять его указания, который от души развлекался, когда писал свои колонки, и оттого колонки выходили блестящие, легкие, цельные, разящие, похожие на истребитель «Су-27», в котором Батурин однажды сидел.

Никто и никогда не будет так относиться к нему, Григорию Батурину, просто потому, что он совсем другой. Он стал толковать капитану Гальцеву про первую поправку только потому, что так сделал бы Костик, он даже фразы говорил так, как говорил Костик, потому что очень боялся остаться один, без него.

Вот теперь дверь за капитаном захлопнулась, и он остался.

Костик любил отдыхать, и Батурин часто оставался руководить вместо него, и ему казалось, что редакция не может дождаться, когда же из Альп вернется веселый, легкий, загорелый Костик и все пойдет по-прежнему, без тяжеловесного, нудного, каменного батуринского руководства.

Вчера он готов был его убить.

Неужели только вчера?

Кира Ятт ему не союзник. У них неплохие отношения, но она не союзник. Они с Костиком были слишком близки, чтобы теперь Кира допустила на его место Батурина. *Совсем другого* Батурина.

Тогда кто ему союзник? Леонид Борисович Шмыгун, коммерческий директор? Давешняя рыдающая барышня из коридора? Или другая, из-под телефонного панциря?

Он перестанет себя уважать, если номер не выйдет в срок.

Конечно же, он не выйдет. Можно переставать уважать себя прямо сейчас.

Кто мог убить Костика? На лестнице — безоружного, открытого и не подготовленного к нападению? Батурин столько раз видел смерть и все никак не мог приучить себя к ее потрясающей подлости. Ничем не оправданной подлости.

Он подтянул непослушную ногу, нащупал рукой палку и встал. По крайней мере на некоторое время ему необходимо заручиться поддержкой Киры. Она ему не союзник, но хотя бы временно может прикрыть тыл. Не потому, что ей нужен Батурин, а потому, что она любит журнал и дружит с Костиком. Дружила.

Дружила с Костиком.

До приезда Николаева из Нью-Йорка Кира станет ему помогать, в этом Батурин был почти уверен. Есть надежда, что журналисты завтра же не разбегутся по конкурирующим изданиям — и то хорошо.

Батурин дохромал до двери в смежную комнату, плотно закрытую, и даже прикинул, не постучать ли ему, но потом решил, что это глупо — в редакции такой политес не принят. Он знал, что она там, за дверью, потому что слышал ее приглушенный голос, с кем-то она разговаривала по телефону. Он приготовил первую фразу, даже мысленно произнес ее про себя. Эта фраза непременно убедила бы Киру в том, что она должна стать ему временной союзницей — все равно до Николаева никто не сможет назначить ее главным вместо Батурина, который становился таковым автоматически, — и открыл дверь.

Кира сидела, повернувшись во вращающемся кресле лицом к стене. В пепельнице дымилась сигарета. Иногда она щелкала по ней, стряхивая пепел, но почему-то не курила. Когда она щелкала, на запястье звякали два золотых браслета.

Батурин посмотрел на ее запястье и отвел глаза.

— ...Я тебе точно говорю, Володька, — не поворачиваясь, продолжала она, — ты мне поверь. Я не знаю! Я чуть с ума не сошла, и Тим тоже. Когда? — Она послушала немного и опять стряхнула пепел с тлеющей сигареты. — Встретить? Я пошлю водителя. Ты позвони им сам, они же тебя помнят отлично, и мать, и отец! Я не знаю, как они теперь!.. Володя, ты подумай над этим. Главным должен быть Батурин! Да никто не справится! Слушай, я очень люблю вас обоих, но Костик в последнее время так всех распустил, что... Нет, я серьезно говорю. Володя, если кто и сможет управиться со всеми, особенно после того, как Костика... не стало, то только Батурин. Да ладно. Знаю. Нет, Костик не знал. Он не знал, а я знаю. Ну и что?

Она стала слушать, очевидно, Николаев в трубке говорил ей что-то длинное, а у Батурина вдруг взмокла спина. Он почувствовал даже, как капля проползла между лопатками.

Уйти? Или продолжать подслушивать?

— Володь, я постараюсь помочь. Володя, я люблю свою работу, и мне очень нравится журнал, именно поэтому ты должен отдать его Гришке. Позвони ему. Я могу сказать ему тридцать три раза, но он не станет тебе звонить, он же тебя совсем не знает! Да. Да. С Сергеем. Нет, не сошлись! Ему Тим позвонил. Да. Целую, Володька. Прилетай.

Батурин понял, что сейчас она положит трубку, повернется и увидит его в дверях. Она увидит и поймет, что он подслушивал и знает теперь, как она изо всех сил навязывала его Николаеву.

Вот тебе и временный союзник. Вот тебе и старая дружба.

Так ты и не научился разбираться в людях, хренов военный корреспондент!.. Разбираться не научился, а все тянет тебя в высоту, все тебе охота доказать кому-то, что ты все можешь, что ты *на самом деле* впереди на лихом коне и со знаменем! Какой из тебя командир, колченогий козел, не видящий дальше собственного носа!..

Понимая, что незаметно скрыться ему не удастся из-за проклятой ноги, которая все время его подводила, он неловко шевельнулся, качнул дверь туда-сюда и спросил с ненатуральной интонацией:

— Можно, Кира?

Не поворачиваясь, она сильно потерла лицо и несколько раз вдавила в пепельницу окурок.

— Да, конечно. Заходи. Я что-то... не в себе.

— Нам завтра номер сдавать, — неизвестно зачем сказал Батурин. Как будто она могла не знать или забыть про номер.

Он понятия не имел, что должен говорить дальше. Благодарить ее, что ли?

— Я звонила Николаеву, — сообщила Кира и повернулась вместе с креслом, — он прилетит послезавтра.

— Да? Хорошо.

— Гриш, я сказала ему, что главным редактором должен и можешь быть только ты, — устало выговорила Кира, не глядя на Батурина, — плохо только, что он тебя почти не знает лично, но, если мы оба будем твердо стоять на своем, он примет правильное решение.

— На чем мы должны стоять?

— На том, что нам не нужен никакой человек со стороны. У нас сложившийся коллектив, стабильные рейтинги и все такое. Гриш, мы оба знаем, что за последние два года журнал не умер только благодаря тебе. Вас с Костиком надо было сразу поменять местами, но это...

— Невозможно, — подсказал Батурин.

— Невозможно, — согласилась Кира. — Если бы он был жив, этого никогда бы не произошло.

— Я знаю.

— Нам надо переверстать всю первую полосу. Найти фотографии, куски из его старых или невышедших материалов, что-нибудь трогательное. — Она говорила и терла лицо. Из-за сложенных ковшиком ладоней голос звучал глухо. — Ты сам напишешь или мне попросить кого-нибудь?

— Давай дадим на полосу всех сразу.

— Кого — всех?

— Всю редакцию. Всех, кто его знал. Журналистов, верстальщиков, компьютерщиков, редакторов. Уборщиц, буфетчиц — всех.

— Детские фотографии? — предложила Кира.

— Студенческие, — задумчиво продолжил Батурин, — может, еще что-нибудь есть, например, баррикады у Белого дома в девяносто первом, премии, судьбоносные репортажи. Есть?

— Ну конечно, есть. Его даже в Нью-Йорке награждали. Ну, не его одного, а с Володей вместе, и Артема Боровика, если я не ошибаюсь.

Весь этот цинизм, стремление подать «покрасивше», выжать слезу, заставить переживать и потрясать кулаком в адрес неведомых убийц были просто их работой. Такое у них ремесло — сначала нужно «дать в номер», да так, чтобы «у всех дух захватило», и только потом можно поплакать над Костиком нормальными человеческими слезами.

— Гриша, ты знаешь Потапова? Лично знаешь?

Дмитрий Потапов был министром печати и информации.

— Знаю.

— Поедешь?

Батурин посмотрел внимательно.

— Только собрание проведу.

— Да, — сказала Кира, — собрание. Как ты думаешь, все уверены, что это я его... убила?

— Или я? — предположил Батурин.

— Почему ты?

— А почему ты?

— Потому что его нашли мертвым в моем подъезде.

— Потому что вчера он на всю редакцию орал, что меня уволит.

— Он еще орал, что уволит Аллочку Зубову из отдела новостей. Новенькую, ты ее не знаешь. А у нее папа президент «Внешпромбанка».

— Вот именно, — сказал Батурин. — Может, это она его убила! Или папа кого-нибудь нанял.

У Аллочки были несчастные карие глаза и очень темные волосы, не достающие до плеч и выстриженные неровными, загибающимися вверх прядями. Без очков она казалась странно юной, и запах ее духов очень шел ей, Батурин это отлично помнил.

— Как к нему в портфель могла попасть твоя рукопись? — спросил он, прогоняя из головы Аллочку Зубову — вот как, оказывается, ее зовут! — Он что, все время носил с собой твои рукописи?

— Гриш, я не знаю! Правда! Я сказала бы, если бы знала. Но это и впрямь кусок рукописи, а вовсе никакая не записка с угрозами!

— Какая записка с угрозами? — спросили у двери, и Кира с Батуриным разом вздрогнули, как семиклассники, застигнутые с сигаретами.

— Здрасте, — неприветливо произнес ее бывший муж, подошел, потянул на себя стул и плюхнулся.

Батурин через стол протянул ему руку. Сергей пожал ее.

— Что за рукопись, Кира?

— Я писала статью про авторов детективных романов.

Ну, в том смысле, что это сплошь романы для дебилов за некоторым исключением.

— Очень тонкая мысль, — похвалил ее бывший муж, — главное, новая.

— Там было много разных упоминаний крови, убийств, бандитских разборок и вообще всякой чуши. Теперь почему-то полстраницы из этой рукописи оказались в портфеле у Костика, и милиция уверена, что это не рукопись, а записка с угрозами.

— А что, — спросил Сергей и посмотрел почему-то на Батурина, — это похоже на записку с угрозами?

— Да нет, — ответил Батурин, морщась, — не похоже. Но там написано: «Если не хотите кровавых деталей, послушайтесь моего совета». Это очень смахивает на шантаж.

Кира закрыла глаза и застонала. Сергей глянул на нее, и ей показалось, что глянул с отвращением.

— Зачем он носил в портфеле твою рукопись?

— Я не знаю, — холодно ответила Кира. Отвращение на его лице сильно ее задело.

— Костик когда-нибудь носил с собой твои рукописи?

— Я не знаю, — повторила Кира, — думаю, что нет. Да это и не рукопись, а просто полстранички!

— Полстранички с подходящим текстом. Значит, — задумчиво пробормотал Сергей, — ему это подложили.

— Кто?!

— Тот, кому выгодно, чтобы подозревали тебя, — ответил ее муж совершенно хладнокровно. — Пока он все делает правильно.

— Что это значит?!

— Пока подозревают именно тебя, и с сегодняшней запиской эти подозрения, как я понимаю, усилились.

Как Кира ненавидела этот всезнайский, самодовольный, уверенный тон! Вечно он говорил так, как будто знал что-то такое, что было скрыто от остальных, как будто он понимал все лучше других и удивлялся, почему остальные такие тупые.

Зачем, зачем она ему позвонила?! Ну, ладно Тим вчера вечером, но она сама!.. Ведь знала, что не получит от него никакой поддержки, только раздражение и дополнительную уверенность, что она на редкость глупа и ничего не понимает в этой жизни!

— А где рукопись?

— Что?!

— Рукопись, из которой изъяты эти полстранички, — повторил он почти по слогам, — где она?

Кира понятия не имела, где эта рукопись.

— Ну, куда ты ее дела? — продолжал Сергей. — Вспомни. Ну что, что? Выбросила, оклеила сортир на даче, подарила Марье Семеновне на растопку?! Что ты могла с ней сделать?

— Я не помню.

— Кира, — вступил вдруг Батурин, — вспомни. Это... хорошая мысль.

И посмотрел на Сергея с некоторым удивлением, как будто только за собой признавал право на «хорошие мысли», а тут вдруг влез кто-то еще, и тоже с «хорошей».

— Если кто-то вытащил страничку из твоей рукописи и подсунул Костику в портфель, значит, он знал, где эта рукопись, и видел ее.

— Для начала он должен был знать о ее существовании, — заявил ее бывший муж и подергал свой свитер, как будто ему стало душно, — следовательно, это кто-то из ваших, редакционных.

— Почему из редакционных? — спросила Кира растерянно. — Все в курсе, что я пишу о детективах.

— Кто все? Соседи по подъезду?

— Да не соседи! Ну, например, Надежда знала. И Лена. — Надежда и Лена были подругами жизни. — Они могли рассказать кому угодно.

Сергей с досадой махнул рукой:

— Это был кто-то, кто прочитал эту рукопись! Оттуда

выбрали всего одну страницу, подходящую по смыслу. Правильно? Значит, сначала ее *прочитали*.

— На даче! — вдруг завопила Кира. — Точно, на даче, я вспомнила! Я тогда болела и лежала на даче! Помнишь, когда твои родители с Тимом уехали в дом отдыха!

— Помню, — сказал Сергей.

— Ну вот! Я целую неделю провалялась на даче! Ко мне еще Леня Шмыгун приезжал с какими-то бумагами на подпись!

— Кто такой Леня Шмыгун? — поинтересовался Сергей у Батурина, пока Кира закуривала.

— Наш коммерческий директор.

— Я там и писала эту статью. И рукопись должна остаться на даче! Я ее в Москву не привозила.

— Как не привозила? — вдруг удивился Батурин. — Я же ее читал!

— Ты читал факс. Я ее присылала по факсу, это точно. Я думала, что ее Костик посмотрит, а он как раз укатил куда-то, и факс к тебе попал. Помнишь, ты мне еще тогда звонил и говорил, что тон выбран неправильный, потому что детективы читают все, нравится мне это или не нравится, и я должна с уважением к этому относиться...

— Я даже хотел ехать разбираться, — признался Батурин, — а потом понял, что тебе виднее, ты всегда как-то лучше пишешь такие вещи. Да и Швидинский помер, весь материал пришлось менять. Кстати, на следующей неделе книжная ярмарка начинается, можно всандалить в номер интервью с Потаповым, с кем-нибудь из издателей и эти самые детективы. Ну как?

— Да, — сосредоточенно сказала Кира, — только нужно, чтобы с Потаповым был не просто «паркет», а что-нибудь... поскандальнее. Вроде Коха с Чубайсом, которые мемуарами прославились.

— Какой паркет? — спросил ее муж и с раздражением потянул носом воздух.

Ему не нравилось, что они так быстро переключились

с убийства на следующий номер их драгоценного журнала. Ему не нравилось, что они так хорошо понимают друг друга и смотрят умильно и преданно, как давние любовники.

Ему не нравилось слово «паркет», черт побери!..

— «Паркет» — это протокольные репортажи, — скороговоркой выпалила Кира. — Гриш, только ты никому Потапова не отдавай, сам съезди. Если не сможешь, тогда я поеду, а корреспондентов не посылай.

— Что я, по-твоему, — спросил Батурин обиженно, — совсем дурак?

— Так страница у Костика в портфеле — это факс или рукопись?! — громко, даже несколько громче, чем нужно, спросил Сергей, и оба голубка уставились на него.

— Не факс, — пробормотала Кира через некоторое время, — никакой не факс, а кусок текста, который я писала.

— А остальной текст на даче?

— Ну да, — согласилась она растерянно, — на даче.

— И на дачу к тебе приезжал коммерческий директор Вася Пискун. Как раз когда ты писала тот самый текстик.

— Не Вася Пискун, а Леня Шмыгун.

— Вот именно.

— Что ты хочешь сказать?.. — помолчав, начал Батурин, но тут под дверью завозились, заскреблись, и на пороге возникла зареванная секретарша Раиса.

— Кира! — воскликнула она и повела красным от слез и горя носом. — Кир, я кофейку сварила! Может, попьешь, а? Здрасте, — сказала она в сторону Сергея, — у нас тут такое несчастье, просто ужас.

— Я знаю.

— Беда. Беда. Кира, служба выпуска уж два раза приходила, я все просила подождать. А вот только что они звонили, говорят, что ждать больше никак не могут, и я решилась войти... И Зубова заходила, и Верочка Лещенко. Зубову я к Магде Израилевне направила, а Верочку попросила прийти попозже. Ее милиционер допрашивал, — понизив голос и беспокойно оглянувшись, сообщила Раиса, — почти полчаса. Где была, что видела, что слышала. Она ко мне прибежала сама не своя. И в компьютерном отделе кто-то из милиции шурует. А этот, который здесь сидел, велел найти Лешу Балабанова. Он сначала спросил, кто, мол, в приемной был, когда главный и вы, — тут она взглянула на Батурина, и стало ясно, что она его терпеть не может, — ну, когда Костик... кричал на вас. А я и сказала, что Леша был, Верочка забегала, Леонид Борисович заглядывал, а потом Кира пришла. Он, видно, и решил, что всех должен допрашивать. Кирочка, что мне делать со службой выпуска-то? И верстки нужно посмотреть...

— Значит, так, — тяжело произнес Батурин, как только Раиса на секунду смолкла, чтобы перевести дух, — после всего случившегося начальник здесь я. Вам придется это пережить, дорогая Раиса. Если вам пережить не удастся, я вас уволю, легко и непринужденно. Я не Костик. Службу выпуска... кто там? Королев волнуется?

— Королев, — с трудом призналась Раиса, тараща измученные кроличьи глаза. На Батурина она старалась не смотреть, смотрела на Киру, словно ожидала, что та ее спасет, но Кира, отвернувшись, молчала, крутила в руках карандаш, звякали браслеты.

— Королев всегда на взводе, вы же знаете. Пусть он зайдет ко мне, а не к Кире. У нее и без службы выпуска много дел. У этой самой... как ее... Танечки Лещенко?

— Верочки.

— У Верочки Лещенко узнайте, что ей надо, и если ничего не надо, только языком почесать, пусть потерпит дня три. Вы обзвонили сотрудников?

— За... зачем?

— Затем, что у нас собрание трудового коллектива в связи с трагическими обстоятельствами, — отчеканил

Батурин. — Должны быть все. Я расскажу, как мы будем жить дальше. Кто не спрятался, я не виноват.

По мере того как он говорил, лицо у секретарши менялось, и, по мере того как оно менялось, он понимал, что наживает себе врага. Навсегда. На всю оставшуюся жизнь.

От того, что он подслушал разговор Киры с Николаевым и понял, что она на его стороне и, оказывается, была на его стороне всегда и даже знала, сколько усилий ему приходится прикладывать, чтобы удержать журнал на плаву, и даже сумела это оценить, он как-то непозволительно расслабился, решил, что теперь все пойдет само собой — сотрудники, оплакав главного, примут его, Григория Батурина, если не с распростертыми объятиями, то хотя бы с дружелюбным равнодушием, и возьмутся за работу, и приналягут, и в едином порыве...

Ничего подобного. С чего ты взял?

Они не хотят тебя, они хотят Костика, веселого, легкого, задиристого, с альпийским загаром и голливудской улыбкой. Теперь он еще и герой — оттого, что погиб так нелепо и внезапно. Им наплевать на то, что без его, батуринского, тяжеловесного натиска журнал давно и безнадежно катился бы под горку, и его никто бы уже не смог остановить, потому что Костик был слишком доверчив и легкомыслен, и слишком много времени и сил тратил «на девчонок», и не желал видеть очевидного, например, того, что уже давно выросли и оперились конкуренты, готовые в любой момент обойти, сжевать, подмять их под себя.

Киру любили больше, Кира была «своя», гораздо более «своя», чем Батурин, и неизвестно, как еще все обернется, если она станет поддерживать его.

— В кабинет главного я не пойду, — напоследок сказал Батурин, — буду у себя. Кофе можете туда принести. И обзвоните всех, Раиса!

Он поднялся с шаткого креслица и вытянул свою палку.

— Кира, собери редакторов. Обсудите первую полосу, а я подойду, как только с Королевым решу. Сергей, вы... уезжаете?

— Да.

— Тогда до свидания.

— Счастливо.

Они подождали, пока Батурин дохромает до двери, и Раиса открыла было рот, чтобы заговорить, но Кира заговорщицким жестом приложила палец к губам:

— Потом, Раечка. Все потом.

— Но ведь это невозможно!.. — пискнула Раиса, и глаза у нее налились слезами. — Это невозможно после того... После Костика... Он всегда...

— Тише, тише, — попросила Кира, — может, валерьянки тебе найти?

Махнув рукой — не надо, мол, мне никакой валерьянки, чем тут валерьянка поможет! — Раиса убралась в приемную.

— Я поехал, — объявил бывший муж и не тронулся с места.

— Как там Тим?

— Кончай курить, — сказал он раздраженно, — смотри, сейчас дым из ушей повалит. Когда я уезжал, он пялился в компьютер.

— Ты что, не мог его отогнать?

— Чтобы отогнать, нужно предложить какую-нибудь альтернативу, — заявил Сергей поучительно, — а я ничего предложить не мог.

— Почему?

— Потому что я занят. Между прочим, твоими проблемами.

— Да ради бога, — крикнула Кира, — не надо заниматься моими проблемами! Я тебе позвонила потому, что он меня сильно напугал, вот и все!

— Кто тебя напугал?

— Да этот капитан Гальцев! Он приехал и сказал, что знает, почему я застрелила Костика. И стал трясти перед носом бумажкой с моим почерком! Ну, я и позвонила... Зря позвонила. Прости.

Он медленно сжал и разжал кулаки.

— Ну конечно, зря.

— Сереж, — раздражаясь, сказала она, — ты бы на работу поехал. У тебя там, наверное, дел полно. И девушка, наверное, ищет. Или ты ей позвонил?

— Позвонил.

— Молодец.

— Я знаю, что молодец.

— Тогда езжай, — приказала Кира, — у меня тут, видишь, проблемы. Я не могу еще и тобой заниматься.

Он поднялся, застегивая куртку.

Странное дело.

Она отлично помнила эту куртку — года полтора назад они вместе покупали ее в «Спортмастере» на Садовом кольце, и даже не ссорились, и настроение у них было хорошее, и еще они зачем-то купили Тиму какие-то дикие кроссовки, из которых он немедленно вырос, и еще куртку Кире — не потому, что ей нужна была куртка, а потому, что им очень понравился продавец, который так искренне старался продать побольше, что хотелось купить все. Эта куртка была приветом из их общего прошлого, словно старый друг студенческих времен, и Кире вдруг стало обидно, что выбирать следующую куртку в «Спортмастер» он поедет с чужой девицей, а эту, выбранную Кирой, выбросит как старый ненужный хлам.

— Пока, — сказал бывший муж, — и не кури так много.

— Если Тим опять станет тебе звонить, скажи ему, что ты приедешь за ним в субботу, — неизвестно зачем велела Кира. Затем, что расстроилась из-за куртки, — и больше без предупреждения не являйся.

— Не явлюсь.

На лестнице он встретил капитана Гальцева, который посмотрел на него с неудовольствием.

— Что это вы к бывшей супруге зачастили, — поинтересовался тот ехидно, — или что, чувства вернулись?

— Она не убивала своего шефа, — сказал Сергей негромко. На верхней площадке кто-то курил, и он не хотел, чтобы их слышали. — Любой, кто хоть немного ее знает...

— Она не убивала, вы не убивали, Батурин Григорий Алексеевич, бывший военный корреспондент, тоже не убивал, а потерпевший с дыркой в сердце в морге лежит. Это как получилось?

— Вы тоже не убивали, — Сергей нащупал в кармане ключи от машины, — а он тем не менее лежит.

Капитан моргнул:

— Я тут ни при чем.

— И моя жена тут ни при чем.

— Бывшая.

Сергей вдруг рассвирепел:

— Моя жена тут ни при чем, — повторил он с нажимом. — Вы нашли у нее оружие? Вы выяснили мотивы убийства? Вы уже опросили всех соседей? Вы знаете, как стреляли — сверху, снизу, в упор?

Капитан прищурил вмиг ставшие оловянными глаза.

— Я у тебя, твою мать, советов не спрашивал.

— А я тебе никаких советов и не давал.

Они смотрели друг на друга и сопели, как быки на арене.

— Давай, — выпалил наконец Гальцев, — проваливай! Еще раз мне попадешься, ей-богу, в «обезьяннике» будешь ночевать!..

Сергей собрался выдать все, что думает и о капитане, и об «обезьяннике», и о милиции вообще, но в последнюю секунду поймал тираду за хвост и затолкал обратно — ничего этого говорить явно не следовало, хотя бы потому, что он был уверен, что капитан «из принципа» отволочет его в «обезьянник».

Ну, его-то еще ладно, но он вполне мог отволочь и Киру!..

Примерно до первого этажа он придумывал «достойные ответы» и строил невозможные планы мести, а потом выбросил капитана из головы. Сергей Литвинов виртуозно умел выбрасывать из головы то, чему в данный момент там не было места. Он никогда не переживал дольше срока, отведенного себе самому на переживания. По истечении этого срока он начисто забывал о том, из-за чего переживал, и продолжал жить дальше.

Все пятнадцать лет теща называла его «бревно бесчувственное», и отчасти он был с ней согласен.

Горячее мартовское солнце нагрело темный бок его машины и обивку сидений, и ему нравилось, что в машине так тепло и пахнет горячей синтетикой — от панелей и кресел.

Сергей любил свою машину, и дороги, и поездки, и кофе из термоса — символ «большого путешествия», — и незнакомые места, и «Любэ» в приемнике, и чтоб Кира сердилась и говорила, что она ничего не понимает в этой дурацкой карте, и чтоб Тим на заднем сиденье, чавкая, жевал яблоко и сидел, по-турецки поджав под себя босые ноги.

Они сто лет никуда не ездили втроем и вряд ли еще поедут. С Ингой — Таней, Катей, Дашей, Лизой — ездить было неинтересно, некуда и незачем.

Он повернул ключ в зажигании, сердясь на себя за то, что эти мысли никак невозможно было вытряхнуть из головы, и задумчиво глянул на засветившуюся панель приемника.

Ключи от их общего с Кирой «загородного дома» все еще висели на связке. Он собирался их отцепить, каждый день собирался, как и ключи от ее — бывшей общей — квартиры. Из-за обилия ненужных, чужих, Кириных ключей связка была громоздкой и неудобной, но почему-то он все не отцеплял их.

Он должен поехать на дачу и найти там ее рукопись «про детективы». Если повезет, она может оказаться в папке, а на папке можно найти отпечатки пальцев того, кто вытащил оттуда листок. Хуже всего, если на папке нет никаких отпечатков, кроме Кириных, и поэтому он должен добраться до нее раньше капитана Гальцева с его страстным желанием упечь кого-нибудь в «обезьянник».

У Киры страсть раскладывать все по папкам. Она и его бумаги пихала в дурацкие целлулоидные папки грязно-синего и яично-желтого цвета, а он потом не мог ничего найти и вытряхивал все из них, и сваливал в кучу, и эти бумажные кучи пылились на подоконнике — до следующей Кириной ревизии.

Сергей открыл «бардачок», нашарил там худосочный пыльный блокнотец с прикрученной витым шнуром ручкой и записал в столбик, чувствуя себя гениальным сыщиком из мультфильма, — Леня Шмыгун, Леша Балабанов, Верочка Лещенко.

Бедная секретарша Раиса сказала, что милиция спрашивала у нее, кто находился в приемной, когда Костик ругался с Батуриным, и оказалось, что были эти трое. Неизвестно, о чем думал капитан, а Сергей Литвинов думал, что кто-то из них мог услышать, как Костик вечером собирается к Кире.

Сергей немного подумал и дописал еще Батурина и Раису — они тоже вполне могли слышать.

Мотивы, о которых он толковал обидчивому капитану, не давали покоя ему самому. Что это могут быть за мотивы?

Страх? Деньги? Месть?

Сергей прибавил громкость приемнику, распевающему про «десант и спецназ», и стал осторожно выбираться с асфальтового пятачка стоянки на забитую машинами Маросейку. Если так и дальше пойдет, он доберется до Малаховки часов через пять, в Париж слетать и то быстрее.

Значит, так.

Мотив первый — страх.

Константин Сергеевич Станиславов был главным редактором политического журнала, который то и дело разоблачал каких-то «нечистых на руку» чиновников, интригующих политиков, министров-взяточников и генералов, укравших все бюджетные деньги, отпущенные на восстановление мирной жизни неизвестно где.

Восемь — или сколько там? — чемоданов компромата, обещанные одним кристально честным депутатом трем сотням других кристально честных депутатов, все еще не были забыты. Могло быть так, что Костик пригрозил кому-то разоблачением, потребовал деньги за молчание, а ему решили не платить — зачем мертвому деньги?

Кажется, в прессе — в журнале «Старая площадь», к примеру, — это называется «заказное политическое убийство».

Сергей втиснул свою машину между двумя другими и, получив обязательный допинг в виде порции мата от водителей обеих потесненных им машин, с тоской посмотрел вперед. За углом желтого и длинного, как Китайская стена, дома безнадежная пробка, в которой он сидел, упиралась в безнадежную пробку Садового кольца.

Невозможно ехать. Хоть плачь.

Заказное политическое убийство — да.

Два киллера в черных масках, темный подъезд, пистолеты с глушителями. Охранника убивают первым, хозяина вторым. Контрольный выстрел в голову — и непременная машина, поджидающая исполнителей заказа за углом.

Почему-то именно с этой машины у правоохранительных органов начинаются невиданные и мучительные сложности. Каждый раз отъезд киллеров на заранее приготовленной машине повергает «органы» в растерянность и шок. Введение в городе плана «Перехват» не дает никаких результатов — «ясный перец», как сказал бы Тим.

Конечно, было бы намного лучше, если бы киллеры не уезжали на машине, а уходили пешком, предварительно намазав подошвы черной краской, чтобы следы были лучше видны, и служебно-розыскная собака особенно не затруднялась, но, насколько известно Сергею, ни один киллер пока не проявил подобного благородства.

Контрольного выстрела Костику не делали. Ему выстрелили в сердце. Почему-то Сергей был уверен, что убийца подходил к нему, чтобы проверить, умер он или еще нет, и шевелил обмякшее тело носком ботинка и, может быть, даже наклонялся, чтобы посмотреть в стекленеющие, непонимающие страшные глаза.

У Костика не было охраны — он никого и ничего не боялся, даже ревнивых мужей, с которыми время от времени у него случались «неприятные стычки». Однажды — еще до их развода — он пришел к Кире с подбитым глазом и сочащимися кровью и сукровицей костяшками пальцев. Муж очередной пассии оказался энергичным, а слой цивилизации, покрывающий этого самого мужа, оказался слишком тонким. Кира хохотала, сердилась и заливала пальцы шефа зеленкой, а Сергей злился и... завидовал — он никогда в жизни ни из-за кого ни с кем не дрался и очень сомневался, что вообще на это способен.

Бревно бесчувственное.

Если бы Костик угрожал кому-нибудь разоблачением через свой журнал, Кира, скорее всего, об этом бы знала. Или он только собирался ей сказать и именно за этим приехал? О том, что он собирается к ней, знали несколько человек в редакции — значит, кто-то из них? Значит, кому-то из них Костик угрожал разоблачением?

Да нет. Это какая-то чушь.

От того, что солнце грело щеку, и еще от того, что машина совсем не ехала, Сергею очень хотелось спать. Прошлую ночь он почти не спал — караулил Киру, думал о Костике и страдал от того, что она спит, а он обнимает ее, как обнимал всегда, все пятнадцать лет, а вот теперь *ничего нельзя*.

Нельзя, потому что он — *бывший* муж. Никто. Чужой человек.

Это он-то чужой человек?!!

Когда она была беременна, ее рвало все девять меся-цев так, что она даже гулять не ходила, и, прибегая с ра-боты, он наскоро ел — она в это время дышала в окно, потому что не могла слышать запаха еды, — а потом сидел с ней, держал ей голову, умывал, утешал и вел на улицу. С ним ее почему-то меньше рвало, и они гуляли по три часа. А теперь он — чужой человек?!

Когда Тим родился, они по очереди держали его на руках — полночи он, полночи она. Она — до трех часов, он — до шести. Утром приходили мамы, его или ее, и Кира спала, а он уходил на работу и засыпал за столом, и просыпался, когда голова падала и стукалась лбом о сто-лешницу. Вечером его ждала в ванной гора грязных пе-ленок, и он полоскал их — об автоматических стираль-ных машинах и памперсах тогда еще никто не слы-шал, — полоскал и пел патриотические песни, потому что, как только он переставал петь, сразу засыпал и нырял в ванну. А теперь он — чужой человек?!

Когда Тиму было полтора года, он заболел, темпера-тура поднялась почти до сорока. Пришел врач из район-ной поликлиники и сделал ему укол, и остался сидеть, а температура все не падала, и врач сказал усталым голо-сом, что, если она не упадет, Тима придется везти в больницу. Сергей был один, Кира только-только устрои-лась на работу, и ее первым делом отправили в команди-ровку в Питер, и не поехать она не могла, хоть и пережи-вала, и не хотела. Весь день Тим провел с бабушкой, был весел и здоров, а под вечер заболел. Сергей метался по квартире, ронял вещи, засовывал их куда-то, а потом на-чинал бестолково и судорожно искать, как будто это могло помочь маленькому Тиму, лежащему в жару, а потом он стал плакать, и Сергей носил его на руках, и врач сказал, что это хороший признак — то, что он пла-чет. Температура и вправду вскоре упала, обмякший Тим висел у него на плече и даже не плакал, а скулил, тонень-ко, без остановки. Сергей совал ему яблочный сок, а он

136

не пил, морщился, отворачивался. Врач велел его поить, а у Сергея все никак не получалось. Утром приехала Кира. Они к тому времени все же уснули на диване — Тим спал у Сергея на животе, и лоб у него был холодный и влажный, а похудевшее за ночь личико казалось странно взрослым. Кира накрыла их одеялом, примостилась рядом, и все трое проснулись, когда за окнами были сумерки, и Тим моментально заорал здоровым голодным криком, и стал слезать с Сергея, и за руку тащить его в кухню — есть. И была во всем этом такая радость жизни, такой восторг, такое счастье, что все обошлось, и Кира приехала, и Тим хочет есть и даже орет от этого, что Сергей моментально полез к ней целоваться, и задрал на ней майку, и облапил грудь, и потом все приставал к ней, пока она спешно готовила Тиму обед, таскался за ней, дергал за волосы, щипал за попку, как в первом классе.

Теперь он — чужой человек. Никто.

Нашарив рукой, Сергей зачем-то нацепил темные очки, хотя был в машине один и никто не мог видеть его лица.

Однажды Кира спросила, хочет ли он, чтобы ему опять стало двадцать четыре года. Кажется, из-за какой-то песни, в которой все повторялось «twenty four years». Зачем, сказал он, мне и так двадцать четыре. С ней он чувствовал себя очень молодым, и только без нее понял, что ему намного больше, чем двадцать четыре, в несколько раз больше, чем двадцать четыре, целая жизнь лежит между ним и тем Сергеем Литвиновым, которому было двадцать четыре и который строил планы, как он станет делать предложение чистенькой, умненькой, строгой, как будто накрахмаленной Кире Ятт с третьего курса.

У Киры убили начальника, и милиции взбрело в голову, что убила именно она. Даже самому себе Сергей не мог признаться, что его так беспокоит и занимает это убийство, так как он надеется, что она не справится одна, позовет, позвонит, как она позвонила сегодня, —

правда, потом выгнала и велела без предупреждения не являться.

Она всегда была очень решительной, его жена.

Итак, мотив первый. Страх перед разоблачением и публичным скандалом, которым Костик мог пригрозить неизвестно кому. Заказное политическое убийство без контрольного выстрела в голову и отъезда киллеров на заранее приготовленной машине. Никто чужой не входил в дом и не выходил из него. Бдительная Марья Семеновна была на посту.

Года два назад Тим очень уважал сериал «Человек-невидимка». Может, киллер тоже был... невидимый?

Мотив второй — деньги. Миллионером Костик не был и вряд ли когда-нибудь стал бы, однако зарабатывал хорошо, и, самое главное, — он хорошо зарабатывал уже давно. У него была приличная квартира, дорогая машина, куча любовниц, что, как известно, требует не просто денег, а некоего постоянно моросящего дождика из купюр. Как только дождик перестает капать, все райские цветы увядают, такое уж у них свойство, так сказать, природа. Ставши холостым и свободным, Сергей неожиданно обнаружил, что теперь ему на жизнь требуется денег примерно раза в три больше, чем раньше, когда он был женатым и обремененным. Может, у Костика были какие-то значительные долги, о которых никто не знал? Может, именно о долгах он собирался рассказать Кире? Если так, то о них мог знать Николаев. Тот самый, который проживает нынче в Нью-Йорке и вроде бы владеет журналом «Старая площадь». Нужно заставить Киру позвонить ему и спросить, не жаловался ли Костик на долги.

Мотив третий и последний из всех, пришедших Сергею в голову, — месть. Месть может быть двух сортов. Сорт первый — месть ревнивого мужа, у которого налет цивилизации случайно оказался еще тоньше, чем у того, что в свое время врезал Костику по безупречным американским зубам. Сорт второй — ему мог отомстить кто-то из своих, редакционных. Например, за то, что он отказался прибавить зарплату или пригрозил увольнением. Кира говорила, что вчера она едва оттащила их с Батуриным друг от друга — чем не мотив? Кстати, это сразу объясняет, почему убийца стремится свалить все на Киру — чтобы отвести подозрения от себя.

В случае политического заказа киллер-профессионал вряд ли стал бы подкладывать Костику в портфель листок из старой Кириной рукописи. И только в редакции могли знать, что Кира пишет статью про детективы и что все свои статьи она пишет от руки.

Изнемогающее от машинного перегара и неизвестно откуда взявшегося солнца, Садовое кольцо осталось позади, и теперь Сергей страдал на перекрестке у Театра на Таганке.

Он водил сюда Киру, как раз когда ему было «twenty four years», и билеты приходилось «доставать», и Любимов из Англии давал пространные и скорбные интервью, а Золотухин ссорился с Губенко, а Алла Демидова с ними обоими или как-то еще.

Сергей ничего не понимал ни в чем — ни в литературе, ни в искусстве, ни в театре, ни в Андрее Вознесенском, ни в «Юноне» и «Авось».

«Бесчувственным бревном» он назывался, когда речь шла о высоких и тонких материях. Когда речь шла о проявлениях интеллекта, он назывался «пэтэушник».

«Господи, Кира, — говорила теща, — зачем ты ему это рассказываешь, он тебя даже не слушает! Он же пэтэушник!»

Он не перестал быть «пэтэушником», даже когда защитил докторскую.

Странно, но на тещу он никогда по-настоящему не обижался. Она была веселая и славная, и он прекрасно знал, что она веселая и славная, и они словно заключили непонятный и тайный от всех договор — она его как бы ругает, а он этого как бы не замечает.

Когда Сергей ушел, теща расстроилась так, что угодила в больницу. Он приехал туда, подгадав время, чтобы не попасться Кире на глаза — тогда они совсем не могли друг друга видеть, — и теща сказала, взяв его за руку печальной холодной рукой: «Как же ты так, сыночек?..»

И этот невесть откуда взявшийся «сыночек», и печальная рука, и больничное серое белье, так ей не шедшее, так исказившее все еще молодое, всегда веселое розовощекое лицо, похожее на лицо Киры, произвели на него странное и сильное впечатление.

Он вышел из больницы в полной уверенности, что кончилась жизнь.

Жизнь кончилась. Все. Финишная прямая.

В молодости он занимался бегом — серьезно занимался, он все на свете делал серьезно, — и знал, что нет ничего хуже, чем эта гребаная прямая, на которой легче умереть, чем добежать.

В только что снятой квартире, среди обшарпанного, много лет сдаваемого «внаем» неуюта, среди неудобных, непривычных, подло чужих вещей, в полном одиночестве он несколько дней пил, чего не делал никогда в жизни — ни до, ни после развода. А потом еще несколько дней приходил в себя, взяв на работе отпуск, а потом позвонил тесть и сказал, что «дело идет на поправку», и Сергей как будто вынырнул на поверхность и перестал задыхаться и выворачиваться наизнанку.

Бревно бесчувственное и есть. А как же иначе?..

Перестрадав Таганку, Сергей оказался на Волгоградском проспекте, и тут дело неожиданно пошло веселее. До Малаховки он доехал за двадцать минут, но все равно получалось, что до Парижа он добрался бы быстрее.

Со стороны ворот, где участок как будто чуть-чуть понижался, в марте всегда была непролазная грязь, и Сергей остановил машину с другой стороны дома, у калитки с замшелым петухом на столбушке. Петуху было лет сто, и теща с тестем ни за что на свете не разрешали его ошкурить.

«Иди свою машину шкурь, — говорил ему тесть грозно, — а петуха оставь в покое».

И теперь, значит, он никто. Чужой человек.

Калитка изнутри была заперта на щеколду, и Сергей долго пытался ее подцепить, вывозив руку в серой плесени, а щеколда все не поддавалась. Наконец поддалась, и калитка открылась, кряхтя и негодуя.

Сколько же он здесь не был? Года два, пожалуй. В последнее перед разводом лето Кира уезжала сюда одна, чтобы «отдохнуть от него», чтобы хоть в выходные он не «лез ей на глаза». Она отдыхала от него в Малаховке, а он от нее в Москве. В понедельник они съезжались, и весь ужас здоровой семейной жизни начинался сначала.

Под ногами чавкало, и в жирной черной земле оставались глубокие следы от его ботинок. Выбравшись на дорожку, выложенную веселой розовой плиткой, он долго топал ногами, разбрасывая вокруг грязные комья, и соседский пес Грей, наблюдавший за ним из-за сетки, немедленно залаял и стал припадать на передние лапы и подвиливать задом — ждал, что Сергей с ним поиграет.

— Привет, — сказал ему Сергей.

Узкое крыльцо было мокрым, и Сергей задрал голову, чтобы посмотреть, откуда течет, но так ничего и не увидел. В доме было сыро и пахло старой мебелью и отсыревшими книгами — как всегда.

Нет, строго сказал он себе и опять нацепил на нос очки, болтавшиеся за воротом свитера. Только никаких воспоминаний. Что это тебя развезло совсем?..

Деревянный конь, на котором катался маленький Тим, когда-то лакированный и расписной, а теперь облезлый и потрескавшийся, с отбитым и подклеенным деревянным ухом, медленно качался взад-вперед, и это затихающее движение вдруг насторожило Сергея.

Почему он качается? Сергей еще не дошел до него, он все еще стоял на пороге, на вытертом малиновом коврике и собирался снимать ботинки, чтобы не «тащить в дом грязь», как говорила теща.

Он прислушался — в доме было очень тихо, так тихо, как может быть только в Малаховке и никогда не бывает в Москве. Конь качался все слабее и слабее. Сергей снял ботинок.

Внезапно в глубине дома что-то с грохотом упало, как будто обвалились балки, и Сергей вздрогнул так сильно, что с носа слетели очки и шлепнулись с пластмассовым звуком.

Топор всегда был в одном и том же месте, справа, за деревянным выступом стены, и Сергей нашарил его холодную, как будто отполированную ручку.

Местная гопота, что ли, шалит? Мало им зимы, решили весной, перед приездом хозяев, пошуровать? Или бомжи на ночь устраиваются?

В одном ботинке, с топором наперевес, он пробежал коридор, распахивая двери. В кухне было пусто, в бывшей детской тоже, но Сергей точно знал, что в доме кто-то есть. Он слышал движение, как будто кто-то метался, пытаясь спрятаться или убежать.

Отступать налетчикам было некуда — путь к единственной двери перекрывал Сергей, а вход на террасу на зиму всегда забивали железной решеткой.

Впереди была единственная дверь, в самую большую комнату, почти круглую, «с фонарем», с нелепым цветным витражом в верхнем переплетении рам, с истоптанным персидским ковром и голландской печью, которой не пользовались с восемнадцатого года, но и не ломали.

«А если завтра ваш Газпром выключит газ, — грозно гремел тесть, — что станем делать?!» Имелось в виду, что, если газ отключат, тесть немедленно примется топить голландку.

Сергей перекинул топор из правой руки в левую и толкнул тяжелую дверь. Света в комнате «с витражом» было очень много, и после полутьмы коридора ему пришлось на мгновение зажмуриться, и он пропустил миг, когда темная тень проворно метнулась, вскарабкалась и на секунду замерла на окне.

— Стой!!! — бешено заорал Сергей, но темная тень дернулась и перевалилась вниз.

Обогнув стол, Сергей оказался у окна — человек бежал по дорожке к воротам, вскидывал журавлиные ноги. Кое-как проломившись в узкую раму, Сергей сверзился с подоконника.

— Стой! Стой, твою мать!!!

Но человек — ясное дело! — только прибавил ходу. Бежать почему-то было очень неудобно, и Сергей злился оттого, что никак не может догнать вора. Ворота были открыты — черт возьми, открыты! — а за воротами оказалась машина, чего Сергей никак не ожидал.

Хлопнула дверь, заревел двигатель, взвыли колеса, и, когда он выскочил из ворот, машина уже вовсю неслась по улице, веером взметая коричневые земляные лужи.

Неизвестно зачем Сергей изо всех сил швырнул ей вслед обломок кирпича, длинно и от души выматерился и вытер со лба пот.

Какой нынче богатый жулик пошел!.. Приезжает «на дело» в собственном автомобиле, да еще, насколько Сергей успел заметить, иностранного производства.

У них совершенно нечего красть. Телевизор на зиму переезжал в город. Холодильник — в соседский гараж.

Книги? Комодик вишневого дерева с дверцей дерева орехового? Ковер трудноопределимого цвета? Старые куртки, гамак, самовар? Зеленую настольную лампу, точную копию той, что привезла Ильичу в Шушенское товарищ по партии Надежда Константиновна Крупская?

Больше у них ничего нет, кроме деревянного коня, который насторожил Сергея, как только он вошел.

То есть не у них, а на Кириной даче.

Значит, пока Сергей открывал калитку, пока шел по дорожке, пока колотил ботинками, отпирал дверь, принюхивался, жулик все время был здесь и делал свое жульническое дело. Он услышал шаги на крыльце, метнулся, чтобы посмотреть, задел коня и решил сматываться тем же путем, что и пришел.

Что это за путь, хотелось бы знать!

Сергей прикрыл ворота — замок был цел, и в нем торчал ключ, — тщательно запер их и сунул ключ в карман. Сто раз говорил тестю, что держать ключ на гвоздике в заборе — глупо! Даже если гвоздик из соображений конспирации прибит с обратной стороны!

Почему-то одной ноге было очень холодно, и вообще она казалась какой-то непривычной, как будто чужой.

«Ах да, — сообразил он наконец. — Ботинок-то я снял».

Некоторое время он рассматривал свою ногу — носок порвался, палец торчит, грязи по щиколотку.

Конечно, ты его не догнал! Разве в одном ботинке по грязи догонишь!

Кое-как Сергей дошлепал до дома и, задрав голову, стал изучать стену и подоконник. Решетка была аккуратно вывинчена и прислонена к корявой яблоне, и длинные шурупы лежали металлической кучкой. Отвертки не было видно, Сергей специально поискал. Наверное, дотошный жулик сунул ее в карман, когда закончил работу.

Просто так с земли до шурупов не дотянуться, и из-под навеса жулик притащил пенек, и на нем остались следы, отчетливые следы грязных ног, и на дорожке были следы, и у ворот.

Черт побери, на следующий год решетку нужно приваривать, а не привинчивать шурупами! Что один привинтил, то другой непременно развинтит!

Нужно искать гвозди, доски, молоток и укреплять решетку. Сейчас он этого жулика на иностранной машине спугнул, но ведь в любой момент тот может вернуться — не зря же старался, шурупы выкручивал! Видно, очень надеялся, что в доме есть что-то ценное, отличное от лакированного деревянного коня, которого так любил Тим.

Сергей спрыгнул с пенька, поморщился, потому что в голую ступню немедленно впились какие-то камушки, прикрыл распахнутую раму, и тут в спину ему ткнулось что-то сурово-металлическое, и решительный голос приказал:

— Руки вверх, гадина! Ну!..

Сергей выдвигал и задвигал ящики комода, искал сухие носки, а Аристарх Матвеевич все бормотал, как он ошибся.

Как жестоко, непростительно ошибся!..

— Да ладно, — говорил Сергей, которому время от времени надоедало самобичевание Аристарха Матвеевича, — все в порядке.

Но сосед не сдавался:

— Кира Михайловна просила меня, и я обещал быть ей полезным, а что получилось?! Она надеялась на меня, а я вместо того, чтобы застигнуть с поличным настоящего преступника, напугал вас, дорогой Сергей Константинович!

— Да ладно.

— Всю зиму, вы подумайте, всю зиму я был на посту, а тут вдруг так опростоволосился! Сергей Константинович, дорогой, не держите зла на старика, я-то ведь подумал, что это настоящий жулик лезет! Я в окно увидал и сразу кинулся, а оказалось, что это вы приехали!

— Все в порядке.

— И Кира Михайловна будет расстроена! Как я мог, как я мог так ошибиться!

— Да ладно.

Между колен Аристарх Матвеевич держал коричневое пластмассовое ружьецо, с помощью которого он собирался скрутить «настоящего жулика», и пол вокруг его ног в подшитых валенках казался черным от натащенной мокрой земли.

Придется еще и полы мыть, будь он неладен, Аристарх Матвеевич, с его бдительностью!

— Я машину-то сразу заметил, как только она приехала, ну, думаю, хозяева приехали, сегодня день такой чудесный, думаю, не усиделось им в Москве! Решили хоть воздуху глотнуть, ну, и не волнуюсь себе нисколько. У меня за домом целая куча прошлогодних малиновых кустов осталась. Я по осени малину проредил, а сжечь мусор не успели! Я и жгу себе, жгу и не знаю, что тут такое преступление происходит!

— Все в порядке, Аристарх Матвеевич.

Сергей нашел наконец носки — зеленые, бумазейные, армейского образца. Они принадлежали тестю и Сергею были маловаты.

Он открыл в ванной воду, привычно прислушался, как внизу, под домом, ровно и мощно, словно обрадованно, загудел насос, и вспыхнул газ в итальянской колонке, и вода стала медленно нагреваться, и ванна весело хрюкнула, когда Сергей заткнул блестящую пробку.

— Сергей Константинович, — позвал под дверью убитый горем сосед, — а вы... уже обнаружили, что именно пропало?

— Нет, — перекрикивая шум ожившего дома, ответил Сергей, — в руках у вора ничего не было, так что я не знаю, что могло пропасть! У нас тут ничего мелкого вроде бы нет!

— Вот беда, — пробормотал горемыка Аристарх Матвеевич. — Вот какая беда!

— Да нет никакой беды! — Сергей решительно закрутил краны, хоть ему до смерти хотелось постоять под горячей водой еще немного. — Не переживайте вы так, Аристарх Матвеевич! Я помню, две зимы назад тут вообще у всех побывали, даже у Паши Косого, который всем авторитетам авторитет, и ничего!.. Самое главное, что все живы и здоровы.

— Конечно, — согласился из-за двери сосед, — вы, конечно, правильно говорите, Сергей Константинович. Только странно это, когда жулик лезет в дом и ничего не крадет, кроме... бумаги.

Сергей перестал вытирать голову.

— Какой бумаги, Аристарх Матвеевич? — спросил он настороженно.

— В той комнате, где окно открыто, беспорядочно разбросаны бумаги. Я, естественно, не стал в них заглядывать, опасаясь попасть в положение, еще более неловкое, чем то, в котором оказался, когда приставил дуло к вашей спине, но у меня создалось впечатление, что налетчик копался именно в этих бумагах. Если, конечно, не вы сами их достали, Сергей Константинович, но в таком случае попрошу вас меня...

Кое-как натянув свитер, Сергей выскочил из ванной. Аристарх Матвеевич маялся под дверью, подшитые валенки содеяли еще один грязный островок на чистом полу, но Сергею было не до того.

Комната «с витражом» дохнула на него холодом — может, потому, что Сергей нагрелся в ванной, а может, потому, что окно прикрыто неплотно.

Так и есть.

В пылу погони он не заметил, что по всей комнате раскиданы бумаги, и выдвинуты ящики дедовского письменного стола, и сквозь пустотелые пластиковые папки просвечивает древний персидский ковер, а один ящик даже вывернут прямо на пол. Старые желтые квитанции, телефонные книжки, исчерченные Тимом, чужие черно-белые фотографии, газетные вырезки, вязальные спицы, фарфоровая собачка с отбитой лапой, капроновая лента, которую вплетали в косы первокласснице Кире — и в самой середине след грязного башмака.

— Бумаги, — бормотал Сергей, — бумаги.

Он поехал в Малаховку именно за бумагами и не сказал об этом ни единой живой душе.

— Вот именно об этих бумагах я и говорю, — затянул от двери Аристарх Матвеевич, — я так понял, что для вас это тоже неожиданность. Верно, Сергей Константинович? Согласитесь, что это более чем странно!

— Более чем, — подтвердил Сергей задумчиво, — что более, то более!..

Тяжеленное кресло с неудобной спинкой валялось на боку за столом — очевидно, именно его уронил загадочный жулик, когда кинулся спасаться, и Сергею показалось, что где-то обвалились балки. Под креслом на полу тоже лежали придавленные бумаги.

Что именно он мог искать?

Рукопись в пластиковой папке с отпечатками пальцев?

Рукописей была целая гора, и как в ней теперь разобраться, Сергей не знал. Он присел на корточки и стал проворно просматривать листы, исписанные крупным, четким Кириным почерком:

«...появление американских военных советников в Панкисском ущелье свидетельствует скорее не о том, что грузинское руководство вступило наконец в борьбу с международным терроризмом...»

«...таинственный и вездесущий министр печати и информации Дмитрий Потапов, известный всем поклонник легкого жанра — никто из государственных деятелей не уходит с такой легкостью от щекотливых вопросов...»

«...ежегодное послание президента Федеральному собранию, задержавшееся в этом году почти на полтора месяца и все же состоявшееся на этой неделе, заставило всех государственных чиновников на время позабыть...»

Господи, сколько чуши написала его жена и сколько еще напишет!..

Как она всегда обижается, когда он так говорит о ее писанине! Но ведь это правда!..

Сергей Литвинов, всю жизнь занимавшийся теоретической физикой, обо всем на свете, кроме теоретической физики, думал примерно одинаково — чушь.

Вот. Нашел.

«...вся современная проза, которая, насколько можно судить по книжным развалам, сосредоточилась сейчас именно в женском детективе. Вечный спор о том, что можно считать литературой, а что нельзя, какая именно литература «высокая», а какая «низменная», борцы за «высоту» литературы, кажется, начали проигрывать. Рассуждения о том, что тиражи ничего не значат, — это просто попытка...»

И так далее, несколько страниц подряд. Сергей не нашел ни начала, ни конца, ни того места, из которого были изъяты «полстранички», обнаруженные в портфеле у мертвого Костика, но читать внимательно ему было некогда.

С бумагами в руках он поднялся с корточек и огляделся. Насколько он мог судить по характеру разгрома, любознательный жулик, более всего интересовавшийся именно бумагами, *эти* рукописи отбросил за ненадобностью.

Что, черт побери, он искал?

— Аристарх Матвеевич, — сказал он замученному чувством вины старику, топтавшемуся рядом и сокрушенно бормотавшему, как он недоглядел, — вы помните, как Кира месяц назад приезжала и жила здесь несколько дней?

— Еще бы! — воскликнул сосед. — Конечно, конечно, помню! Мальчик отдыхал с бабушкой, а у вас были дела, и Кира Михайловна жила здесь одна.

— К ней... никто не приезжал?

— Почему не приезжал, конечно, приезжали! С работы приезжали, несколько раз! Она даже пожаловалась, что вот, мол, вырвалась на недельку из городского шума, так сказать, убежала от жизненной суеты, но и тут ей не дают покоя.

Кира никогда не сказала бы «от городского шума» или «жизненной суеты».

— Я потому так и подвел вас, Сергей Константинович, что машина эта у ворот показалась мне очень знакомой, я даже решил, что это вы приехали! Теперь мне трудно разобраться, их так много стало, этих машин, не то что раньше, когда в пятьдесят шестом мы с Виленой Игоревной купили «Победу»! — Он поморгал старческими глазами, сунулся поближе и спросил с надеждой: — Может, чайку, а, Сергей Константинович? С малиновым вареньем, а? Леночка варит замечательное варенье, даже, я бы сказал, конфитюр! И чаю горячего! Сегодня на станции продавали калачи, и я, знаете ли, не удержался. Купил. Горячий индийский чай с калачом и малиновым вареньем! В качестве компенсации, так сказать, за причиненные неудобства.

— Не было никаких неудобств, — сказал Сергей неловко, — что вы, Аристарх Матвеевич! Я... мне... я боюсь, что...

Старик покивал, как бы ободряя Сергея, как бы заранее прощая ему отказ от индийского чая с калачом и вареньем, и переступил своими мягкими валенками, и Сергей продолжил решительно:

— Я сейчас приведу здесь все в порядок. Мне ведь решетку надо на место поставить! И... — по привычке он взглянул на часы, — ...минут через сорок приду к вам. Договорились?

— Конечно! — пылко воскликнул Аристарх Матвеевич, вознамериваясь немедленно броситься и обрадовать Леночку, что у них сегодня будет гость, который по достоинству оценит ее «конфитюр». И на некоторое время можно будет даже вообразить, что к ним приехал сын, много лет назад утонувший во время какой-то дальней экспедиции, и Леночка станет суетиться и ухаживать, и достанет чистую скатерть, и чашки с пастушками, и пастухами, и уберет со стола обувную коробку, полную лекарств, — свидетельство того, что время уходит, его почти уже нет, и ничего не изменить, не поправить, не начать заново, и никому не съесть весь малиновый «конфитюр», который она такая мастерица варить!..

— Спасибо, — пробормотал старик, как будто Сергей сделал ему невесть какое одолжение, — большое спасибо, Сергей Константинович!.. У нас калитка немного... покосилась, так вы ее толкните получше.

— Я через забор, — улыбнулся Сергей.

Спрашивать об этом не следовало, но он все-таки спросил:

— А из Кириных гостей никто... на ночь не оставался?

— На ночь? — наивно удивился сосед. — Нет, ну что вы! Здесь же до Москвы недалеко! Все, кто приезжал, сразу же и уезжали.

Значит, героя-любовника она в Малаховку не взяла. Глупо было радоваться, но Сергей все-таки обрадовался.

— А кто у нее тогда бывал, вы не запомнили?

Аристарх Матвеевич подумал немного.

— Нет, — сказал он виновато, — не запомнил. Какой-то мужчина был, солидный. Прошел и поздоровался. Девушка какая-то, сильно надушенная. Раньше считалось дурным вкусом, а сейчас... — Тут он сконфузился немного. — Валентина Степановна приезжала, да! Заходила к нам с Леночкой.

Лицо его осветилось приятным воспоминанием, как к «ним с Леночкой» заходила Валентина, и он продолжал:

— И еще один приезжал, но в дом не заходил. Машина такая... большая, темная.

— Как не заходил?

— Да вот не заходил, Сергей Константинович. Я на почту ходил, за газетой. Мы, знаете ли, на почте получаем, потому что в последнее время газеты стали воровать. Вышел, стоит машина. Возле нее мужчина курит. Я поздоровался, и он мне кивнул. Я, наверное, с полчаса ходил. Возвращаюсь, машина все стоит, а он все курит. Увидел меня, сел и уехал.

— Странно, — удивился Сергей, — может, он уже к тому времени вышел?

— Может, и вышел, — согласился старик, — только у него следы очень приметные — хромает сильно, и палка, а у самой калитки никаких таких следов не было. Снег шел, я это очень хорошо запомнил.

Александра Зубова ненавидела имя Аллочка, которое прилепилось к ней, когда ей было месяцев пять, с тех пор никак не отлеплялось.

Это имя стало ее врагом, ее «пятой колонной», ее камнем преткновения. Оно просачивалось за ней повсюду, как керосин в мясной пирог в романе Джерома.

Сначала оно просочилось в детский сад, и она вынуждена была вести себя в соответствии с этим ужасным именем — носить банты и оборки, шепелявить, учить гнусные стихи «белая береза под моим окном» и отбиваться от мальчишек, которые не давали ей житья.

Потом оно просочилось в школу, и там началось все сначала — белые колготки, локоны, гнусные стихи.

В институт оно тоже просочилось. И вот теперь на работу.

Ей и так приходилось труднее всех. Из-за отца, который был богат, знаменит, уважаем, запечатлен во всех журналах и показываем во всех телевизионных передачах. Почему-то считалось, что дочь такого отца может быть только избалованной идиоткой или наркоманкой при последнем издыхании, на худой конец.

Аллочка боролась изо всех сил, стремясь доказать окружающим, что она такая, какая есть, и величие и могущество ее отца, в тени которого она произрастала, не имеют для нее никакого значения.

Работа началась для нее очень скверно. Конечно, она

ни за что не попала бы в такой «продвинутый» и элитарный журнал, как «Старая площадь», если бы не ее фамилия и не звонок старого друга в Нью-Йорк, где пасся владелец «Старой площади», бывший трибун, борец и демократ. Бывший трибун порадовался, что «девочка уже большая», и моментально перезвонил Константину Сергеевичу Станиславову, нынешнему трибуну, и тот, немного морщась, взял ее на работу.

В первом же материале, который она с такой гордостью отдала в печать, президент был назван Василием Васильевичем.

Аллочка знала совершенно точно, как зовут президента, потому что отец дружил с ним еще с давних, не президентских времен, а мать в своем ателье, не переросшем тогда в Дом высокой моды, одевала его жену, и на рыбалку они вместе ездили, и с горки детей катали, и в бане парились — на «первый пар» мужики, женщины и дети следом.

Костик разорался так, как будто Аллочка совершила государственное преступление. Он ничего не слушал, мотал красивой головой, багровел и выкатывал глаза.

— Что вы себе позволяете, дорогуша?! Вы что, спятили совсем?! Вы где учились? В совпартшколе?! Я вам покажу, как такие ляпы в печать сдавать! Вы у меня вылетите и даже оглянуться не успеете, а папочке вашему можете от меня привет передать! Я вас с треском уволю, и вашей следующей работой будет «Вестник колхоза имени Лопе де Вега»!

Потом еще был Гонконг в центре Европы, фамилия Евгения Максимовича оказалась Примусов, Давос был переименован в Навос, а Аляска вошла в состав России.

«От Калининграда до просторов Аляски» — вот как было написано в Аллочкином материале, и ничего подобного она не писала.

Она же не сумасшедшая, на самом-то деле!

Вчера Константин Сергеевич вновь закатил ей скандал — ужасный, унизительный, слышный на всю редакцию! Он снова орал, встряхивал головой, багровел, а она ни слова не могла вставить в свое оправдание, он не желал ничего слушать, он сразу понял, какая идиотка Аллочка, и был рад, что его мнение так блистательно и точно подтверждалось!

А сегодня его уже нет. Нет в живых. Его убили.

С утра в редакции началась паника, постепенно переросшая в тихий конец света. Никто не работал, телефоны подпрыгивали и разрывались от звона. Мужская половина мрачно курила на лестнице, женская утирала глаза и шептала друг другу в уши, что «бедный Костик вернулся к старой любовнице, а она его и...». Милиция задавала вопросы и копалась в кабинете главного, всегда сдержанная и холодная Кира Ятт, вдруг ставшая растерянной, не выходила из своей комнаты, куда еще утром прохромал Батурин и тоже с тех пор не показывался.

Аллочка честно рассказала капитану Гальцеву, что накануне главный на всю редакцию орал, что он ее уволит, но, кажется, капитана это нисколько не заинтересовало. Он спросил еще что-то про статью, которую когда-то писала Кира и о которой Аллочка ничего не знала, а Магда Израилевна «по секрету» сообщила, что в портфеле у Костика обнаружилась «записочка», а в «записочке» Кира угрожает с ним разделаться.

Вот когда Магда Израилевна сказала «записочка», Аллочка с ужасом, от которого остановилось сердце — на самом деле остановилось, как будто сжатое ледяной рукой, — поняла, что знает, *кто его убил*.

Телефон зазвонил, и Аллочка подпрыгнула на своем стуле. Телефон у нее на столе почти никогда не звонил — она никому не была нужна.

Аллочка схватила трубку и задержала дыхание, чтобы «алло» прозвучало солидно и красиво.

Звонила мать.

— Зайка, ты как там, — весело спросила она, — я тебе звоню, звоню, а мобильный не отвечает!

— Мама, я на работе, — прошипела Аллочка, стреляя

глазами по сторонам, не слышит ли кто, *как* с ней разговаривает мать. Как с маленькой.

— Ну и что? Или ты занята?

— Занята.

— Как у вас дела?

— Плохо, мам. Я потом тебе расскажу.

— Что случилось? — встревожилась мать. Она вечно тревожилась об отце и об Аллочке, как будто отцу было четырнадцать, а Аллочке — семь.

— Мам, я тебе все расскажу потом!..

— Ну когда же потом? По вечерам ты мне не звонишь, и вообще это была совершенно идиотская идея — жить одной. Мы скучаем, и ты без присмотра.

— Мама!

— Зайка, поедем с нами в Париж. Мы летим в пятницу. У отца какие-то дела, а я уж с ним заодно. Поедем, а? Мы с тобой хоть погуляем. Там сакура цветет, и яблони на Елисейских Полях. Мне сегодня звонила Фру.

Так звали жену отцовского делового партнера.

— Мам, я не могу, у меня теперь работа.

— Ну на выходные, конечно. Работу пропускать нельзя. — Мать и отец всегда воспитывали Аллочку «правильно».

— И на выходные не могу. Мам, у нас тут такое творится!..

— Не пугай меня, зайка.

— Я тебя не пугаю.

— Тогда тем более я должна забрать тебя в Париж, — сказала мать решительно.

— Мам, в Париж я не поеду, — ответила Аллочка тоже очень решительно.

Возле ее уха, за которое она все время заправляла волосы — беда с этими волосами, хорошо хоть локонов давно нет! — вдруг произошло какое-то движение, и вкрадчивый голос прошептал игриво:

— Почему девочка не хочет с мамочкой в Париж?

Аллочка дрогнула и уронила трубку. Трубка заскакала по столу, свалилась и повисла на перекрученном шнуре.

Леша Балабанов подхватил ее и галантно вручил Аллочке.

— Спасибо, — косясь на него, пробормотала она.

— Не за что.

— Зайка, что случилось, где ты там?

— Мам, все в порядке, я тебе перезвоню.

— Подожди, — попросила мать, и Аллочка поняла, что она встревожилась всерьез, — папа спрашивает, не приедешь ли ты сегодня ужинать.

— Я не знаю!

— Дим, она не знает.

В отдалении послышался отцовский голос, потом что-то быстро сказала мать, Аллочка не разобрала, что именно, и еще кто-то что-то сказал, и мать вернулась к ней.

— Аллочка, — голос изменился, стал строгим. Такой голос бывал у матери, когда дочь получала «нелепую» тройку или капризничала «из-за пустяков», — правда, что Костю убили? Папе только что позвонили.

— Да.

Леша Балабанов присел на корточки перед ее столом, подпер подбородок рукой и теперь в упор на нее смотрел.

Аллочка не знала, куда деваться, отводила глаза и вертелась в кресле.

— Как это случилось?

— Мам, я пока ничего не знаю! Я вам перезвоню. Папу поцелуй.

— Поцелуй папочку, мамочка, — встрял Леша и сладко улыбнулся.

— Дим, она тебя целует. У него другая трубка, он не может с тобой поговорить. Он спрашивает, не нужна ли его помощь. Или... чья-нибудь еще.

Аллочка улыбнулась, несмотря на то, что Леша не отрывал глаз от ее физиономии. Масштабы отцовской помощи были ей хорошо известны.

Звонок Генеральному прокурору, звонок министру внутренних дел, звонок шефу Совета безопасности — кто там еще есть из великих и могучих?

— Пока ничего не надо, мам. Точно. Я вечером постараюсь приехать.

— Если хочешь шашлыка, можем пойти в «Ноев ковчег». Хочешь?

Мать знала, чем Аллочку заманить.

Ей было три года, когда родители на своей первой машине поехали путешествовать, и «ребенка с собой потащили, шальные», как говорила бабушка. Войны тогда не было, были графитовые горы, нерусское небо, жара, виноградники, море за перевалом. Под Сухуми за каждым поворотом дороги веселые пузатые грузины жарили мясо, родители заказывали себе по шашлыку. «А дэвочке, навэрно, кашу?» — спрашивали грузины у родителей. «Нэт, — развлекаясь, отвечал отец, — дэвочке два шашлыка». Трехлетняя Аллочка в бантах и гнусных локонах — ясное дело! — поедала мясо с кинзой, как заправский горец, а грузины стояли вокруг и умилялись.

— Мам, короче, я тебе перезвоню, — измучившись под Лешиным прицелом, выпалила Аллочка.

— Но шашлыка хочешь?

— Хочу! — крикнула она и бросила трубку.

— Ну что? — спросил Леша и взял ее за щеку. Она отшатнулась и старательно заправила за ухо волосы. — Мамочка с папочкой волнуются?

— Леш, тебе чего?

— Мне ничего, лапочка. Я пришел на тебя посмотреть.

Этого самого Лешу Аллочка Зубова возненавидела с первого взгляда. Он был ненамного старше ее, но работал уже давно, начал еще на третьем курсе института. Он гораздо лучше, чем она, разбирался во всяких «подковерных» делах, легко и красиво писал — конечно, не так хорошо, как Кира или Батурин, но все же намного лучше Аллочки, — ничего не боялся, брался за самые трудные задания и неизменно их выполнял, курил с Костиком невиданные тонкие сигариллы и интимно шептал в телефон, когда ему звонили барышни.

Почему-то он решил с ходу осадить Аллочку, как Емельян Пугачев — крепость в оренбургских степях. Аллочка перепугалась, пару раз надерзила, от приглашения «на чашку кофе» отказалась, может быть, даже слишком решительно, в коридорах проскакивала мимо, не задерживаясь ни на секунду. Все эти меры возымели действие прямо противоположное тому, на которое рассчитывала Аллочка.

Леша решил, что она «ломается и выкаблучивается», и потому усилил натиск.

Больше он не ждал ее в коридорах, а являлся в отдел новостей — сам он работал в отделе политики, — усаживался к ней на стол и изводил ее вниманием и комплиментами. Внимание, по Аллочкиному мнению, становилось все более навязчивым, а комплименты все более сальными.

— Ну, как там мамочка с папочкой?

— Спасибо, хорошо. Леш, я прошу прощения, мне нужно...

— Ничего тебе не нужно, — прищурившись, сказал Леша. Аллочка была уверена, что щурится он исключительно «для шику». — Сегодня все равно никакой работы не будет, уж поверь мне, старому морском волку. Да у нашей девочки никогда особой работы не бывает, верно?

— По-разному, — натужно улыбаясь, выдавила Аллочка, — а у тебя что, тоже нет никакой работы?

— У меня работа есть всегда, — объявил Леша, перехватил ее руку и поцеловал пальцы. Аллочка едва удержалась, чтобы ее не отдернуть. — Некоторым бриллиантики аист приносит, а мне на них зарабатывать приходится.

— Скажите, какой работник! — фыркнула Катя Зайцева, огромная, медлительная, похожая на бегемотиху. Никто лучше Кати не писал коротких, изящных, ироничных эссе обо всем на свете. Катя сидела за компьютером, попеременно отпивала из двух чашек то кофе, то чай и откусывала от булки.

Аллочка вздохнула. Катя фыркнула не для того, чтобы защитить ее от приставаний, а как будто наоборот, для того, чтобы поощрить Лешу — такой у нее был тон.

— Я не верю, что это Кира, — объявила Катя, — не может такого быть.

— Это точно не Кира, — тихонько сказала Аллочка.

— Откуда ты знаешь?

— Знаю.

— Девочка, — пропел Леша, — что ты можешь знать? Не ты ли на прошлой неделе Гонконг в Европу загнала? Или тебя папочка в Юго-Восточную Азию не возил, денежек своих пожалел?

Аллочка уставилась в компьютер. Интересно, а материал в завтрашний номер пойдет? Или весь номер переделают, и ее заметочка опять не выйдет?

— Ну, — спросил Леша, — что ты смотришь? Что ты там видишь, Аллочка? Буковки? Из буковок слова складывают, знаешь?

— Леш, — не выдержала Аллочка, — шел бы ты отсюда, а?

— А то что? — Он заправил ее волосы за ухо, и на этот раз она не удержалась, отшатнулась. — Папочке скажешь, папочка охрану вызовет, и охрана плохого мальчика отшлепает?

Катя засмеялась из-за компьютера. Засмеялась опять с сочувствием к Леше.

Что мне делать, подумала Аллочка. Единственный человек, который ее выслушал и, кажется, поверил, что она не делала ничего из той ерунды, которую ей приписывают, был Григорий Алексеевич Батурин.

Батурин с его палкой, угрюмостью, темными внимательными глазами.

Может быть, ему рассказать о том, что *она знает*?

Нет, нельзя.

— Пойдем покурим, — предложил Леша, поднялся и пересел на стол, очень близко, — или кофейку попьем? Сейчас самое время кофейку попить. Того гляди ментура все опечатает, и останемся мы без работы. Тебе-то все равно, конечно, а мы, грешные, на шишки здесь заколачиваем, нам больше негде.

— Типун тебе на язык, — вставила Катя и вздохнула протяжно: — Ох-хо-хо... Батурин приказал про Костика душещипательно писать, а у меня что-то не выходит душещипательно-то!

— Спасибо, Леш. Я не хочу.

— Ты вот что, девочка, — вдруг произнес он со злобой, — ты кончай ломаться. Если хочешь работать, веди себя прилично.

Аллочка вытаращила глаза. Это она ведет себя неприлично?!

— Давай, — приказал он, — вставай! Отрывай задик от кресла, и пошли. Пошли, пошли, сколько можно уламывать тебя? Чай не маленькая! Или ты дура совсем?

— Пойду курну, — решила Катя и выбралась из-за компьютера. Компьютер зашатался на столе, и чашки зазвенели, — а вы тут смотрите не подеритесь.

Леша отряхнул безупречные светлые джинсы и потянул Аллочку за руку. Она подалась назад.

— Ты чего, — тихо спросил Леша, — неприятностей хочешь? Так я тебе организую, у тебя не то что Гонконг в Европе, Токио в Тамбовской области окажется! Ты на папочку не больно рассчитывай, папочки здесь нет! Ты бы поучилась с людьми общаться для начала! Привыкла обо всех ноги вытирать, а об меня не выйдет, лапочка.

— Леш, — сказала Аллочка как можно более убедительно, — ты меня с кем-то путаешь, наверное. Я об тебя ничего... не вытираю. Я просто не хочу никуда с тобой идти.

— Лучше захоти. — Леша ласково улыбнулся. — Чтоб я тебя не заставлял. И давай на будущее договоримся, лапочка. Еще раз выставишь меня идиотом перед кем-нибудь, пеняй на себя. Поняла?

Он соскочил со стола и пошел к дверям, но остановился и оглянулся.

— Сегодня вечером ты идешь со мной прошвырнуться, — заявил он, — давай звони мамочке и говори, что ты занята. И занята будешь долго, всю ночь. Я тебя жду в семь у твоей машины.

— Леша, слава богу, — торопливо проговорила в коридоре Магда Израилевна, — скорей, тебя Батурин спрашивает. Что ты прохлаждаешься, не знаешь, какой у нас сегодня день?! Аллочка, вы тоже ничем не заняты? Я сейчас сброшу на ваш компьютер фотографии, нужно к каждой придумать маленький текст. Справитесь?

— Справлюсь, — угрюмо ответила Аллочка.

Ей хотелось плакать, и она совсем не знала, что теперь делать.

Кира ввалилась в квартиру, швырнула портфель и плюхнулась на пол. Рядом с портфелем.

Из глубины квартиры показался Тим. У него было настороженное лицо, уши торчали, и волосы с одного боку примяты, должно быть, с утра.

— Мам, ты чего?

— Ничего. Устала.

— А почему ты на полу сидишь?

— Потому что я устала.

— А... ничего плохого не случилось?

Все плохое случилось вчера, когда застрелили Костика. Почти у нее под дверью застрелили, а сегодня они с Батуриным ездили к его родителям. Только что вернулись. С ними ездил милиционер по фамилии Гальцев.

Вспоминать об этом было тошно. Так тошно, что Кира закрыла глаза и взялась за влажный лоб, чтобы немножко утихомирить черную птицу, которая долбила ее лоб изнутри.

— Где Валентина?

— Она ушла, мам. Я сказал, что она вполне может уйти. Она к врачу пошла, у нее этот... склероз.

— Ревматизм, — поправила Кира автоматически. — Почему она мне не позвонила? Ах, да...

Она выключила телефон, когда поехала к родителям Костика. И Батурин выключил.

Родители все равно ничего не заметили бы, даже если бы их телефоны звонили непрерывно.

Когда Кира в сопровождении капитана Гальцева спускалась к машине, тот спросил у нее, как бы между прочим, когда Костик стал ее любовником и почему они расстались.

Костик никогда не был ее любовником. Поэтому они никогда не расставались.

За всю жизнь у нее появился только один любовник — Сергуня. До него был Сергей — муж, любовник, все на свете.

— Мам, хочешь есть? — Тим придвинулся поближе. — Валентина мяса натушила и сделала такую штуку с картошкой.

Кира не хотела есть, но сказала, что хочет, чтобы не пугать Тима.

— А... папа где?

— Я не знаю.

Лицо у него вытянулось.

— Как? Он же сказал, что к тебе на работу поедет!

— Он был у меня, но потом уехал, и я его больше не видела. Я не могла с ним заниматься, у меня выдался очень трудный день.

— И он тебе не позвонил? — упавшим голосом спросил Тим.

— Нет, — отчеканила Кира, — с чего ты взял, что он

должен мне звонить? Что ты все придумываешь, Тимка?! Я тебя умоляю, остановись. Ты ведь уже большой.

— Ну и черт с вами! — неожиданно злобно закричал сын.

Отец ужасно его обманул. Он сказал, что приедет, а уже почти восемь, и, конечно, он не приедет, и весь хитрый и тонкий план рухнул, а он так старался, так верил в свой план!..

— Тим, мы сто лет назад развелись. У многих родители разводятся, не только у тебя!

— Плевать мне на многих! — заорал ее ребенок и сделал неприличный жест. — Мне на всех плевать!

— Тим!

Он повернулся к матери спиной и хотел гордо уйти в свою комнату, но не выдержал и зарыдал. Зарыдал постыдно, громко, на всю квартиру.

Как же так?.. Зачем отец его обманул? Он никогда не врет, его отец! Он сказал, что вечером приедет к ним, а козлина не приедет, и Тим проводил его до двери и долго смотрел с балкона вниз, на огни машины, пока Валентина не загнала его обратно в комнату. Оставшиеся полдня он просидел как на иголках, караулил телефон и даже уроки сделал, чтобы порадовать мать, когда она вернется с работы, и даже к Илье не пошел, потому что отец мог звонить, а он так его обманул!..

Мягкие, вкусно пахнущие духами и сигаретным дымом руки обняли его за голову и прижали к себе. Он стал вырываться, выкручиваться и даже топнул ногой, но жалость к себе и обида на весь мир пересилили гордость, и он обнял мать, и начал унизительно всхлипывать, и тереться лицом о черную ткань водолазки, которая тоже пахла так привычно и славно, и стал пристраивать голову на круглое плечо и подставлять щеку, чтобы мать поцеловала его, и она тоже заплакала, и ее слезы капали ему на макушку и на шею и были такими горячими, что он наконец перепугался.

— Мам, ты чего?

— Ни... ничего.

— Мам, ты... перестань.

— Сейчас перестану.

Но она не перестала, а заплакала еще громче, и Тим вместе с ней, и, обнявшись, они оба уселись на пол, рядом с брошенным портфелем, и подвывали, и утирались, и тыкались друг в друга лбами.

Как открылась дверь, ни один из них не заметил.

— Господи боже мой, — сказал отец в изумлении, — что здесь такое? Вы что, с ума сошли?

Тим не поверил, что он приехал.

Он моментально перестал рыдать, икнул от недавнего горя и уставился на Сергея, приоткрыв рот.

Отец стащил ботинки, швырнул на вешалку куртку, подошел и присел рядом с ними.

— Чего вы ревете?

Ни за что на свете Тим не признался бы ему, что он ревет из-за него. Из-за того, что его так долго не было.

— Мама... расстроилась, — пробормотал он и шмыгнул носом. От счастья он не мог смотреть на отца, косил в сторону, — и я вместе с ней.

— Он думал... что... ты... не... приедешь, — всхлипывая, выговорила Кира, — он... решил, что... ты... его... надул. Ты что, не мог ему позвонить, идиот проклятый?!

Потянулась, обняла Сергея за шею так, что ему пришлось опереться рукой, чтобы не упасть, уткнулась носом в его шею и зарыдала с удвоенной силой. Сергей прижал ее к себе.

— Ну-ну, — тихо сказал он и покачал ее из стороны в сторону, — были у родителей, да?

Кира кивнула, не поднимая головы.

Сергей гладил ее по спине и по коротко выстриженному затылку, потом тихонько подвинулся и сел, прислонившись спиной к стене, чтобы удобнее было ее гладить, а с другой стороны к нему привалился Тим, который от переизбытка чувств сопел, как паровоз, и все отводил глаза.

Кира постепенно затихала, только длинно всхлипывала, и его свитер под ее щекой совсем промок, и наконец она сказала:

— Ужас.

— Ужас, — согласился Сергей.

— Пап, — подал голос Тим. — Валентина мяса натушила. Будешь есть?

Следовало обязательно завлечь отца «на подольше», так сказать, обеспечить прикрытие. Ужин мог стать отличным прикрытием.

— Буду, — ответил Сергей. — В рюкзаке салаты и селедка. Достанешь?

Тим изъявил немедленную готовность делать все, что угодно — доставать, подавать, ухаживать. Стать образцовым ребенком.

Кира дышала Сергею в шею, ладонью он поддерживал ее затылок, а ее локоть давил ему на бедро, угрожая задеть жизненно важные органы.

Зачем они развелись?

Именно так она всегда страдала — с ним, а он, наоборот, один, не принимая ее сочувствия и участия, но самым главным было то, что они все друг про друга знали — как именно нужно поддерживать, утешать, жалеть.

Впрочем, как задеть, разозлить, ткнуть мордой в грязь и сделать побольнее, они тоже отлично знали.

Кира наконец оторвалась от него, подняла голову и горестно посмотрела в лицо.

— Черт знает что, — сказала она.

— Я был в Малаховке, — сообщил Сергей, — ехал три часа.

— Где ты был?!

— Ты че, пап, — радостно удивился Тим, появляясь на пороге кухни, — на дачу ездил?!

— Ездил, — подтвердил Сергей, поднялся и потянул с пола Киру, — я хотел найти бумаги, из-которых вытащили те полстраницы.

Кира помолчала, глядя ему в лицо.

— Нашел?

— Нашел. Наверное, не все, а какую-то часть. Самое главное, что, когда я приехал, у нас в доме был вор.

— Господи! — вскрикнула Кира. — Решетки сняли?!

— Решетку, — поправил Сергей. Подталкивая ее перед собой, он дошел до ванной, зажег свет и открыл воду. Сзади плелся сгорающий от любопытства и совершенно счастливый Тим с деревянной лопаткой в руке. Невиданной ширины штаны волочились следом.

— Давай, — велел Сергей и опять подтолкнул Киру. Она стала послушно умываться.

— Пап, чего украли-то?

— Ничего. — Он сунул ей полотенце.

— Как ничего? — изумилась Кира из-за полотенца.

— Я сейчас расскажу. — Он пристроил полотенце на крючок и за руку повел ее в кухню. — Тим, давай свое мясо или что там...

— Мам, красиво я селедку выложил?

Кира посмотрела. Селедка красиво лежала в хрустальном блюдце для сухофруктов.

— Очень, — оценила она.

— А салаты выкладывать или так сойдет?

— Так сойдет. Зачем тебя понесло в Малаховку, Сергей?!

— Я решил найти ту твою рукопись. Я думал, что, если она в папке и листок вытащили из нее, значит, могли остаться отпечатки пальцев.

— Чьи?

— Того, кто вытащил.

Кира не отрываясь смотрела ему в лицо.

— И что бы ты стал с ними делать?

Он ничего не собирался с ними делать. Он собирался вытащить рукопись из папки и спрятать эту проклятую папку от греха подальше. Капитан Гальцев был совершенно уверен, что Костика застрелила Кира, или делал вид, что уверен. Если бы на папке не обнаружилось ничьих отпечатков, кроме Кириных, это окончательно убедило бы капитана в том, что именно Кира затеяла все представление, и полстранички оказались бы не частью рукописи про детективы, а запиской с угрозами.

— Короче, папку я не нашел. Я приехал, а в доме, в большой комнате, кто-то есть. Я его спугнул. Он бросился бежать, но я его не догнал. — Почему-то ему стыдно было признаваться, что он мчался по грязи в одном ботинке и с топором в руке. — Он приехал на машине.

— Господи, я же просила соседей последить! — простонала Кира.

— Они следили. Вернее, Аристарх Матвеевич с пластмассовым ружьем. Он меня и повязал, когда я смотрел решетку. — Сергей положил Тиму мяса и велел: — Закрой рот.

Тим послушно закрыл рот.

— В большой комнате на полу были разбросаны бумаги. Все бумаги из письменного стола. Конечно, из папок их вытряс вор.

— Он собирался красть мои бумаги?!

— Наверное, — нехотя произнес Сергей, — по крайней мере, больше никаких следов я не нашел. Похоже, он вообще из большой комнаты не выходил. Ешь, Кира.

Так же послушно, как Тим, Кира принялась жевать.

— Нет, — заявила она через некоторое время, — я ничего не понимаю. Зачем?!

— Судя по тому, что твоя рукопись досталась мне, он приехал не за рукописью.

— Кто, Сергей?

Он с досадой пожал плечами:

— Не знаю. Я его не догнал, хоть и пытался.

— Тогда что он искал? Зачем ему рыться в куче старых бумаг?!

— Я не знаю, — повторил он с нажимом.

Некоторое время они молча ели. Кира исподтишка посматривала на мужа.

Она и предположить не могла, что он понесется в Малаховку добывать ее рукопись! Нет, она его совсем не знает!

— Ты должна вспомнить, — наконец сказал он, — что ты хранила в этих бумагах. Может, Костик тебе любовные записки писал?

— Папа! — воскликнул Тим.

— Не писал мне Костик никаких записок. И я ему не писала.

— Должно быть что-то, связанное с ним и с тобой. Не зря этот тип так переполошился. Он считает, что у тебя есть что-то, что может навести ментов на него.

— На кого, — изумилась Кира, — на жулика?!

Сергей посмотрел на нее с сочувственным высокомерием. Кира ненавидела такой взгляд. Хуже его могло быть только снисходительно-любовное трепание по затылку. Этот жест Кира ненавидела еще больше.

— Не на жулика, а на убийцу, — поправил он жалостливо, как будто Кира была его студенткой, которую он жалеет, но все-таки ставит ей «два». — Это кто-то из твоего окружения. Он отлично знает тебя, и ты его отлично знаешь.

— Почему?

— Потому что он знал про твои бумаги в Малаховке! Потому что он боится этих бумаг. Потому что он приехал именно за ними, и потратил столько сил, и так рисковал — вывинчивал шурупы на глазах у соседей! И все из-за какой-то паршивой бумажки!

— Сереж, — задумчиво произнесла Кира, — я даже приблизительно не могу себе представить, о чем ты говоришь. И о ком.

— Я тоже не могу, — буркнул он.

— Но это... мужчина? Или женщина?

Сергей глянул на нее, уверенный, что она сейчас примется искать сигареты. У нее всегда были две пачки — с ментолом и обычный «Лайт», без ментола.

Она пошарила на стойке, переложила газеты и закурила «Лайт». Он усмехнулся:

— Мужчина.

— Черт знает что.

— Пап, ты ищешь убийцу, да? — встрял Тим. — Слушай, может, тебе обратиться в сыскное агентство? Их сейчас много!

— Не знаю, как отнесется к сыскному агентству капитан Гальцев, — сказал Сергей. — Почему-то мне кажется, что плохо.

— Тим, — предостерегающе начала Кира, — только ты не затевай никаких расследований! Хватит с меня твоего отца.

— И в школе постарайся не трепаться, — подхватил Сергей, — я понимаю, конечно, что это очень интересно, но...

— Но нам совершенно не нужны лишние разговоры и... — перебила Кира.

— И чем меньше народу в курсе дела, тем лучше, — добавил отец.

— Ну, ясный перец, — сказал Тим и захохотал.

Родители переглянулись.

— Ты чего? — спросил отец.

Он не понимает, как будто глупый! Они поучали и наставляли его *вдвоем*, как в самые лучшие прошлые времена, когда они одинаково его пилили и одинаково хвалили, и мать всегда говорила: «Папа будет рад», а отец говорил: «Не расстраивай маму».

Хитрый и тонкий план действовал! Он все-таки действовал, несмотря на то, что Тим сегодня едва не выпустил ситуацию из-под контроля!

— Ты должна вспомнить, когда была на даче в последний раз, — велел Сергей, переждав бурный всплеск сыновнего веселья.

Кира раздраженно пожала плечами:

— Нечего вспоминать. Месяц назад, я тебе говорила.

— А до этого?

— А до этого в прошлом октябре.

— Точно?

— Сереж, какое это имеет значение?

— Такое. Если ты была там месяц назад, а до этого только в прошлом году, значит, бумаги, которые он искал, появились скорее всего тоже месяц назад. Вряд ли он планировал убийство так задолго.

— Убийство? — пробормотала Кира и покосилась на Тима. Он громко прихлебывал воду из стакана, всем своим видом выражая полное удовольствие.

Сергей тоже посмотрел.

— Я думаю, что он убил Костика именно вчера, потому что ему подвернулся удобный случай. Он слышал, что тот собирается к тебе, и решил, что спихнет на тебя его убийство. Он подложил ему в портфель страницу из твоей рукописи, о которой знал, подкараулил Костика на лестнице и убил. Однако у тебя осталось что-то такое, что могло бы его... разоблачить. Осталось именно на даче, и он это знал. И он решил, что должен немедленно это забрать.

— С чего он взял, что на даче?! И что *это*?!

— *Что*, я не знаю. А на даче он был. Вспомни, кто тогда к тебе приезжал. Сосед сказал, что какие-то люди приезжали все время.

Кира смотрела на своего мужа во все глаза. То есть на бывшего мужа.

— Мам, ты чего? — забеспокоился Тим.

— Принеси мне свитер, — попросила она, — что-то я замерзла.

Громко топая, Тим умчался за свитером — идеальный ребенок из рекламного ролика.

— Давай, — торопил ее Сергей, — вспоминай. Леня Шмыгун, это я уже знаю. Коммерческий директор. Зачем он приезжал?

— Привозил какие-то ведомости на подпись. — Кира потерла о колени руки. Руки замерзли так, что даже сквозь джинсовую ткань чувствовалось, какие они холодные — как змеиная кожа. — Я должна была подписать просто для проформы, Костик уже все подписал. Я совсем не помню, что это за ведомости. Ерунда какая-то.

— Так. Кто еще?

— Верочка Лещенко приезжала, показывала какой-то материал. Она у нас такая... энергичная и все боится впросак попасть, со мной каждое слово согласовывает. Аллочка Зубова. Она только на работу пришла, и ее Костик ко мне прислал, чтобы я ее определила к месту, она с месяц по разным отделам шаталась.

Сергей знал, что в комнате «с витражом» орудовал мужчина, и отпечаток ноги в грязи — примерно как у него самого, сорок четвертого размера, — он рассмотрел очень внимательно, но слушал Киру не перебивая.

— На, мам. — Тим сунул Кире свитер, влез с ногами на гобеленовый диван, повозился, устраиваясь, накрылся пледом и уставился на отца круглыми блестящими глазами — приготовился слушать.

Сергей вздохнул:

— Кто еще?

— Валентина, — вдруг вспомнила Кира. — Она сказала, что одной ей скучно, и лучше бы она с Тимочкой поехала, чем бабушку от работы отрывать, привезла пирогов, с Виленой Игоревной посидела...

— А... Батурин?

— Гришка? — как будто удивилась Кира. — Нет. Не приезжал.

— Точно не приезжал?

— Тим, как это говорят?

— Сто пудов, — ответил сын и опять захохотал. Ему было очень весело. — Можно — ясный перец.

— Ясный перец, не приезжал, — повторила Кира.

— Сосед мне сказал, что видел его, — бухнул Сергей, — твоего Батурина. Он за газетами ходил, а Батурин стоял возле калитки.

— Не было Батурина, — выговорила Кира. Речь давалась ей с трудом от страха, который вдруг навалился на нее. — Не приезжал.

— Аристарх Матвеевич сказал, что он не заходил в дом, потому что на дорожке не было следов. Он назвал его приметы — хромает и с палкой.

— Я его не видела! — крикнула Кира. — Он не приезжал!

— Да, — непонятно буркнул Сергей.

Тот человек в окне не был похож на Батурина хотя бы потому, что бежал так, что Сергей не смог его догнать, а Батурин ходить-то едва может, не то что бегать.

В детстве у Сергея была собака Дик. Это была замечательная чистопородно-помойная собака, очень сообразительная и предприимчивая. По ночам Дик шатался по поселку в компании таких же балбесов, как и он сам, а к утру являлся завтракать. Бабушка, завидев за забором черный крендель залихватски закрученного хвоста, начинала браниться и грозить палкой. Крендель моментально раскручивался, превращаясь в обвисший меховой мешочек, а Дик начинал изо всех сил хромать. Он хромал так натурально и артистично, что бабушка, бросив палку, принималась его лечить и кормить, а он снисходил до ее хлопот, полузакрыв измученные глаза и тяжко вздыхая. Правда, иногда он забывал, на какую ногу хромал, и начинал хромать на другую, но бабушка все равно верила.

А если Батурин — это собака Дик?

— Почему он приехал и не зашел? — сам у себя спросил Сергей. — Зачем стоял у калитки? Долго стоял. Аристарх Матвеевич успел вернуться со своей газетой, а он все стоял. Зачем? Если ему нужно было... подсмотреть за тобой, почему он не пошел на участок, ведь следов-то сосед не заметил!

— Подсмотреть? — переспросила Кира. Почему-то ей все не удавалось согреться, даже свитер не помогал. Дурацкие браслеты, которые она никогда не снимала, холодили и без того холодную кожу.

Сергей задумчиво налил в чайник воды и пристроил

его на подставку. Тим вдруг до слёз зевнул и повыше натянул плед.

Конечно. Предыдущую ночь он проторчал на лестнице и днём замучился от переживаний — приедет отец или нет, станет ли ужинать, уедет ли на ночь, — а теперь, когда тепло и спокойно, когда родители разговаривают, неважно о чём, спать хотелось просто чудовищно.

Спать нельзя. Он уснёт и проспит всё на свете — вдруг нужно будет что-то предпринимать, отводить беду, отвлекать, караулить, задабривать! Он только немножко подремлет, чуть-чуть, под старым пледом, до чая, и так, чтобы они всё время были у него на глазах.

— Тим спит совсем, — издалека проговорила мать.

— Не трогай его, — сказал отец тоже издалека.

Кира подсунула Тиму под голову вытертого медведя в фартуке. Этого медведя на его рождение прислали дальние родственники из Курска. Сергей отлично помнил, как ходил на почту за посылкой. В ней был медведь и огромные красные крепкие курские яблоки. Они пахли даже сквозь заколоченный деревянный ящик. Сергей никогда потом не видел таких яблок.

Как же так получилось, что нынче он — чужой человек, и нет у него никаких родственников в Курске, и тёщи нет, и тестя нет! Всё бывшее — родственники, яблоки, квартира, гобеленовый диван, на котором они занимались любовью с бывшей женой.

У него теперь... эта... как её... Инга, вот кто.

— Послушай, — быстро сказал он Кире, — послушай меня. Я тебе расскажу.

— Что? — спросила она шёпотом.

— Никто не видел, чтобы в наш подъезд входил чужой. Я спрашивал у Марьи Семёновны и у соседей из одиннадцатой квартиры. Марья Семёновна не видела никого, кроме Валентины, которая с ней попрощалась, няньки с ребёнком из восьмой и бабульки Евсеевой. Да, и твоего козлину.

— Сергей!

— Его так Тим называет, — моментально оправдался бывший муж. — Вроде все свои. Еще Данила Пухов приезжал в восемь, а мне сказал, что вернулся в одиннадцать.

— Который с третьего этажа?

— Да. Врать ему вроде бы незачем. Забыл? Или не хотел говорить?

— Почему не хотел?

— Я не знаю, Кира, — нетерпеливо ответил Сергей, — я ничего не знаю! Мимо Марьи Семеновны незаметно проскочить невозможно. Значит, были только свои. Значит, редакционные дела ни при чем. Значит, незачем было лезть к нам на дачу, выкручивать шурупы и шарить в бумагах!.. Но ведь кто-то влез!..

— А если Марья Семеновна... отвлеклась? — предположила Кира. — Она же не сидит в будке круглые сутки!

— Не сидит, — согласился Сергей, — только такие, как Марья Семеновна, никогда не отвлекаются. Они даже в сортире особую дырочку проковыривают, чтобы удобнее было наблюдать. Чтоб, так сказать, все время на посту!

— Черт тебя побери.

— Не меня, — гаркнул он с раздражением, — тебя вместе с твоими проблемами!

Странное дело, но она промолчала.

Раньше она всегда точно знала, когда нужно промолчать, а когда можно и возразить, «подцепить», «наехать» без тяжких и необратимых последствий.

Потом ей стало все равно, и последствия в самом деле оказались тяжкими и необратимыми.

— Кира, — недоуменно позвал Сергей, не ожидавший, что она промолчит. Он и про ее проблемы сказал специально, чтобы затеять перепалку. — Ты чего?

— Хочешь кофе?

— Что? — изумился он.

— Кофе. Хочешь? Я сварю.

— Хочу, — быстро согласился он.

Она взялась за него крепкой рукой с двумя золотыми браслетами, поднялась и нашарила тапки. Он смотрел на ее руку с браслетами, на сильную шею, на выстриженный затылок, и в голове у него вдруг помутилось.

Зря он спал с ней накануне. Он как будто вспомнил ее, и весь день прятался от этих воспоминаний, путался в каких-то других воспоминаниях, и вот где они его настигли — те, самые опасные.

В его бывшей кухне, рядом с гобеленовым диваном, на котором под пледом спал его сын в компании с вытертым медведем.

— Сереж, достань банку.

— Какую банку?

— Боже мой, банку с кофе. Она на полке, за тобой.

Кира проворно поставила на стол две большие кружки — одна из них была его собственная, с надписью «Серый волк, зубами щелк!». Кира иногда звала его Серым в давние-предавние времена.

— Ты же хотела варить, — сказал он хрипло.

— Ты же не любишь сваренный, — с сахарницей в руке она подошла к нему и близко на него посмотрела, — ты же любишь из банки, как все особи с неразвитым вкусом. И чтоб сахару побольше.

— Как все особи с неразвитым вкусом, я люблю еще воблу с пивом, — зачем-то добавил он.

— Я знаю.

Кира сунула сахарницу на стол, схватила бывшего мужа за свитер и притянула к себе. По правилам игры, установленным пятнадцать лет назад, следующее движение должен был сделать он, и он его сделал.

Они целовались долго и со вкусом — никто не умел так целоваться, как они, и Сергею даже в голову не приходило, что он может так целоваться, например, с Катей...

Ах нет, с Викой.

С Ингой, вот как.

Весь Кирин затылок с коротким и колючим ежиком

волос помещался у него в ладони, и он все смотрел в ее закинутое к нему лицо, бледное, с синевой вокруг глаз, и длинная челка разлетелась, когда он на нее дунул, и Кира прижалась к нему еще теснее, когда он, изловчившись, поцеловал ее за ухом, как она всегда любила.

Оказывается, он все забыл — как она пахнет, как дышит, какая у нее мягкая и гладкая кожа под подбородком, как бьется на виске синяя жилка, как теплеют прохладные щеки, и загораются мочки ушей с двумя серьгами в каждой, как она прижимается к нему, ногами, грудью, и он совсем перестает соображать, потому что он никогда не мог соображать рядом с ней, и как только они добирались до постели, он моментально терял всякий контроль над собой, и ей это нравилось, и она никогда его не останавливала, и, только пожив без нее, он понял, какая это, черт побери, редкость — такой сказочный, отчаянный, искренний секс, какой был у них все пятнадцать лет!

Они остановились одновременно.

— Мы не можем, — сказала Кира.

— Да, — согласился Сергей.

Дыхание чуть-чуть сбивалось, но он справится с ним. Он был уверен, что справится. Еще бы он не справился!.. Вот сейчас и справится, через секунду!..

Он злобно потянул носом, ненавидя себя за слюнтяйство. Кира взяла его за руку, повернула и стала смотреть в ладонь.

— Почему ты ко мне пристаешь?

Потому что я тебя люблю, чуть было не ответил Сергей. Потому что я замучился без тебя. Потому что год — это очень долго, а мы не виделись гораздо больше, чем год. Мы перестали разговаривать и смотреть друг на друга задолго до развода. Потом мы возненавидели друг друга, но, кажется, это были не мы.

Или мы?

Кира взяла его за щеки и прижала лбом к своему лбу.

Он старался не делать никаких движений, чтобы не увязнуть еще глубже, так, что не выберешься.

— Серый, я... так давно... ужасно давно...

— Давно, — согласился он.

— Ты... не приставай ко мне... я не справлюсь, а потом...

— Да, — опять согласился он.

Легко было говорить себе, что он не должен, не может, что больше никогда и ни за что. Он наклонился и потерся щекой о ее щеку.

— М-м... — выдохнула она.

Чайник на заднем плане бурно задышал и щелкнул кнопочкой.

Кира оторвалась от Сергея, метнулась к холодильнику и распахнула его.

— Хочешь колбасы? — спросила она оттуда.

— Нет.

— А йогурта?

— Нет.

— А сыра?

— Кира, закрой холодильник и сядь, — велел он, строго контролируя каждое слово. — Я тебе обещаю. В общем, я постараюсь.

— Хорошо, — согласилась Кира, — только ты рассказывай мне про убийство и больше ни о чем не спрашивай. Ладно?

— Ладно. Ты не знаешь, зачем мы развелись?

— Сергей!

— Да, — быстро сказал он и потер лицо, — про убийство так про убийство. На чем мы остановились?

Они остановились на том, что он стал прижимать ее к себе, и тереться щекой о ее макушку, и целовать за ухом, и она обнимала его и даже несколько раз переступила ногами, чтобы быть поближе к нему.

— Как ты думаешь, разбудить его?

— Пусть спит.

— Он хотел чаю.

— Кира, он же не проспит здесь всю ночь! Проснется, и дадим ему чаю.

— Он так тебя ждал. Рыдал из-за того, что тебя не было.

— Я приехал.

Он приехал, сел рядом с ней на пол и стал ее качать, как маленькую, а потом повел в ванную и ужинать, и беда отпустила, вынула из Киры кривые желтые когти, перестала терзать, хоть на время.

— Что ты говорил про редакционные дела и про то, что здесь были только свои?

— Марья Семеновна сказала мне, что не было чужих. В твоих бумагах мог копаться только кто-то из редакции, правильно? Ну, потому что никому из наших соседей нет дела до твоих бумаг на даче в Малаховке!

— Конечно, нет, — согласилась Кира.

— Вот и выходит черт знает что! — выпалил Сергей, злобно прихлебывая огненный кофе. — В подъезде никого из редакционных не было. В Малаховке был кто-то из редакции. И дальше что?

— Что?

Он раздраженно пожал плечами.

Кира поболтала ложечкой в своей чашке. Она растворимый кофе терпеть не могла, хотя все пятнадцать лет совместной жизни с любителем кофе из банки честно пыталась приучить себя к нему.

— Сереж, а может, в Малаховке был вор? Ну, обычный дачный жулик. Сейчас кругом полно жуликов.

Сергей опять посмотрел на нее жалостливо — студентка оказалась даже более тупой, чем профессор предполагал поначалу.

— Обычному дачному жулику не нужны бумаги из письменного стола. Обычный дачный жулик не ездит на машине. И машина какая-то улетная, не вот тебе «Запорожец»! Кроме того, я совершенно уверен, что в нашем подъезде вчера был чужой. Несмотря на Марью Семеновну.

— Какой чужой?

— Такой. У соседей собака.

Кира улыбнулась:

— Я знаю. Мася. Помнишь, она Тимку тяпнула? Мы только-только переехали, сто лет назад.

— Не помню, — ответил Сергей. Он и вправду не помнил. — Так вот, эта Мася лаяла, как бешеная. Как раз после восьми часов. Мне хозяева сказали. Еще они сказали, что у нее маразм, и она, бывает, просто так брешет, но я уверен, что вчера она не просто так брехала. Не может быть, чтобы она впала в маразм, как раз когда на лестнице... убивали Костика. Был кто-то чужой, Кира. И Мася его чувствовала.

— Но если ты говоришь, что Марья Семеновна... — начала Кира растерянно.

— Я не сыщик из сериала! — возмутился он потихоньку, чтобы не разбудить Тима. — Я сам ничего не понимаю! Есть два события, и я не знаю, имеют ли они отношение друг к другу!

— Какие... два события?

— Первое — твои бумаги в Малаховке и попытка их украсть. Второе — смерть Костика и опять твои бумаги, только у него в портфеле.

— Не бумаги, а бумага. Полстранички.

— Хорошо, полстранички. Кто знал о статье про детективы, о том, что ты пишешь от руки, о том, что рукопись у тебя на даче? Батурин, сам Костик, две эти барышни...

— Верочка Лещенко и Аллочка Зубова, — подсказала Кира, — и еще Магда Израилевна, Стас, Катя Зайцева...

— Стоп, — приказал Сергей. Кире показалось, что он вполне вошел в роль сериального сыщика, зря прибедняется, — при чем тут Магда Израилевна и Катя?

— При том, что они тоже знали, что я пишу про детективы...

— И знали, что именно на даче? — язвительно спросил Сергей. — И знали, что рукопись осталась в Малаховке, когда детективы заменили на художника, который помер?

— Сереж, при чем здесь вообще эта рукопись, если она осталась нетронутой?! Ты сам сказал, что искали явно не ее!

— Сегодня — нет, не ее. Но, черт возьми, неужели непонятно, что кто-то когда-то должен был видеть твою рукопись, читать ее, знать, о чем она, и вытащить из нее те самые полстранички! Кто и когда мог вытащить, если рукопись не уезжала из Малаховки, и даже твой Батурин получил ее по факсу?! Только тот, кто был у тебя тогда! То есть Леня Шмыгун, Верочка, Аллочка, Валентина и Батурин, который не заходил и которого никто не видел, кроме соседа!

Кира смотрела на него, и вид у нее был растерянный, как у Тима, когда Сергей пытался объяснять ему алгебру, а он очень старался понять и не понимал.

— Зачем приезжал Батурин? Почему он так с тобой и не поговорил, а постоял, покурил и уехал? А Валентина? Если она вытащила эти полстранички, значит, она застрелила Костика?! Она его едва знала! Два раза в жизни видела! Или *мы* чего-то про нее не знаем?! А Леночка с Машенькой?

— Аллочка с Верочкой.

— Да. Две молодые журналистки. Кому-то из них понадобилось пристрелить шефа?! Почему? Зачем? Более или менее похожий на правду мотив есть только у Батурина, который приезжал и не заходил.

— Какой мотив?

— Должность.

— Это не мотив.

— Мотив. Ты сама говорила, что он никогда не стал бы главным, если бы не...

— Он стал бы главным в любом другом журнале. Мы бы от этого только проиграли. Батурин — это танк, Сереж. Боевая машина. Бронетранспортер. Его не остановить. Я даже Николаеву сегодня сказала, что никто лучше Гриши...

— Может, ему не хотелось в другом, или нужно было непременно в этом. Ты же ничего про его не знаешь, правильно?

Кира посмотрела на мужа. То есть на бывшего мужа.

Она знала о Григории Батурине много, гораздо больше, чем знал Костик, и, уж конечно, больше, чем Сергей, только теперь непонятно, какой знак нужно поставить перед этими знаниями — плюс или минус.

Сергей залпом допил остывший кофе из кружки с надписью «Серый волк, зубами щелк!». Когда-то Киру развлекало, что он — «Серый волк».

Теперь-то он, конечно, никакой не «Серый волк». Теперь он чужой человек.

— Это то, что касается, так сказать, редакционной части вопроса. Теперь что касается местной.

Прямо из-под крана он налил в чайник воды и плюхнул его на подставку. Из носика плеснуло, потекло по сверкающему круглому боку — теперь высохнет, останутся гнусные белые потеки, которые Кира терпеть не могла.

— Местная часть вопроса тоже полна странностей и неожиданностей. Значит, мы установили, что никаких чужих в подъезде не было, по крайней мере, их никто не видел. Даже Марья Семеновна. Тем не менее с Масей случился истерический припадок, а соседская дверь, как всем нам хорошо известно, расположена прямо напротив нашей двери. Скажи мне, пожалуйста, она твоего... на козлину она лает?

— Сереж, прекрати.

— Я веду расследование, — четко выговорил он. — Лает или не лает?

— Я не знаю, — холодно ответила Кира, понимая, что, раз муж «завелся», остается только ждать, когда «завод» кончится.

— Вспомни.

— Да нет, пожалуй, не лает. Она сначала лаяла, а потом перестала.

— Привыкла, значит, — констатировал Сергей. — Хорошо. Человек, который выстрелил, точно знал, что выстрела никто не услышит, потому что наверху у нас ремонт. Опять получается, что это кто-то из своих, местного разлива. Всех своих Мася знает и на них не лает. Даже на твоего козлину. Значит, был чужой. Откуда чужой знал про ремонт?

— О господи, — пробормотала Кира.

— Вот именно, — согласился Сергей. Зачем-то взял у нее из пачки сигарету, неумело поджег, как пятиклассник, сунул в рот, выдохнул длинный конус белого дыма и сморщился от отвращения.

— Дай сюда.

Он сунул ей сигарету. Он прикурил ее просто так, чтобы отвлечь бывшую жену. Она послушно отвлеклась — посмотрела на него, некурящего, с высокомерной жалостью и шикарно затянулась.

— Зачем Данила сказал мне, что не был дома, а на самом деле был? Как они могли быть связаны — Костик и Данила?

— Никак не могли.

— Почему?

Кира подумала немного:

— Ни почему. Не могли, и все тут. Я этого Данилу едва знаю, а уж Костик-то...

— Кира, это ничего не значит. Слушай, — вдруг вспомнил он, — сколько времени?

— Девять.

— Мне нужно поговорить с его женой.

— Чьей?! — изумилась Кира.

— С женой Данилы. Он заявил мне, что она целыми днями дома и что у нее глаз-алмаз. Я пойду. Поговорю.

— Хватит позорить меня перед соседями! — крикнула Кира, и глаза у нее совершенно неожиданно налились слезами. Она редко плакала и не любила слезы, и никогда не пользовалась ими, как стратегическим женским оружием, а тут вдруг второй раз за вечер!..

— Я тебя не позорю, — отрезал Сергей, — я пытаюсь спасти тебя от тюрьмы.

— Иди ты к черту, — пробормотала Кира.

— Я вернусь через полчаса, — пообещал он, как будто был не бывшим, а настоящим мужем.

И ушел.

Джинсовый комбинезон не скрывал, а подчеркивал круглый аккуратный живот. Сергей был уверен, что жена хоккеиста Пухова и не стремится его скрывать, а, наоборот, гордится им и даже несколько выставляет напоказ.

Тринадцать, нет, почти четырнадцать лет назад, когда Тим рос внутри у Киры, быть беременной было стыдно.

Ну, не то чтобы стыдно, а так, неловко. Кира худела, носила длинные свитера и страшно гордилась тем, что до девятого месяца окружающие даже не догадывались о ее «интересном положении».

— Мальчик, — в третий раз за семь минут проинформировала его Лена, — вот странно, все мои подружки хотели девочек, а я так рада, что у меня мальчик! У нас. И Данилка очень рад. Ой, он такой смешной стал, ты не представляешь, Сереж! Беспокоится за меня. Ухаживает.

— Правильно делает, — в третий раз сказал Сергей и вздохнул.

Кира всегда держалась в некотором отдалении от людей — соседей, коллег, попутчиков в самолете. Сергей был более общительным и первый раз в жизни жалел об этом.

Жена хоккейной звезды казалась совершенно уверенной в том, что он пришел, чтобы немного повосхищаться ее будущим ребенком, настоящим мужем и вообще тем, что чета Пуховых существует в природе и Сергей даже имеет возможность приобщиться к их счастью.

— Я теперь пью только зеленый чай. Специальный зеленый чай для беременных. Данилка договорился, и ему возят из Китая. Говорят, цейлонский тоже ничего, но Цейлон еще дальше, чем Китай.

— Шри-Ланка, — поправил Сергей автоматически.

— Какая Шри-Ланка?

— Цейлон после получения независимости стал называться Шри-Ланка. Цейлоном его называли англичане. Колонисты.

— Да ну? — удивилась Лена. — Будешь?

— Что?

— Зеленый чай! — Она улыбнулась, приподняла чайник и показала ему. Чайник был белый, в выпуклых розовых цветах, накрытый салфеткой с вышитыми на ней утками. — Я могу с тобой поделиться!

Сергей не хотел зеленого цейлонского чая для беременных. Он хотел Кириного кофе.

— Как там Кира? Нам скоро уже уезжать, Данилка боится, говорит, что лететь надо сейчас, а не когда до родов останется неделя. А вот я почему-то ничего не боюсь, хотя мама мне сказала, что это очень трудно, когда ребенок. Трудно, да, Сереж?

— Трудно. Лен, я хотел у тебя спросить...

— А с Кирой я только один раз виделась! Ой, она такая важная стала!.. Она работает, да?

— Да. Лен...

— А я так и не работаю. Знаешь, мне так неохота на работу ходить! Ну, сейчас-то смешно работать, но я целый год не могла себя заставить. Я, правда, хотела, а потом решила — что я буду мучиться? Зачем?! И не пошла. А Данилка говорит, что самое главное, чтоб я дома была, когда он приезжает, а на работу наплевать. И няню нашел! — хвастливо сказала она и потрогала свой джинсовый живот, словно проверяя, на месте ли он. Живот был на месте. — Говорит, что няня такое серьезное дело, к которому надо заранее готовиться, а я ни за что не хочу к ребенку чужого человека подпускать! А,

Сереж? Ну, мама приедет. И его, и моя. Пусть бы лучше мамы, а?

— Наверное, лучше, — согласился Сергей.

Почему она ни слова не говорит ему о вчерашнем чрезвычайном происшествии?! Вряд ли ей нет никакого дела до того, что вчера в подъезде был обнаружен труп. Данила Пухов сказал Сергею, что «Ленка напугалась до смерти» и даже утром не хотела отпускать его на работу, а теперь щебечет, как райская птичка, хотя прекрасно знает, что Сергей, можно считать, участник драмы, как и Кира — главное действующее лицо.

— Лен, я утром видел Данилу...

— Встретились?! — радостно перебила она. — Он про тебя спрашивал, а Марья Семеновна сообщила, что вы с Кирой развелись. Мы так и подумали, что врет она все. Не могли вы развестись. Я Данилке так и сказала, что это просто... временно. Правильно, Сереж?

— Мы в самом деле развелись. Больше года назад.

Год, два месяца и... Он едва сдержался, чтобы не посмотреть на календарь и старательно сосчитать дни.

— С ума сошли! — огорченно воскликнула Лена. — Нет, ну, правда! Это ужасно! Я как подумаю, что когда-нибудь разведусь с Данилкой!..

Глаза у нее налились слезами, и Сергей торопливо произнес:

— Лен, все будет хорошо. Вы же не такие дураки, как мы с Кирой! Я хотел у тебя спросить.

— Что? — Она утерла глаза, как маленькая, и снова засияла, как будто и не собиралась рыдать.

Непостижимая ни для какого мужика, загадочная и удивительная женская природа.

— Ты вчера... до того, как... как все случилось, никого не видела? В подъезде или, может быть, в окно?

Жена хоккеиста Пухова, беременная, славненькая, занятая только собой и вышеупомянутым хоккеистом, и еще их будущим ребенком, и тем, что лучше — нянька или родная бабушка, вдруг вся заледенела. Сергей *видел,* как ледяной панцирь, как называли в школе Антарктиду, накрыл ее с головы до ног. Даже выражение лица стало неопределенным, как будто толстый слой льда закрыл его, и изображение стало двоиться и расплываться.

Это еще что за дела?!

— Я... ничего не видела, — заявила она фальшиво. — Что я могла видеть?

— Не знаю, — сказал Сергей, стараясь не пропустить никаких изменений в панцире, — может, какого-нибудь незнакомого слесаря с чемоданчиком или мужика в черной маске, камуфляже и с винтовкой с оптическим прицелом?

— Нет, — решительно ответила она, — я никого не видела. А... почему ты спрашиваешь?

— Ну, потому что Костик — начальник Киры, и она очень нервничает и плачет даже. Я хочу понять, кто мог его убить.

— Ты все равно ничего не поймешь! — крикнула Лена, и в голосе ее явственно послышалось отчаяние. — А я ничего, ничего не видела! И никого!

— Совсем никого? — осторожно уточнил Сергей.

— Нет, — опять крикнула она, — никого!

И мелкими жадными глотками отпила цейлонского чая для беременных и со стуком поставила на блюдце чашку.

— Что? — спросила она у Сергея. — Что ты смотришь? Я же тебе говорю — я никого и ничего не видела! Я лежала и спала! Все!

— А... Данила не приезжал?

— Когда Данила приехал, тут уже было полно милиции, и на лестнице, и внизу, и везде! Я перепугалась ужасно! Он приехал и меня успокоил!

— Лен, — осторожно спросил Сергей, — что случилось?

— Ничего не случилось, — ответила она фальшивым «русалочьим» голосом, — все в порядке. А что такое?

— И... выстрела ты тоже не слышала? — уточнил Сергей.

— Нет! Я не слышала ни-че-го!

— И в окно не смотрела?

— В окно я видела только вашу Валентину! — крикнула Лена с отчаянием. — И все, и больше никого! Она выскочила и помчалась в сторону метро, как паровоз. Что ты ко мне пристал?! Данилка вчера велел, чтобы я не нервничала, а ты ко мне пристал!..

— Прости, пожалуйста, — пробормотал Сергей, — я не хотел тебя огорчать.

Не хватало ему только проблем с нежным мужем, который велел жене «не нервничать», а Сергей своими дурацкими вопросами «разбередил ей душу».

Дело оказалось сложнее, чем Сергей предполагал поначалу. Кажется, именно так и бывает с классическими сыщиками из детектива.

Сначала они уверены, что дело не стоит выеденного яйца: «Это дело на одну трубку, Ватсон!» Потом они «заходят в тупик»: «Никогда в жизни у меня не было такого сложного дела, Ватсон!» Потом они начинают «приближаться к разгадке»: «В темноте забрезжил свет, Ватсон!» И наконец разгадка — ослепительная в своей простоте, и признание, что дело все же было «на одну трубку».

Лена Пухова нервничала из-за смерти Костика ничуть не меньше, чем Кира Ятт. Костик был другом и начальником Киры и шел именно к ней, когда его застрелили. При чем тут Лена Пухова?!

Этот проклятый свет когда-нибудь забрезжит или нет?!

— Сереж, — сдавленно попросила Лена, — мне надо... прилечь. Извини.

И голос, и фраза, и слово «прилечь» казались ненатуральными, как пластмассовая ваза, расписанная «под Хохлому», и Сергей быстро и невнятно попрощался.

Ему нужно было срочно навестить няню с ребенком, которые вечером выходили на детскую площадку. Выходили так поздно, потому что мать, по мнению Марьи Семеновны, бесценного источника правдивой информации, в это время околачивала груши. Должно быть, в переводе с народного это означает — работала.

Он так и не понял, что все, что ему нужно, он уже знает, и больше нет никакой необходимости никого навещать, искать, выяснять.

Вот вам и дело «на одну трубку, Ватсон!».

Попасть в восьмую квартиру оказалось трудно. Гораздо труднее, чем в дом звезды мирового спорта и лидера НХЛ.

— Откуда я знаю, что вам нужно, — неприветливо говорили из-за цепочки. Сергей видел только один глаз, посверкивающий в коридорной темноте, как у маньяка в фильме ужасов, — лучше идите отсюда, пока я милицию не вызвала!

— Меня зовут Сергей Литвинов, я с пятого этажа, из двенадцатой квартиры, я только хотел спросить...

— Мы ничего не знаем! Хозяйка приедет, тогда и...

— Да не нужна мне хозяйка!

— А кто вам нужен?

— Вася! — закричал откуда-то детский голос. — Вася, Вася!

— Пока вы со мной препираетесь, — заявил Сергей, — ваш ребенок кота потерял. Теперь спать не будет. Давно бы поговорили, и я ушел.

— Вася — это я, — сообщил голос мрачно. — Ладно. Входите. Только у меня газовый баллончик приготовлен. Так что без глупостей.

— Вася! — совсем рядом крикнул голос. — Васька, ты что? Уходишь?

— Привет, — поздоровался Сергей, пытаясь рассмотреть того, кто звал Ваську, — ты кто?

— Я Федот. Федот Шубин. А ты кто?

— Я Сергей Литвинов. Мы на пятом этаже живем.

— Я знаю, — объявил Федот Шубин, — твою маму зовут Кира. Она к моей маме приходит. Она говорит, что это называется покурить.

— Это не мама, — возразил Сергей, — это моя жена.

— А у меня нет жены, — сообщил Федот Шубин, — у меня только мама и Васька.

Наконец-то Сергей его увидел. Ему было лет пять — розовые щеки, пухлые ладошки, блестящие глаза и светлые волосы. На пижамном животе нарисован Винни-Пух с бочкой меда, а на заду — это обнаружилось, когда Федот Шубин повернулся спиной, — ослик Иа, стоящий на голове.

— Ты пришел покурить?

— Нет, я не курю.

— И я не курю, — сказал Федот, — я еще маленький. Ты к Ваське?

— Почему ты ее называешь Васька?

— Потому что ее так зовут, — удивился Федот.

— Василиса, — мрачно представилась нянька.

— Сокращенно — Вася. Ты что? Не понимаешь?

— Понимаю.

— А моя мама в Париже. У нее там дела. Она мне оттуда привезет подарок. И Ваське привезет. Мы на бумажке написали и ей в чемодан положили, чтобы она не забыла, что мы хотим.

— Федот, ты бы шел в постель.

— А можно я ту-ут?!

— Вам чего нужно-то? — спросила Васька, кажется, окончательно смирившись с судьбой и с Сергеем Литвиновым. — Ребенку спать пора!

— Вась, ты мне почитаешь?

— Почитаю. Мы же договорились.

— Я хотел спросить... Вчера, когда выходили на улицу, вы никого в подъезде не видели?

— Это вы про убийство-то? — спросила нянька презрительно. — Никого и ничего я не видела.

— Совсем ничего?

— Вась, мы же видели, как они разговаривали, — встрял Федот Шубин, взял няньку за костлявую руку и покачал туда-сюда. — Ты мне сказала, что культурный человек должен всегда здрасте говорить!

— Кто они?

— Никто, — угрюмо буркнула нянька. — Вам скажи, а вы потом хорошему человеку всю жизнь отравите!..

— Господи ты боже мой! — рассердился Сергей. Так всегда говорила теща, когда сердилась или недоумевала. — Кто испортит? Какому человеку?!

— Такому. Хорошему. Это отношения к делу не имеет.

— Черт бы вас побрал, — пожаловался Сергей в пространство, — что не имеет?

— Ты не ругайся, — посоветовал Федот Шубин и запрыгал на одной ноге вокруг Васи, — я вчера вышел и говорю: «Вася, посмотри, как чертовое я одет!» А она мне говорит, что «чертовое» неправильно говорить и ругаться тоже неправильно.

— Послушайте, — быстро сказал Сергей, — Костик, которого убили, — это начальник моей жены. И друг. Милиция считает, что его убила Кира, а это чушь! Помогите мне, пожалуйста. Кого вы видели? Кто разговаривал? Кто хороший человек?

— Покойный разговаривал, — буркнула нянька, — на третьем этаже. С Леной, женой хоккеиста. О чем, не знаю, они замолчали, когда мы проходили. Лена поздоровалась, у нее глаза... Короче, плакала она и на нас не смотрела. Мы прошли, и все. Больше никого не видели.

Сергей ожидал чего-то в этом роде, но все равно ощущение было такое, как будто за шиворот вывернули ушат с лягушками.

— А вернулись когда?

— Ну, сколько мы гуляли? Может, минут двадцать. Федот сказал, что ему нужно башню построить из песка и прочесть волшебный стишок, чтоб к утру был замок. Ну, мы и пошли башню строить.

— Получился замок?

— Не-а, — откликнулся Федот, — его машина переехала. Башню то есть.

— Только я вам сказала, а больше никому повторять не буду, — объявила решительная Вася, — вы так своей милиции и передайте. Никаких протоколов и свидетельских показаний. Никто не докажет, что мы с Федотом ее видели, с покойником-то!

— Да я не из милиции!

— А мне все равно. Ничего не видела, ничего не знаю. Вероника вернется из Парижа, пусть ее спрашивают, а я тут человек посторонний. На работе я.

— Вась, я есть хочу!

— Ты только что ел!

— Я опять хочу.

— А пока вы башню строили, из подъезда никто не выходил?

Вася сердито вздохнула:

— Валентина вышла, и больше никто. Валентина Степановна, домработница с пятого этажа. Ваша, если вы... муж Киры Михайловны.

Сергей вдруг почувствовал, как холодные лягушки, шевелившиеся на спине, стремительно замерзают еще больше, превращаясь в давешний антарктический панцирь.

Валентина?!

— Ну все, — заметив, как изменилось у него лицо, объявила Вася, — до свидания. Мы должны чай поставить. Мы опять есть хотим.

— Васька ватрушку испекла, — похвастался Федот Шубин, — я только половину съел. А половину сейчас буду.

— Точно... Валентина?

— У меня пока куриной слепоты нет, — язвительно отрезала Вася, — до свидания.

— До свидания, — пробормотал Сергей.

Аллочка трусливо просидела на работе до половины десятого. Вряд ли Леша Балабанов станет ждать ее так долго.

Делать на работе в это время было совершенно нечего. Все подписи к фотографиям она давно сдала Магде Израилевне, особенно старательно, с высунутым языком, перечитав их перед тем, как сдать.

Все оказалось в порядке. Костик нигде не был назван Модест Станиславович, а журнал — «Старая лошадь».

— Ну вот, — похвалила Магда Израилевна, как будто Аллочка была ребенком-дауном, неожиданно выучившим алфавит, — молодец! Можете, когда хотите!

Матери она позвонила и сказала, что шашлык на сегодня отменяется. Мать огорчилась, и предлагала заехать, и поминала отца, и сердилась, и волновалась, и обещала прислать с водителем кастрюлю супа.

Потом пришла Верочка Лещенко и хвастливо показала свой «матерьяльчик».

Это были не какие-то подписи к фотографиям, а довольно приличная статейка о том, как Верочка училась у Костика журналистской непримиримости, неподкупности, этике, легкому слогу и чувству юмора.

— Разве чувству юмора можно научиться? — спросила Аллочка тихо. Верочку она почти не знала, тогда, в коридоре, разговаривала чуть ли не в первый раз и теперь не понимала, зачем она к ней пришла. Впрочем, в редакции почти никого не оставалось, а Верочке, наверное, очень хотелось похвастаться. Аллочке бы тоже захотелось, если бы ей поручили «настоящий материал».

— Сейчас к Кире поеду, — заявила Верочка и потянулась всем телом. — Как ты думаешь, можно?

— Зачем прямо сейчас? — удивилась Аллочка, которая имела совершенно определенные понятия о субординации и этикете. — Наверное, лучше утром....

— Утром это все в печать пойдет! — фыркнула Верочка. — До утра она посмотрит, а я, если надо, перепишу. Я в лужу сесть не хочу. Я хочу, чтобы у меня все было как у хорошей, грамотной журналистки. Кира, конечно, редкая сволочь, но, пока она надо мной начальник, а не я над ней, придется подстилаться.

— Почему она сволочь? — удивилась Аллочка, которой нравилась Кира — стильная, сдержанная, очень уверенная в себе, как будто отлитая из бронзы. И сын ее нравился. Он однажды заезжал в редакцию, кричал из кабинета наивным басом: «Мама!»

— Потому что она сволочь, — убежденно сказала Верочка. — Кто Костика убил? Она и убила!

Аллочка точно знала, что Костика убила *не Кира*.

— Зачем?

— Зачем убила? — Верочка деловито соскочила со стола и стала перед зеркалом. Воротник был не безупречен — все-таки рабочий день позади, а ей хотелось, чтобы все было безупречно и красиво. — Затем, что он был ее любовником. Ты же недавно пришла и ничего не знаешь! Наш Костенька всех на свете любил! И ее любил, а потом кинул. Ну, она, наверное, и решила его... — Верочка на секунду остановилась, чтобы снять невидимый волосок с губы. — Пристрелить. Пригласила к себе, подстерегла — и ба-бах!

— И сама подложила ему в портфель собственную записку с угрозами!

— Ну, она вполне могла не знать, что у Костика в портфеле. Может, она ему угрожала, но думала, что он записки сжигает. А он взял одну, да и не сжег!

— Глупо писать записки собственноручно, когда можно на машинке напечатать или на компьютере, — заметила Аллочка. Ей тоже хотелось вытащить зеркальце и посмотреться в него, но почему-то было стыдно Верочки.

Интересно, Леша Балабанов, донжуан редакционный, уже отправился восвояси или все еще поджидает ее? Встречаться с Лешей Аллочке совсем не хотелось. Она посмотрела на часы и вздохнула. Давно могла бы сидеть с родителями и есть потрясающе вкусный шашлык, который подают только в «Ноевом ковчеге», и отец утешал бы ее, а все беды в присутствии отца как будто теряли значительность, становились, как у Буратино, маленькими-маленькими, пустяковыми-пустяковыми.

— Теперь всем будет заправлять Хромой, — объявила Верочка и отвернулась от зеркала, — слыхала?

Аллочка пожала плечами. О Батурине она старательно *не думала*, как будто не разрешала себе.

— Нужно быстренько найти к нему подход. — Верочка еще раз оглянулась на себя в зеркало. — Как он тебе?

— В каком смысле?

— Господи, ну конечно, не как мужчина! Ничего там нет интересного, это же не Костенька! Сплошные комплексы, да еще с хромой ногой!

— При чем тут нога? — чувствуя, что должна вступиться за Батурина, как за мужчину, спросила Аллочка. — Он очень приятный. И, по-моему, отличный журналист...

— Приятный! — вскрикнула Верочка, как будто Аллочка назвала приятной африканскую бородавчатую жабу. —Ты что? Сдурела?! Приятный! Да он даже смотрит как зверь! Не знаю прямо, что с ним делать.

— А что ты должна с ним делать?

— Ну, надо же как-то устраиваться! Я не могу подписи к фотографиям до конца жизни делать!

И она тоже не может, подумала Аллочка с мрачным юмором. Леша Балабанов — опять взгляд на часы — не может, потому что зарабатывает на «шишки и бриллиантики». Интересно, на что зарабатывает Верочка?

— С Костенькой я первым делом переспала, и он меня сразу на хорошее место поставил, а с Батуриным не могу! Меня тошнит от одного его вида.

Тут Аллочка совершенно некстати, очень неуместно и горячо оскорбилась за Батурина.

Она, видите ли, не может с ним спать!.. А вдруг он и не захочет с ней спать?! Почему он должен хотеть?! Ведь есть же мужчины, которые не сразу тащат женщину в кровать, даже если она сама им это предлагает!..

— Киру, конечно, посадят и главным сделают Батурина. Она еще такая дура, сегодня Николаеву про него напела, какой он умный, какой молодец, такой-сякой! Может, если бы не напела, Николаев бы ее назначил!

— А может, она не хочет?

— В главные не хочет? — не поверила Верочка. — Кира?! Она просто очень тонко играет, гораздо тоньше всех остальных! Видишь, она даже никому не рассказывала, что у нее с Костиком связь была! Осторожничает, значит.

— Все равно ее посадят, — мрачно бухнула Аллочка, — сама говоришь. Так что ей главным так и так не быть.

— Может, если бы Николаев ее назначил, и не посадили бы. Побоялись. Ты бы узнала у своего папочки, что там они думают!

— Кто?

— Все. Наверху.

Мой отец тут совсем ни при чем, хотелось сказать Аллочке. Я ничего не буду у него спрашивать, потому что я сама по себе, потому что я хочу и буду жить так, как мне нравится, и я сделаю эту чертову карьеру, и я заработаю свои собственные деньги, и выйду замуж за того, за кого захочу, и отец не станет ни мешать, ни помогать — так уж он устроен.

Ничего говорить она не стала. Не стоило говорить это Верочке, все равно она не поверила бы. Она переспала с Костиком, и теперь не могла заставить себя переспать с Батуриным, и ехала к Кире утверждать материал, хотя считала Киру убийцей.

— Подвезешь? — спросила Верочка. — Какая у тебя машина — зашибись! Хорошо тому, у кого папочка богатенький!

— До метро, — предложила Аллочка, которой не хотелось долго возить Верочку.

— До ее дома быстрее, — немножко обиделась Верочка. — Она совсем рядом живет, только Маросейку переехать.

— Ладно, — согласилась Аллочка, — переедем.

Время перевалило за полдесятого, и Аллочка чувствовала себя неожиданно освободившейся из турецкого плена — так бывало, когда учительница музыки не являлась на урок, и опоздание становилось катастрофическим, и было ясно, что она не придет, и можно делать что угодно.

Не тут-то было.

Машина издалека подмигнула ей фарами, открываясь, и Аллочка ей улыбнулась, потому что соскучилась по ней и радовалась, что сейчас они вместе поедут домой и даже еще можно успеть заскочить к родителям, когда с лавочки, невидимой за длинным капотом, поднялся Леша Балабанов.

Он улыбался. Аллочкино сердце замерло, а руки стали мокрыми. Она надеялась, что он давно уехал.

— Что же ты, — нежно спросил Леша, — позабыла обо мне? Я тебя жду, жду, а ты все где-то шатаешься!..

В глазах у него было бешенство. Настоящее маньячное бешенство.

— Верочка, прости нас, дорогая! У нас свидание. Она просто стеснялась тебе сказать.

— Нет у нас свидания! — крикнула Аллочка.

— Есть, есть. Садись в машину, лапочка. Давай.

— Я никуда с тобой не поеду.

— Зато я с тобой поеду. Садись, кому говорю!

Аллочка отчаянно оглянулась по сторонам. Стоянка была почти пустой, правда, за стеклянными дверьми вестибюля маячили ленивые и расслабленные охранники, но как их позвать? Закричать?! Прыгнуть?! Устроить публичный скандал?! Да и вряд ли они станут ее спасать, если Леша скажет им, что у них свидание, «лапочка просто сердится».

— Леша, — сказала она, изо всех сил стараясь убедить

его в том, что она не станет его слушаться. Верочка смотрела с интересом. — Я не хочу никуда с тобой ехать. Мне нужно домой. Пропусти, пожалуйста.

— Я с удовольствием поеду с тобой домой. — Леша хлебнул из пивной бутылки, закинув крепкую шею. — Мы обо всем договорились днем. Я тебе сказал, еще раз поставишь меня в неловкое положение, я тебе башку отверну!

Никто и никогда не говорил Аллочке Зубовой, что ей «отвернет башку».

— Я тебя предупреждал? Предупреждал. Теперь на себя пеняй, лапочка.

— Я пошла, — объявила Аллочкина последняя надежда, — пока, ребята!

— Вера, не уходи!

— Иди, иди, Верунчик. Видишь, она просто ломается!

— Вера!

— Пока-а! — весело прокричала Верочка и пошла к Маросейке, уверенная, спокойная, полностью владеющая собой. Кинувшая Аллочку на произвол судьбы.

— Так, — проводив Верочку глазами, процедил корреспондент Леша Балабанов, — лезь в машину, сука. И не крутись ты по сторонам, нет никого давно. Я тебе сказал — веди себя прилично! А ты? На папочкину охрану надеешься?! Так вот послушай меня. Ты будешь делать то, что я тебе велю, а папочке ни слова не скажешь, потому что я таких сук, как ты, десятками имел, и, если ты ему стукнешь, я тебя прикончу. Никакая охрана не поможет.

Он вдруг вынул из кармана шприц с надетой на иглу длинной пластмассовой крышкой и помахал им перед носом у Аллочки.

— Один укол, дорогая, и ты будешь визжать от восторга и умолять меня трахнуть тебя. А если увеличить концентрацию, девочка прямым ходом к господу пойдет. Только и всего. И никакой охраны нам не надо, да, девочка?

Аллочка с ужасом смотрела на шприц. Не могла отвести глаз.

Леша еще поводил шприцем и спрятал его в карман.

— На сегодня и этого хватит, а там посмотрим. Давай. Садись. Видишь, где шприц? Одно движение — и я тебя... Ты что, хочешь трахаться прямо на асфальте?

Аллочка с трудом сглотнула.

— Не надо было из себя королеву корчить, — шипел Леша, — с дерьмом меня смешивать не стоило. Решила, раз отец миллионер, то тебе все можно, да? Ноги обо всех можешь вытирать, да? А тут — раз, и не вышло! Вот ты и бесишься. Будет тебе урок, как себя вести. Ты меня еще умолять станешь. А пожалуешься — шприц ты видела. Да, лапочка?

Аллочку затрясло.

— Садись в машину, истеричка, — приказал Леша и взял ее за пальто, — машина открыта, не вздумай фокусы выкидывать, на газ давить и так далее. Не стану я тебя бить, я тебя только трахну пару раз, для науки, и можешь проваливать! А то решила, что ей все можно!..

И тут он потянул ее за пальто.

Аллочка вдруг пришла в себя и стала вырывать пальто, а Леша Балабанов, корреспондент политического еженедельника «Старая площадь», толкнул ее вперед, к машине, и она нелепо взмахнула портфелем и стала пятиться, только чтоб он не смог затолкать ее в машину, и внутри у нее все тряслось от страха, который превратил в студень все ее внутренности.

В мерзкий дрожащий липкий студень.

— Что здесь происходит? Леша, в чем дело?

Леша моргнул, и это движение век превратило его в другого человека. Исчезло маньячье бешенство. Прыгающие глаза стали на место. Рот перестал косить.

— Ничего, Григорий Алексеевич. Просто мы днем поссорились немножко и теперь продолжаем.

И тон был соответствующий — тон хорошего парня, который не понимает, на что обиделась любимая.

Батурин вздохнул так, что колыхнулась куртка. Примитивная кожаная куртка, каких тысячи в Москве, и Аллочке показалось, что он сейчас уйдет.

— Нет!

Батурин посмотрел на нее с удивлением. И Леша Балабанов посмотрел с искренним удивлением. Аллочка схватилась за кожаную куртку.

— Григорий Алексеевич!..

— Езжай, — сказал Леша нежно, — только не гони, хорошо?

Батурин переступил с ноги на ногу, двинул палкой, но не ушел.

Аллочка отпустила куртку, стремглав обежала машину, швырнула портфель и прыгнула за руль.

— До свидания, — попрощался Леша. Батурин молчал.

Аллочка повернула ключ, нажала на газ, сдала назад, так что чуть не сбила ненавистного Лешу, и вылетела со стоянки.

— Ужасно гоняет, — добрым голосом сказал Леша Батурину и опять отпил из своей бутылки. — Я пойду, Григорий Алексеевич?

Батурин промолчал.

Он был взрослый, умный, в общем, тертый калач. Сцена, которую он наблюдал, никак не укладывалась в предлагаемую ему схему — ссору двух влюбленных голубков. Он мог дать на отсечение голову — или вторую ногу, — что она была до смерти напугана, эта темноволосая длинноногая девушка в очках. И Леша как-то слишком уж усердно навязывал ему эту схему.

Что-то здесь не то, решил Батурин. Надо понаблюдать.

Его машина была припаркована за углом, и он медленно пошел к ней, и уже скрылся, когда Леша швырнул ему вслед пустую бутылку.

Бутылка ударилась об асфальт и брызнула стеклянными осколками.

Кира открыла дверь, совершенно уверенная, что вернулся Сергей, завершивший свои сыщицкие изыскания, и страшно удивилась, увидев на пороге Верочку.

— Кира! — воскликнула Верочка. Лицо у нее наполнилось влажным сочувствием, как будто политое из лейки. — Прошу прощения, что так поздно, но я не могла!

— Мам, кто там? — закричал из кухни проснувшийся Тим.

— Это ко мне! — крикнула в ответ Кира.

— Кира, я только на пять минут. Мне очень нужно показать тебе... ну, показать то, что я сегодня написала. На работе я никак не могла подойти. У тебя все время милиция была и еще кто-то...

— Здрасти, — сказал Тим своим самым басистым басом.

— Здравствуй, — улыбнулась Верочка.

— Мам, а папа где?

— Он пошел поговорить с соседкой. Сейчас придет. Вера, проходи, пожалуйста.

— А чай вы без меня попили?

— Мы пили кофе.

— А чай?

— Сейчас папа придет, и будем пить чай.

— То-очно?

— Тим. Не приставай. Вера, может быть, сделать тебе чаю?

— Нет, нет! Мне нужно домой. Я зашла, чтобы показать тебе статью, а то вдруг придется переделывать, а утром мне уже сдавать.

Это было любопытно. Несколько раз Верочка заезжала к Кире, и никакого «папы» не было и в помине. Откуда он мог взяться теперь? Старый муж вернулся? Или нового завела?

— Проходи, — предложила Кира и потерла затылок. Внутри затылка было тяжело и холодно. Да еще Верочка!.. Принесло ее на ночь глядя, как будто Кире мало было всего, что случилось сегодня. Да еще Сергей ушел к соседям, ничего лучше придумать не мог, конечно! Как теперь она, Кира, станет жить в этом доме?! Ходить по лестнице, здороваться с соседями у подъезда, отвечать на вопросы про погоду и про здоровье, если он уже всем дал понять, что *Костика убили из-за нее*!

— Давай. Что у тебя?

Верочка подала три листочка и села, не поднимая глаз. Она была убеждена, что Кире нравится, когда подчиненные принимают смиренный, «монашеский», вид.

Кира стала читать, и читала очень внимательно и кое-где даже перечитывала. Ухоженная рука с неброским солидным маникюром перевернула страницу. Длинная лохматая челка вывалилась из-за уха, и Кира нетерпеливо заправила ее, звякнули браслеты.

О-ох, по-бабьи вздохнула Верочка, грехи наши тяжкие!.. Почему у нее, у этой самой Киры, так естественно и просто получается быть такой, какая она есть?

Одиннадцатый час, подчиненная ни с того ни с сего нагрянула, сегодня милиция целый день ее полоскала, а потом они с Хромым еще к Костенькиным родным ездили, а вид у нее такой, как будто она с утра до вечера просидела в салоне «Жак Дессанж» или, на худой конец, «Элизабет Арден»! Вот почему ни у кого не получается, а у нее получается, откуда он берется, этот неподражаемый лоск, как его добыть тем, кто не получил от рождения?!

Верочка незаметно вытерла о юбку вспотевшие от неожиданного всплеска ненависти к Кире ладошки и огляделась.

Она приходила сюда несколько раз и каждый раз жадно осматривалась, изо всех сил стараясь запомнить, «взять на вооружение», оценить, перенять.

Квартира была не слишком огромной, но все же довольно большой, и в ней чувствовался все тот же класс, который присущ и самой Кире. Ни рюшечек, ни пуфиков, ни покрывальцев, ни флакончиков, ни шкатулок с розовощекими красотками.

Геометрические линии, контрастные цвета. Мебели мало, но та, что есть, — удобная, дорогая, подобранная в тон. Гигантский плоский телевизор на металлических опорах. Стеллаж с книгами — куда ей такая прорва книг?! Растение в светлой кадушке, стойка, а за стойкой...

— Ничего, — сказала Кира сдержанно, — мне не очень нравится, потому что я в принципе не люблю этот... душераздирающий тон. Но для такого материала он как раз уместен. Только убери, что ты училась у него чувству юмора. Оно либо есть, либо нет, научиться ему невозможно. Кстати, у Костика его не было.

Верочка обиделась. Обида была легонькой, но ощутимой, как укус комара. Эта лошадиная морда, банкирская дочь, Аллочка Зубова — интересно, управился с ней Лешик, или она все ломается?! — сказала то же самое. Нельзя, мол, научиться чувству юмора, и все такое. Выходит, правильно сказала?!

— И еще вот здесь. — Кира рассеянно заправила за ухо свою суперчелку. — Вот этот абзац. Я бы его выкинула.

— Хорошо, — с готовностью согласилась Верочка, — конечно.

— Добрый вечер, — произнес низкий насмешливый голос, — идешь на рекорд? Самый длинный рабочий день в истории журнала «Старая площадь»? Многостаночница Кира Ятт?

— Это мой муж, — не поднимая головы от Верочкиного материала, с досадой представила Кира, — Сергей Литвинов. Сереж, это Верочка Лещенко, из редакции. Она привезла мне материал.

— Я вижу, — согласился Сергей Литвинов.

— Здравствуйте, — выпалила Верочка и улыбнулась ослепительно, но не вызывающе.

— Здравствуйте.

И что Кира в нем нашла?

Высоченный, худой, длинноносый, сутулый. Темные волосы и быстрые, внимательные, как будто птичьи, глаза. Ну, очки, джинсы, свитер — все очень дорогое и стильное и как-то примиряющее с общей невыразительностью облика.

Нет, Верочка не понимала, как можно выбирать таких мужчин. Вот Костенька — да, это был мужчина. От одного взгляда на него — глаза веселые, зубы белые, загар альпийский, волосы пшеничные — хотелось мурлыкать и сладко тереться об ногу.

А это что?! Разве это подходящий муж для такой красотки, как Кира?! Впрочем, ее посадят в тюрьму, и муж ей больше не понадобится. Интересно, если ее посадят, он сразу с ней разведется или будет благородство изображать? С разгону, возможно, и поизображает немножко, но разве мужики бывают верными?!

— Сереж, не мешай мне. Мы уже заканчиваем. Тим там что-то завывал про чай.

— Пап, ты пришел?!

— Пришел!

— Чай будем пить?!

— Сереж, — повторила Кира, морщась.

Верочка наблюдала и ждала.

— Мы с вами раньше не встречались, — сказал ей Сергей Литвинов. — Вы были у нас на даче, да?

Верочка удивилась, но виду не подала. Если муж могущественной начальницы — все-таки откуда он у нее взялся, раньше ведь точно не было?! — изволит вести с ней беседу, значит, она должна беседу поддерживать.

— Я, кажется... Кажется, да, была. Я привозила Кире Михайловне статью. А вы тоже там были?

— Был, — согласился Сергей, — но в другой раз.

— Кира Михайловна плохо себя чувствовала, мы все материалы к ней на дачу возили, а она статью писала про детективы, — затараторила Верочка. — Даже Леонид Борисович, а он у нас вообще никуда никогда не выезжает, целыми днями в редакции сидит, и то поехал! Потому что без Киры Михайловны...

Вдалеке вдруг что-то упало с таким грохотом, что с Кириных колен разлетелись белые листочки.

— Что там еще такое, господи!..

Она проворно выбралась из-за низкого столика, Верочка подобрала ноги, чтобы Кира не наступила.

— Мам, что такое?!

— Не знаю. — Кира выскочила в коридор, и ее муж следом, Верочка проводила их глазами.

Ничего особенного не случилось. С вешалки обрушился Верочкин пакет с бумагами и какой-то едой. Верочка сунула его на самый верх, очевидно, не сообразив пристроить пониже.

— Вера, — позвала Кира, обнаружив вывалившиеся на пол внутренности пакета, — у тебя тут катастрофа!

— Ах, боже мой! — воскликнула Верочка, выскочив в коридор, кинулась на пол и стала проворно втискивать содержимое пакета обратно. — Извините меня! Извините меня, пожалуйста!

— Ничего, — сдержанно сказала Кира.

Когда пакет был собран, Верочка взглянула на хозяйку, которая стояла посреди коридора, и поняла, что аудиенция окончена. Она быстренько оделась, кстати, муж пальцем не шевельнул, чтобы подать ей пальто, и попрощалась.

— Как она воняет! — высказался из кухни Тим, едва за посетительницей закрылась дверь. — Меня тошнит.

— Она не воняет, а просто сильно душится, — поправила Кира. — Ничего тебя не тошнит!

— Она не душится, а воняет!

— Тим, так говорить нельзя.

— Ну, конечно, воняет, — откуда-то подтвердил Сергей, — открой окно, Кира. Тим, ты тоже открой. У вас что, принято навещать по ночам начальство?

— У нас не принято, но она очень ответственная девочка.

— Ответственная, а воняет!

— Тим!

— Папа тоже сказал, что воняет!

— Ну конечно! Раз папа сказал, то воняет. Как это я сразу не сообразила?

— Ты несообразительная, — сообщил Сергей, появляясь на пороге. Кира посмотрела на него.

За что ей такое наказание? Мало того, что он обошел всех соседей, никого не забыл и перед всеми поставил ее в ужасное положение, еще и Верочку принесло, как раз когда бывший муж решил опять проживать в ее квартире! Кира вполне могла себе представить, что именно, кроме убийства бедолаги Костика, будет занимать завтра Магду Израилевну, Катю Зайцеву, Гришу Батурина и всю остальную компанию.

Ее личная жизнь, вот что.

— Федот Шубин и его няня по имени Вася вчера вечером видели, что на третьем этаже Лена Пухова разговаривала с Костиком, — невыразительно произнес Сергей. — При этом она плакала и от Васи с Федотом отвернулась.

Кира уронила на пол пачку сигарет. Сигареты рассыпались и закатились под стол и диван.

— Лена Пухова сказала мне, что весь вечер спала и никого не видела вообще, кроме нашей Валентины, которая выскочила из подъезда и дунула в сторону метро. Когда она мне все это излагала, она опять плакала. Вася с Федотом, когда строили в песочнице башню, тоже видели Валентину. Все.

— Что — все?

— Все, значит, все. Больше я ничего не узнал.

Кира взялась за щеки, позабыв, что собиралась курить.

— Сереж, этого не может быть... К тому времени, когда убили Костика, Валентина давно ушла.

— Вот именно.

— Что?

Сергей опустился на пол и пополз вокруг стола. Сигареты он собирал в кулак.

— Сергей!

Он лежал животом на ковре и шарил рукой под диваном. Ноги в меховых немецких тапках неожиданно оказались перед самым его носом.

— Пап, — спросил Тим осторожно, — ты что, считаешь, что это Валентина его... замочила?

Сергей выбрался из-под дивана и ссыпал сигареты на стол. Они сыпались с приятным, глухим, очень тихим звуком.

— Я не знаю, — честно ответил он, — понятия не имею.

— Сережка! — Кира тоже подошла и зачем-то пнула его в бок босой ногой. Он поднял голову. — Этого не может быть. Валентина ушла, когда я приехала! Это точно было... до того, как приехал Костик. Лена Пухова не могла ее видеть! И Федот не мог.

— Тем не менее видели. Лена в окно, а няня с Федотом на улице.

— А... Лена? Почему она разговаривала с Костиком?

— Не знаю, Кира. Мне она сказала, что ни с кем не разговаривала, все время лежала, и Данила приехал только к одиннадцати часам. На самом деле Данила был дома после восьми, а до этого его супруга разговаривала на лестнице с Костиком. Костика через несколько минут после разговора убили. Из подъезда никто не выходил, кроме нашей Валентины. Ну, как тебе картина маслом?

— Наша Валентина?! — переспросил Тим с восхищением и ужасом. — Она... его убила?!

— Тим, замолчи!

— Тим, не ерунди!

Родители посмотрели друг на друга. Вид у матери был растерянный, у отца сердитый. Он всегда сердился, когда чего-нибудь не понимал или волновался. Раньше Тим не знал, что он сердится оттого, что волнуется, и понял только, когда повзрослел.

Он чувствовал себя очень взрослым и необыкновенно умным и вообще ответственным за жизнь семьи. В конце концов, именно он придумал хитрый и тонкий план!

— Сереж, что нам делать?

— Ничего не делать.

— Сереж, как же ничего! Мне кажется....

— Когда кажется, креститься нужно.

Грубит тоже оттого, что волнуется, понял Тим. Ничего, сейчас мы его успокоим.

— Пап, хочешь чаю?

— Я останусь здесь, — не глядя на Киру, заявил Сергей, — на диване. Мне нужно утром поговорить с ней.

Почему-то Кира даже не думала, что на ночь он куда-то уйдет. Конечно, он останется, как же иначе! Упоминание о диване ее рассердило, зато Тим возликовал.

Физиономия осветилась, хохол как будто воспрял, на щеках невесть откуда взялись умильные хомячьи ямочки. Однако ликовал он про себя, словно боялся сглазить или верил не до конца.

— Пап, — спросил он солидно, — а утром ты меня отвезешь?

— Отвезу, — пообещал Сергей.

— А дача? — сама у себя растерянно спросила Кира. — А бумаги? Кто там рылся?! Кто Костику в портфель подложил кусок моей статьи? Лена Пухова?! Или Валентина?! А Мася на кого лаяла?!

— Я ничего не знаю, — почти по слогам выговорил Сергей, снял очки и швырнул их на стол, рядом с рассыпанными сигаретами.

— Ты же с утра был в линзах, — удивилась Кира, посмотрев на очки.

Два стекла и дужки, «Хьюго Босс».

Кажется, ее муж всегда говорил, что очки нужно покупать в аптеке за пятьдесят рублей. В крайнем случае за шестьдесят. Лицемер проклятый.

И спать он собирается на диване! Потому что благородный и ответственный, черт бы его побрал!..

— Линзы я вынул, — сообщил он, — я не могу их носить по четырнадцать часов.

Зазвонил телефон, и Кира ушла с трубкой в кухню. Просто так ушла, из вредности.

Звонил Сергуня.

— Кирха, привет, — произнес он бодро, но несколько озабоченно, — что там у тебя?

— В каком смысле?

Кира потрогала чайник — огненный, — открыла дверцу и выставила на стол три кружки. Для Тима, для Сергея и для себя. Все правильно.

— Что со вчерашним недоразумением? Все разрешилось?

— С каким... недоразумением? — спросила Кира рассеянно.

— Ну, с этим нелепым убийством и с подозрениями? Все разрешилось?

— Да что разрешилось-то? — не поняла Кира. — О чем ты спрашиваешь, Сергунь? Убийцу не нашли, у нас на работе целый день милиция, номер весь переверстали, считай, заново переделали, я еле жива!

— А телефон? — выдохнул Сергуня.

— Что телефон?

— Твой телефон не прослушивается?

Кира насторожилась. Вопрос был глуп, как из сериала.

— Думаю, что нет. А почему ты спрашиваешь?

— Кирха, дорогая моя, я не хочу, чтобы наши с тобой отношения стали достоянием гласности!

— Чего?.. Достоянием... чего?

— Гласности, — повторил Сергуня настойчиво, — послушай меня.

Кира прижала трубку плечом и поставила на стол сахарницу и плетёнку с сушками. На дне банки осталась ложка какого-то засохшего джема. Кира отвинтила крышку и понюхала. Похоже на клубничный. Может, Тим доест? Или ее муж, которому все равно что есть, лишь бы было сладко?

— Кирха, я надеюсь, что никто из твоих сотрудников не в курсе наших отношений?

— При чем тут сотрудники?

— Неприятности, которые приносят чужие глаза и уши, могут быть огромными! Ты отдаешь себе в этом отчет?

— Чужие глаза и уши ничего не приносят, — сказала Кира, — приносят руки.

За дверью затопали, и в кухню ввалилась ее семья. У семьи были нарочито незаинтересованные лица.

Кира протиснулась мимо них и вернулась в комнату. Разговаривать с Сергуней в присутствии Сергея и Тима ей было неловко, тем более что они ввалились с явным намерением послушать.

— Сергунь, я не понимаю, чего ты от меня хочешь?

— Правда не понимаешь? — упавшим голосом переспросил Сергуня.

Конечно, она понимала. Все она понимала, но ей не хотелось ему помогать.

— Кирха, — начал он после некоторой паузы, — ты потрясающая женщина. У тебя внешность, ум, характер.

— Квартира и машина, — подсказала Кира.

— Конечно, — согласился Сергуня, которого непросто было сбить с толку, недаром он сделал карьеру в американской компании! — Обстоятельства сложились так, что я оказался... в щекотливом положении. Сегодня мне на работу — *на работу!* — звонил вчерашний милиционер, задавал вопросы, и я был вынужден на них отвечать, хотя вокруг сновали люди и шел рабочий день! Бен даже спрашивал меня потом...

— Кто такой Бен?

— Мой шеф.

— А-а.

— Так вот, он спрашивал, о чем и с кем я так долго

разговаривал, а я не могу себе позволить быть вовлеченным в такую нелепейшую историю!

— Ты имеешь в виду убийство? — сладко поинтересовалась Кира. Сергуня в телефонной трубке занервничал — он даже слышать это слово не желал. Несмотря на то, что в данный момент Бен отсутствовал и некому было спрашивать его, с кем и о чем он разговаривает.

— Кира, милая Кира, я хотел тебе сказать, что на время, пока все не закончится, нам лучше всего расстаться.

Кира молчала и слушала. На кухне разговаривали — преувеличенно громко. Кира подозревала, что это такой камуфляж, для того, чтобы ловчее подслушивать.

— Ты не представляешь себе, как тяжело и больно мне говорить такие слова, но я... не готов отвечать на вопросы, связанные с тобой и этим убитым. Ты понимаешь?

— Понимаю.

— Конечно, — понизив голос до интимного, добавил Сергуня, — это всего лишь на время. На то короткое время, что будет продолжаться вся эта кутерьма...

— Между прочим, — перебила Кира, — кутерьма может закончиться тем, что меня посадят в тюрьму. Так сказать, тюрьма и кутерьма.

— Это невозможно, — твердо заявил Сергуня, — но я хотел тебя просить, именно на этот короткий срок... не звонить мне и не пытаться связаться со мной, а также не ссылаться на меня в разговорах... с милицией. Ты же знаешь, что я ничего не видел и не слышал. Я правда ничего не видел и не слышал!

— То есть подтверждать мое алиби ты не станешь, — уточнила Кира, — даже если понадобится?

— Кирха! — взмолился Сергуня. Ему казалось, что он так понятно, толково и хорошо все объясняет, а тут она влезла со своими уточнениями, и он моментально почувствовал себя негодяем! Зачем ей непременно нужно, чтобы он чувствовал себя негодяем?!

Разговор был трудным, и он весь день планировал,

как лучше всего его провести, и даже набросал на бумажке планчик, и теперь осталось только договорить до конца и можно считать себя свободным.

Нет, ну в самом деле, не попадать же в неприятную историю только из-за того, что любовница как-то не слишком хорошо обошлась со своим то ли предыдущим любовником, то ли начальником, то ли приятелем!

— Я надеюсь, что ты поймешь меня правильно, Кирха. Я сам свяжусь с тобой на... будущей неделе. Я совершенно уверен, что к этому времени все твои неприятности разрешатся. — Голосом он уверенно подчеркнул, что неприятности именно ее, а не чьи-то еще. — И... мы договорились, да? Ты не станешь на меня ссылаться, чтобы не ставить в ложное положение перед милицией.

Кире вдруг очень надоел настойчивый Сергунин голос в трубке, и его гладкие, заранее подготовленные фразы, и его тупой ужас «перед милицией».

Ее муж примчался по первому звонку, и сегодня не пошел на работу, и поехал в Малаховку, исключительно для того, чтобы опередить милицию, которая, не найдя других отпечатков, могла решить, что записка в портфеле у Костика — дело рук самой Киры!

Впрочем, она всегда знала — что бы ни случилось, муж на ее стороне. Из-за майки, брошенной мимо корзины для белья, они могли ругаться взахлеб, но, когда доходило до чего-то более серьезного, чем майка, — а за пятнадцать лет до чего только не доходило! — получалось так, что он — за спиной, как дальнобойная зенитная батарея, и прикрытие ей обеспечено.

— Сергунь, — сказала Кира, и он замолчал на полуслове, — я все поняла, не волнуйся. С милицией ничем помочь не могу, ты же был у меня, и тебя все видели! Надо было тебе тогда в окно выпрыгнуть, раз уж ты приехал!

— Зря я приехал! — вырвалось у него.

— Ну, конечно. Только теперь поздно, они тебя уже... засекли. Пока. Передавай большой привет Бену.

— Спасибо, — автоматически поблагодарил вежливый Сергуня.

— Пожалуйста.

— Но это не разрыв! — торопливо добавил Сергуня. Кира ему нравилась, с ней было удобно, легко и на людях показаться можно!..

— Это не разрыв, — согласилась Кира, — какой еще разрыв! Разрыв бывает, когда есть отношения, а у нас с тобой ни отношений, ни разрыва. Пока, Сергунь. Спасибо.

— За что?

— Ты развлек меня, когда я совсем... затосковала, — жестко сказала Кира. Сергуня ей и вправду надоел. — Теперь мне тосковать некогда, меня в тюрьму вот-вот посадят, и вообще куча всяких дел.

— Кира! Я совсем не то имел в виду, когда...

Она оторвала от уха трубку, в которой разорялся Сергуня, посмотрела на нее и нажала «отбой».

Сергей начал засыпать, когда рядом с ним неожиданно произошло что-то такое, от чего он проснулся. Он открыл глаза и уставился в потолок, сонно недоумевая, почему спит в гостиной, на неудобном складчатом диване с пимпочками посреди каждой подушки. Пимпочки впивались в спину и в бока, и вообще впечатление было такое, что он по ошибке улегся в кучу мелких пластмассовых шариков.

Спать на кровати в спальне гораздо удобнее, но раз он не там, значит, что-то произошло.

Командировка? Приехал под утро? Решил не будить Киру? Или похмелье, и она его, пьяного, выставила в гостиную?

— Сереж, — прошептала рядом Кира, — подвинься. Да подвинься ты, ради бога!..

Он неуклюже подвинулся.

— Сереж, это не может быть Валентина, — жарко зашептала она рядом, — ты что? С ума сошел? Она у нас работает десять лет, еще когда на Фрунзе жили!.. Если Лена Пухова разговаривала с Костиком, значит, что-то такое связано с этим, правда? Я даже не знала, что она с ним знакома, а ты? Когда они уехали, лет семь назад? Костик к нам тогда уже приходил, но мы никогда их не знакомили!.. Сереж, ты что? Спишь?!

Он ничего не понимал и ничего не чувствовал, кроме ее дыхания, которое скользило по его шее.

— Сережка!

— М-м?

— Ты спишь?!

— Сплю.

— Сереж, послушай меня!

— М-м?

И тут она изо всей силы пнула его локтем в ребра. Он охнул и открыл глаза и быстро скомандовал им больше не закрываться.

Черт побери, до чего неудобно на этом диване!.. У него на позвоночнике уже как пить дать три синяка.

Однажды Кира обнаружила синяк у него на шее. Он брился, а бритва называлась «Агидель». Тесть подарил на Двадцать третье февраля. Выбросить вполне пригодную, а главное, действующую, а главное, подаренную тестем вещь он не мог, а потому честно ею брился, пока она не пропала неизвестно куда. Сергей подозревал, что Кира ее все-таки выбросила, хоть она и была «пригодной и действующей». Бритва «Агидель» не столько брила щетину, сколько кусала кожу, ну и получился на шее синяк, ну и что? Кира пришла в ярость. Она раздувала ноздри и шипела, чтобы он проваливал туда, где ему оставляют синяки на шее, а он хохотал, потому что она никогда его не ревновала, и он даже не подозревал, что ее ревность доставит ему столько первобытного мужского счастья. Не принимая его веселья, она отдергивала руку, выворачивалась, щурила глаза и пылала яростью. Он долго ее уговаривал и даже демонстрировал «Агидель» и ее необычайно широкие возможности, и опять хохотал, и опять уговаривал, а потом рассердился.

Что она выдумала, его жена?! Разве он мог изменить ей? Никто и никогда не был ему нужен, только она, и он уверен, что она это знает, как он знал про нее.

Изменяют, когда устают, надоедают, не подходят, когда два разных человека понимают бессмысленность их замкнутости друг на друге, но ведь Сергей с Кирой не были «двумя разными людьми»! Подозревать его в измене казалось так же глупо, как думать, что протез может быть лучше — удобнее, красивее! — чем собственная рука или нога. Как будто можно по собственной воле поменять живую руку на металлическую!

Тогда она и выселила его на диван, чего раньше не делала никогда в жизни. От ревности выселила, подумал он с сонной гордостью.

— Сережка!..

— Ну что ты выдумываешь?.. — Вытаращенные глаза стали сами собой закрываться. — Я же тебе говорил, что у меня такая бритва!.. Ты вечно выдумываешь, а потом...

— Какая бритва?! — в изумлении спросила рядом Кира, приподнялась на локте — локоть моментально провалился в пухлую обивку — и схватила его за ухо. Он опять вытаращил глаза. — Я тебе говорю — не может быть! Валентина не могла выстрелить в Костика, потому что она к тому времени давно ушла. Не знаю, кого там видели Федот с Василисой!

Ни при чем бритва «Агидель», понял Сергей. Мы давно развелись. Я сплю на диване, потому что спать с Кирой мне больше нельзя. Я не муж, я чужой человек, никто.

Да! Костика вчера убили.

— Тебе нужно выяснить, какое отношение Лена Пухова имеет к Костику! Я даже представить себе не могу, какое! Она кто? Ты не помнишь?

— Фотомодель, что ли, — пробормотал Сергей, тщательно отодвигаясь от теплого бока. Отодвигаться было трудно.

— Ну да. Или «Мисс Москва»?

— Шут ее знает.

— Где Костик мог с ней познакомиться?

Диван от его усилий как будто икнул и подло толкнул Сергея прямо на Киру. Он перекатился на край и сел.

— Черт знает что, а не диван, — пробормотал он и потер щеки, — кто его купил?

— Твои родители, — пропела Кира вечным как мир, сладким голосом, каким невестки говорят о свекровиных подарках, — когда мы ремонт сделали. Ты что, не помнишь? Они все приставали, какой мы хотим подарок, а мы все говорили, что ничего нам не надо, и тогда они купили этот диван. Он был самый дорогой в мебельном на Ленинском.

— Точно. А твои родители нам подарили кошку.

— А Тим начал чесаться и чихать.

— И ты отвезла ее обратно.

— А мама сказала, что она всю жизнь мечтала, чтобы у нее была черная кошка с желтыми глазами!

— А помнишь, как она у них обои ободрала, а мы потом не могли купить?

— А как в Малаховке бульдог ее на сосну загнал, и ты три лестницы связывал и лез, а она там орала?

— Да, — сказал Сергей, — помню.

Они помолчали.

— Вряд ли она мне расскажет, — начал Сергей задумчиво, — и Данила не расскажет. Особенно если это он убил.

— Он?! Зачем ему убивать?!

— А Валентине зачем?

— Не знаю, — с отчаянием выговорила Кира. — Я не знаю!

— Я думаю, что Костик поднимался к тебе, — Сергей мельком глянул на Киру, — когда из своей двери на третьем этаже вышла Лена. Конечно, они были когда-то знакомы, и Вася с Федотом ничего не выдумывают. О чем они разговаривали — неизвестно, они замолчали, когда мимо проходила нянька с ребенком. Что происходит дальше, непонятно. Если Данила застает их на лестничной клетке и слышит, что он угрожает его жене или...

— Костик?! — перебила Кира. — Костик угрожает?! Сереж, ты о чем?

— ...Или пристает к ней, что ли, — продолжал Сергей невозмутимо, — он вполне мог выстрелить. Он... боевой мужик. Решительный.

— Он темпераментный, — буркнула Кира, — и еще он очень ее любит, Ленку.

— Но если он в него стреляет, значит, в кармане у него был пистолет. — Сергей закинул руки за голову и пристроил спину к подушке. Подушка обволокла его со всех сторон, спина провалилась. Не стоило покупать в мебельном на Ленинском самый дорогой диван. — То есть, значит, он всегда носит в кармане заряженный пистолет. Правильно я понимаю?

Кира пожала плечами:

— Наверное, правильно.

Сергей покосился на нее:

— Кир, сейчас не девяносто первый год, а Данила не подвизается в солнцевской преступной группировке! Насколько я понял из рассказов темпераментной Марьи Семеновны, у него машина с водителем. Водитель на случай разных непредвиденных обстоятельств, вроде фанов, бандитов, вымогателей каких-нибудь. Пистолет должен быть у водителя, а не у него!

— Это ничего не значит!

— Значит.

— Ну хорошо, но...

— Если его застрелил Данила, он должен был лежать на третьем этаже. А он лежал между четвертым и пятым. И менты ни слова не сказали, что его принесли с третьего и положили на площадке. По-моему, они даже гильзу нашли, а это означает, что его убили именно там, где нашли. И Федот с нянькой, когда возвращались из песочницы, должны были наткнуться на труп, им же на четвертый! И Данилу они не видели, ни когда туда шли, ни когда обратно!

— А Валентину видели?

— Они видели, как она вышла. Нянька мне сказала, что она выскочила и понеслась к метро. Вот черт побери!.. И я не понимаю, на кого лаяла собака! На кого она могла лаять, если в подъезде были только свои?!

— Но... Валентина!.. Она у нас работает...

— Да, да, — перебил Сергей, — с тех пор, когда еще мы жили на Фрунзе! Я знаю.

Кира наклонилась вперед и уткнулась лицом в колени.

— Господи, она же... член семьи, а ты ее... ты говоришь, что она могла... Да она Костика знать не знала!

— Зато она была на даче, когда ты писала там свою статью. И вышла из подъезда через час после того, как попрощалась с тобой. Где она была? Что делала этот час? Что вообще все это может означать?! Ты понимаешь?

— Я понимаю только, что Валентина не могла убить Костика, — проскулила Кира. Всегда сдержанная и рассудительная Кира Ятт, его бывшая жена. — Валентина наш... друг. Наш и Тимин. Мама вязала ей пояс от радикулита. Тетя Лиля доставала препараты от аллергии. Катька сто раз ей Дарью подкидывала, и она никогда не отказывалась, а ты... ты смеешь...

Катей звали сестру Сергея, а Дарьей племянницу трех с половиной лет от роду.

— Кира, я ни черта не могу разобраться!

— Тогда лучше не разбирайся! — закричала она. — Не смей говорить про мою семью, что она... что Валентина...

— Кира, — заявил Сергей, и в затылке у него вдруг стало холодно, как будто он собирался прыгать с трамплина и не видел — куда. — Кира, это *и моя семья тоже*. Понимаешь?

Это был совсем другой разговор, и Сергей понимал, что затевать его сейчас бессмысленно и неправильно. Кира стала всхлипывать и соваться лицом в сложенные ковшиком ладони, потом поднялась и, теряя тапки, побрела в сторону кухни. Вскоре оттуда потянуло сквозняком и сигаретным дымом.

Сергей еще посидел, не зная, что делать, а потом упал спиной в неудобный провалюху-диван, купленный на Ленинском за бешеные деньги.

Утром никто еще не успел продрать глаз, когда явилась Валентина. Сергей не слышал, как она вошла, и проснулся от того, что совсем близко кто-то отчетливо взвизгнул.

Он как-то моментально понял, в чем дело, и произнес, не открывая глаз:

— Доброе утро, Валентина. Я вас напугал?

Она коротко дышала и, кажется, не находила в себе сил, чтобы ответить.

— Вы должны сказать — боже, как вы меня напугали, — продолжил Сергей поучительно. — Ну? Что же вы?

— Боже, — послушно повторила Валентина прерывающимся от чувств голосом, и Сергей засмеялся, — как вы меня...

— Вот и отлично, — сказал Сергей и кое-как выполз из диванных глубин. Тело ломило и тянуло, как будто его всю ночь намазывали на бутерброд, — признайтесь, вы не убивали Кириного начальника?

— Ик, — отчетливо произнесла тонкая и возвышенная Валентина и опустилась в ближайшее кресло.

Сергей посмотрел на нее. Кажется, на этот раз он озадачил ее по-настоящему. Лиловые веки хлопали, как крылья совы, лиловые губы разошлись, так что виден был блестевший между ними золотой зуб, и даже берет — «бэрэт», произносила Валентина, — выражал целое море чувств.

Нет, не море. Океан.

Нет, не океан. Вселенную. Вселенную чувств выражал Валентинин «бэрэт».

Сергей скрутил плед, которым накрывался, в бесформенный ком и затолкал в ящик под диваном. Кира ненавидела, когда он так «складывал» вещи, а он только так и складывал.

— Ну, что скажете?

— Я надеюсь... вы шутите, Сергей Константинович? — пробормотала бедная Валентина. — Это ведь... шутка?

Сергей сам не знал, шутка это или нет. И по Валентининому лицу определить ничего не удалось.

— Получается так, что больше некому, — заявил он, задумчиво рассматривая собственную физиономию в стекле книжной полки. Валентинина физиономия в нем тоже отражалась, и ему вдруг стало смешно, что нынче он такой заправский сыщик.

— Почему... некому? — спросила Валентина. — А разве кошмарный преступник...

— Да что-то не выходит у меня ничего с кошмарным преступником!

— А разве...

Да, подумал Сергей, дело плохо. И еще хуже то, что он отлично понимал Киру, которая кричала ночью что-то вроде «руки прочь от моей семьи». От Валентины с ее лиловыми глазами, «бэрэтом», золотым зубом, плюшками, которые она вечно пекла Тиму «в утешение», любовью к чудовищным дамским романам и первым весенним цветочкам, с ее высокопарной речью и готовностью мчаться помогать по первому зову, со смешными ужимками старой девы и неистовой преданностью семье!..

Семье Сергея и Киры.

— Во сколько вы ушли отсюда позавчера?

— Я же говорила, — пробормотала Валентина и сорвала с головы «бэрэт», — как только Кира...

— Во сколько это было?

— Я же говорила. После семи, по-моему...

— И сразу ушли домой.

— Сразу, да, — подтвердила Валентина. Сергей подумал, что она сейчас заплачет, и стиснул зубы. — Я пошла потихоньку по лесенке, потому что лифт не работал, а у меня...

— Радикулит, — перебил он, — я знаю. Валентина, это очень важно. Кого вы видели на лестнице или возле дома?

Глаза у нее налились слезами.

— За что вы меня мучаете? — спросила она Сергея. — Я ни в чем не виновата!

— Кого, Валентина? Вспомните. Вы должны.

— Сереж, вставай! — прокричала откуда-то Кира. — Тим, ты тоже вставай. Сейчас мы все опоздаем.

Ужас перед возможным опозданием был навязчивой идеей его жены. Она никогда и никуда не опаздывала.

Валентина оглянулась в ту сторону, откуда слышался Кирин голос, и на лице ее отобразилась тоска. Больше всего на свете ей хотелось мчаться туда и принимать участие в привычных и безопасных утренних хлопотах, и собирать ребенка в школу, и называть Киру Кирочкой, и декламировать из Бальмонта — как всегда.

— Валентина, кого вы видели?

— Никого, — мучительно выдавила она, — никого. На улице я не обратила внимания, потому что мне... У меня прострел...

— Какой прострел? — не понял Сергей, которому с некоторых пор везде начали мерещиться пистолеты.

Валентина всхлипнула и утерлась платочком, вынутым из рукава. На платочке были вышиты лютики и инициалы.

— Спина. Сергей Константинович, надо ли так меня терзать? Я ведь даже... — Тут она завсхлипывала быстрее. — Я ведь даже не знала бедного мальчика, а он... такой молодой...

— На улице тоже никого не видели?! — рявкнул Сергей, чувствуя себя фашистом из «Семнадцати мгновений», истязающим женщин и детей.

— Нет... Никого. Я... у меня прострел. Я шла медленно, и под ноги только смотрела, все боялась, что упаду.

— Господи, что тут происходит?! — изумилась Кира. — Валентина, почему вы плачете?! Сереж, ты что?

— Ничего.

— Кирочка! — возопила Валентина, потянулась и припала к ее груди. — Кирочка, он меня... допрашивает!

— Сергей!

— Ничего я не допрашиваю, — растерянно оправдывался он, — я пытаюсь выяснить, кто был на улице, когда она вышли из подъезда, только и всего.

Валентина бурно зарыдала.

— Мама! — фальцетом закричал Тим. — Мам, где мои черные штаны?!

— Не плачьте, Валентина, и не обращайте на него внимания, вы же знаете, что он у нас... бесчувственный и не умеет разговаривать с людьми. — Убийственный взгляд в сторону мужа.

— Мам, я не могу найти штаны!

— Тимочка, — провсхлипывала Валентина, — я вчера их постирала, мальчик. Посмотри в гардеробе на вешалке. С правой стороны. Правее куртки.

— Мам, чем это воняет?!

— Должно быть, это убежало молоко, — решила Кира и добавила: — Все из-за тебя, Сергей!

— Нет-нет, — неожиданно запричитала Валентина, — Сергей Константинович ни при чем, это я забыла о своих утренних обязанностях. Простите, простите меня!

Тут она подскочила, поцеловала Киру и тяжелой рысью побежала в сторону кухни.

— Ты ненормальный. Что ты к ней пристал?

— Я нормальный. Мне нужно знать, что здесь произошло. Я могу узнать это только одним способом — заставить всех отвечать на вопросы.

— Ты инквизитор, — в лицо ему выпалила Кира.

— Пап, привет, — сказал Тим. В голосе было удивление, как будто он не ожидал его увидеть.

— Штаны нашлись?

— Ясный перец.

— Нужно самому знать, где твои вещи, а не спрашивать у Валентины.

— Да ладно, мам.

— Не «да ладно», а нужно следить за своим барахлом!

— Я слежу!

— Я вижу, как ты следишь! Валентина постирала твои брюки, а ты знать не знаешь!

— Ясный перец, что не знаю, ведь не я стирал!

— И очень плохо!

— Брейк, — объявил Сергей, — счет по очкам равный. Окончание матча переносится на вечер.

— Мне надоела твоя убогая терминология, — отчеканила Кира и ушла.

Тим и Сергей переглянулись.

— Она чего? Злится, да, пап?

— Она расстроена из-за того, что убили Костика, а мы до сих пор не знаем, кто это сделал.

— Ах да, — вспомнил Тим, — ты говорил, что его Валентина замочила!

Страшный, ужасающий, неправдоподобный грохот грянул из кухни, что ясно свидетельствовало о том, что Валентина все слышала.

— Черт бы вас всех побрал! — завопила откуда-то Кира.

На работу ее повез Сергей.

Замок, вставленный в рулевое колесо ее «Фиата», отсырел и не проворачивался.

— Надо было масла капнуть! — заорал Сергей после нескольких потряхиваний, подергиваний и двух ударов кулаком. Ясный перец, что замок им не открыть.

— Ну и капнул бы! — тоже заорала Кира, позабыв, что они развелись и он не может и не должен капать ей в замок масло.

— Я сейчас опоздаю, — поддал жару Тим из Сергеевой машины, и Кира, подхватив портфель, перебежала в джип.

— Ключи где?!

— Какие ключи?

— От твоей машины!

— Откуда я знаю! Они были у тебя!

— Не было! Ты ее открывала, а не я!

Кира поняла, что вот-вот во всех окнах дома появятся любопытные физиономии. Представление они устроили на славу, играли вдохновенно и с огоньком.

Ключи нашлись в кармане ее куртки, и она швырнула их в окно, Сергей поймал, и запер машину, и включил сигнализацию.

— Вечером капнем масла, — пообещал он, сдавая назад в тесном переулке. Кира зажмурилась.

Ее муж всегда ездил так, что хотелось натянуть на голову одеяло, чтобы не видеть приближающуюся собственную ужасную кончину, которая могла приключиться в любую секунду. Бампер «Тойоты» замер в сантиметре от чьего-то чужого бампера, и Сергей нажал на газ.

В это утро он превзошел самого себя. Тим не опоздал в школу, но, когда Сергей привез Киру на Маросейку, к дверям родной редакции, спина у нее была постыдно мокрой — от страха.

— Не смей так ездить, — сказала Кира, — да еще с ребенком!

— Мы опаздывали, — хмуро заметил он.

— Ну и что?!

— Ты ненавидишь опаздывать.

— Еще больше я ненавижу, когда ты так гоняешь. Это лихачество в Москве...

— Кира, — перебил он, — выясни у своего Лени Шмыгуна, какие именно документы он привозил тебе на дачу. Выяснишь?

— Зачем?

— Ты вообще-то подписываешь финансовые бумаги?

— Вообще-то да. Когда нет Костика или Батурина.

— Костика не было, правильно?

— Правильно.

— А Батурин был, — напомнил Сергей, — ты ему статью по факсу отправляла, он в Малаховку приезжал и возле калитки стоял. Правильно?

Кира смотрела на него.

— Почему Шмыгун повез бумаги тебе в Малаховку, а не дал подписать Батурину в Москве?

Мобильный телефон затрезвонил, как водится, в самый неподходящий момент.

— Да, — сказала Кира, с трудом сообразив, что нужно нажать, чтобы ответить, — да, привет. Нет, мы у подъезда. Что-о?

Сергей быстро взглянул на нее и выключил приемник, в котором развлекались оживленные сверх всякой меры утренние ведущие «Русского радио».

Продолжая слушать, она вырвалась из ремня, распахнула дверь, чуть не вывалилась наружу и потянула за собой портфель.

— Кира!

— Через сорок секунд. А милиция?

— Какая милиция, Кира?

— Мне надо бежать, — с отчаянием проговорила она, — там что-то случилось.

Аллочка Зубова приехала на работу раньше всех и довольно долго пряталась в «Макдоналдсе» на той стороне Маросейки. Просто так сидеть неприлично, и она тянула гнусный кофе из пластмассового стаканчика — только американцы могли догадаться наливать кофе в пластмассовые стаканчики! — а потом минеральную воду, потому что кофе, вставший поперек горла, надо было чем-то запить.

Всю ночь она думала, что ей делать с маньяком Лешей Балабановым, да так и не надумала. Проще всего и, наверное, лучше было бы рассказать все отцу, но Аллочкина гордость и Аллочкина самостоятельность встали насмерть — рассказывать нельзя.

В конце концов, она так и не поняла — то ли Леша душевнобольной, и тогда его нужно подвергнуть освидетельствованию, то ли играет в какую-то игру, и призом в ней — она, Аллочка.

У нее не было никакого опыта общения с такими... навязчивыми поклонниками. Ее всегда бережно охраняли, как вазу династии Цин. Знакомства были только проверенные и подходящие — молодые люди, играющие в теннис и гольф, с дипломами Итона и Гарварда, девушки в очках, говорящие на трех языках и катающиеся на горных лыжах. Среди них тоже попадались всякие — плохие, хорошие, умные и просто болваны, — но они были «благонадежны» и безопасны.

Леша же Балабанов явно опасен, и что ей теперь делать, Аллочка не представляла.

Еще она замучилась с тем, что знала она одна и что могло послужить объяснением, кто убил Константина Сергеевича. Но кому можно рассказать об этом?!

Если бы, как Верочка Лещенко, она дружила с Кирой или хотя бы была уверена, что Кира выслушает, не станет ее гнать и кричать, чтобы она привела в редакцию папу, а сама больше не являлась, как кричал в последний раз Костик, Аллочка все бы ей рассказала, а уж Кира-то придумала бы, что делать дальше!

Она такая умная и рассудительная, Кира Ятт.

Аллочка все пряталась и все высматривала красный «Фиат», и — честное слово! — если бы Кира приехала одна, выскочила бы, перебежала Маросейку, остановила ее и заставила бы выслушать.

Конечно, она не станет жаловаться на Лешу, но рассказать, что *она видела*, кто подложил Константину Сергеевичу в портфель листок из Кириной рукописи, должна обязательно, и расскажет, если только та станет ее слушать!

Киру она пропустила. Почему-то она приехала не на своей машине. Ее привез громадный, как танк, не слишком чистый темный джип, и Аллочка поняла, что приехала Кира, только когда начальница выпрыгнула из него и побежала к стеклянному подъезду редакции.

Аллочка бросила свою минеральную воду, некоторое время возилась с портфелем, ремень которого запутался в неудобной спинке привинченного к полу стульчика, выскочила, побежала и опоздала.

Кира уже скрылась за чистым вестибюльным стеклом, и не было никакого смысла гнаться за ней дальше — все равно поговорить в лифте им вряд ли удалось бы.

Косясь по сторонам, чтобы Леша Балабанов не подкрался незамеченным, она чуть не бегом пересекла стоянку и...

— Доброе утро, лапочка, — пропел ей в ухо сладкий змеиный голос. — Опаздываешь?

Аллочка вздрогнула, шарахнулась и чуть не уронила портфель. Леша поддержал ее под локоть. Она вырвала руку.

— Что ты брыкаешься? У тебя на раздумья была целая ночь. Соскучилась по мне, малышка? Думала о своем мальчике?

— Леша, ты просто больной, — заявила Аллочка. Было не так страшно, как вчера, потому что вокруг люди шли на работу. — Отстань от меня! Зачем я тебе нужна?!

— Ты мне не нужна, кисочка, — шипел Леша и гладил сзади ее шею. Волосы на затылке встали дыбом, как будто по шее прополз червяк. — Ты мне совсем не нужна, и не надейся даже. Но я тебе сказал — пикнешь, я тебя уколю. Видела мой шприц?

Он сунул руку в карман ее пальто, схватил Аллочку за пальцы и стал их выкручивать. Она замычала от боли, глаза налились слезами.

Закричать? Затопать ногами? Позвать охрану?

Он выкручивал ей пальцы сильно и как-то очень

умело. Рука по локоть запульсировала и как будто моментально раздулась.

— Мне от тебя ничего не надо, деточка. — Леша нежно прижался щекой к ее макушке, а пальцы в кармане сдавил еще сильнее. — Только два раза. Два разочка. Я тебя трахну, и все. Чтоб ты, ласточка, знала, как авансы раздавать, а потом на попятный идти!

— Я ничего не раздавала!

— Ну, конечно, — согласился Леша, — скажи еще, что ты вообще никогда на меня завлекательно не смотрела и ножки не показывала! Тебе это просто так не сойдет, киска. — Он выпустил ее руку, потому что с плеча у него соскользнула сумка и ему пришлось ее поправить. Зато теперь он запустил пальцы ей в волосы. — Ты аристократка, а я ничтожество, и я тебя трахну, потому что я так хочу, а не ты! И можешь быть свободна, моя козочка. До следующего раза. И папочка ничего не узнает. Не узнает, правда ведь?

— Пошел. Ты. К чертовой. Матери, — раздельно выговорила ему в лицо собравшаяся с силами Аллочка. — Понял? Если ты больной, иди и лечись! Или отстань от меня! У меня на мобильном есть кнопка экстренного вызова. Я ее нажимаю, и они приезжают в течение одной минуты, это проверено. Хочешь? Нажать?

— Дрянь, — процедил Леша, улыбаясь, — дрянь паршивая! Какая же ты дрянь!

Аллочка вдруг поняла, что напугала его, и эта мысль подействовала на нее как живая вода на мертвого Ивана-царевича. Она вдруг *увидела*, что вокруг день, людная улица, редакционный подъезд, и вообще — никто не смеет разговаривать с ней так, как разговаривал Леша!

— Ты же знаешь, — он все еще улыбался, — я тебя, суку, из-под земли достану. Никто ничего не поймет, даже твой папочка. Раз — и нет тебя!

— Да тебе к тому времени будет наплевать, — пообещала новая решительная Аллочка, — есть я или нет меня! Если тебя даже удастся отскрести от асфальта, трахаться ты сможешь только в следующей жизни. Ты веришь в переселение душ, Леша?

— Посмотрим, — процедил он, — сука!

— Посмотрим, — согласилась Аллочка.

Пальцы все еще горели, и руке было больно — почему-то стреляло в локоть, — но Аллочка неожиданно уверилась, что справится, непременно справится с этим самым Лешей, и ее гордость и самостоятельность не будут негодовать — она справится с ним сама. Уже почти справилась.

Ей нужно найти Киру и заставить выслушать ее.

На третьем этаже, где сидело начальство, было как-то странно — как будто нагрянула налоговая полиция и никто толком не знает, что нужно делать: то ли притвориться, что ничего не происходит, то ли совершить массовое самоубийство, чтоб долго не мучиться.

В приемной, куда Аллочка первым делом заглянула, находились Батурин, секретарша Раиса и незнакомый высокий мужик в очках.

— Доброе утро, — пропищала Аллочка. И голос, и тон показались ей ужасными, — извините, пожалуйста, Кира Михайловна на месте?

— Она... сейчас занята, — неуверенно произнесла Раиса и посмотрела на Батурина, — только вот... Григорий Алексеевич... а Кира...

В коридоре, за спиной Аллочки, останавливались какие-то люди, заглядывали внутрь.

— Зайдите, — приказал ей Батурин, — и закройте за собой дверь.

Аллочка послушно втиснулась в приемную и прикрыла дверь перед чьим-то любопытным носом. Кажется, это был Верочкин нос. Аллочка испытала прилив здорового злорадства.

— Что вам нужно?

— Григорий Алексеевич, мне нужно поговорить с Кирой Михайловной. Прямо сейчас.

Незнакомый мужик усмехнулся. Батурин вздохнул.

— Вы можете поговорить со мной. Не сейчас, а через... часок. Это все? Вы свободны.

— Не знаю я! — послышался совсем близко растерянный голос Киры. Аллочка оглянулась и увидела ее.

Она стояла в дверях своего кабинета — черный свитер, черные джинсы, длинная цепочка с ручейком разноцветных камней, лохматая челка до глаз, выстриженный затылок, на лице никакого макияжа.

Вот бы мне стать такой, горячо подумала Аллочка, такой стильной, классной, талантливой. Нет, не стать.

— Я ничего не понимаю. Здравствуй, Аллочка.

— Здравствуйте, Кира Михайловна.

— Кира, — Раиса всхлипнула, — но никто, ты понимаешь, никто не заходил!

— Понимаю, — кивнула Кира.

— А... что случилось? — тихонько спросила Аллочка.

Батурин чуть-чуть отступил, словно допуская ее в круг посвященных, и Аллочка заглянула Кире за спину.

Кабинет напоминал апартаменты главы Временного правительства Керенского после визита революционных матросов.

Бумаги устилали серый ковер. Стол был выпотрошен, пустые ящики валялись рядом. Самый нижний, очевидно, запертый на замок, был выдран с мясом. Из передней панели торчали шурупы. Маленькая головка стильной лампочки на журавлиной шее была свернута и перегнута. На стеллаже не осталось ни книг, ни кассет. Даже белый горшок с худосочным цветком скинули на пол, и бледные листья, придавленные тяжелой глиной и комьями земли, казались мертвыми.

— Кто это сделал?!

Незнакомец опять хмыкнул и заметил в пространство:

— Хороший вопрос.

— Аллочка, это мой муж Сергей, — быстро представила Кира, — Сереж, это Аллочка Зубова, наша журналистка.

— Здрасте, — сказал муж Сергей.

— Здравствуйте.

— Я пришла, — насморочным голосом вступила Раиса, — я пришла, а дверь открыта, и тут... такое безобразие!

— Дверь в коридор тоже была открыта? — спросил Кирин муж быстро.

— Ну да! Она и была открыта. В приемную то есть, а в кабинеты мы сроду двери не запираем! От кого нам запираться-то!

— Действительно, от кого? — сам у себя спросил муж.

Аллочка улыбнулась. Этот муж очень подходил Кире и как будто дополнял ее, и у него были быстрые, внимательные, темные глаза.

— Скорее всего вчера, — подал голос Батурин, — вечером скорее всего...

— Почему?

Это Кира спросила.

Батурин, тяжело опираясь на палку, пробрался внутрь. Палка оставляла на белой бумаге круглые вмятины.

— Лампа, видишь, как свернута? Верхний свет не горел. Под лампой смотрели бумаги. Значит, было уже темно.

Он пристроил свою палку к столу и наклонился. Поднял несколько бумажек и посмотрел по очереди в каждую.

— Что у тебя пропало, Кира?

— Откуда я знаю! — Она тоже пробралась по бумагам и присела рядом. — Это теперь никто не поймет!

— Тем не менее здесь что-то искали, — заметил Сергей, — и насколько я могу судить, довольно поспешно.

— Поспешно! — фыркнула Кира. — Всю комнату разгромили! Да что тут, черт возьми, можно искать?! У меня нет никаких секретных документов! У меня сейфа даже нет!

Сергей посмотрел на Батурина.

— И у меня нет, — зачем-то сказал тот, — у Костика есть.

— Надо посмотреть.

Батурин выпрямился, взял палку и захромал мимо Аллочки к выходу из кабинета. Как только он вышел, а следом за ним Сергей, в дверь протиснулась Раиса. Постояла, пооглядывалась и взялась за щеки.

— Господи, да что на нас за напасти такие!

— Все цело, — сказал где-то Батурин, — хотя сейф пытались открыть. Во сколько вы вчера ушли, Раиса?

Та помолчала.

— Часов в семь, — наконец изрекла она и гордо высморкалась. — Вас не было.

— Я позже приехал, — согласился Батурин.

— А во сколько уехал? — спросила Кира. Сидя на корточках, она собирала бумаги. Потом вдруг перестала собирать и кинула их обратно.

— Я точно не помню, Кира.

— Мы... встретились с Григорием Алексеевичем примерно в полдесятого, — тихонько вставила Аллочка, — помните?

Батурин кивнул.

— Значит, в полдесятого.

— И когда ты уходил...

— Нет, — ответил Батурин, — в коридоре никто не стоял, под подоконником никто не прятался, следом за мной никто в кабинет не вошел. По крайней мере, я не видел.

— Что могли искать? — пробормотала Кира растерянно. — Ну что? Устав компании? Старые статьи? Визитные карточки?

Ее муж присел на корточки и задумчиво почесал нос:

— Непонятно, нашли или нет? То, что искали. Вот это действительно непонятно.

— А это имеет значение?

— Еще какое, — сказал муж.

Кира подняла голову и посмотрела на них обоих — сначала на мужа, а потом на Батурина.

— Это из-за Костика?

Батурин пожал плечами:

— Не знаю. Хотя его сейф пытались открыть, там свежие царапины.

— Какая-то ерунда! — беспомощно сказала Кира. — Ужас какой-то!

Ее муж выпрямился, зачем-то отряхнул на коленях джинсы и посмотрел на нее.

— Я думаю, что убийство здесь ни при чем. Это... из другого фильма.

— Какого фильма, Сереж? — с досадой спросила Кира. — Что ты все выдумываешь!

— Из фильма про жуликов, — сказал он непонятно. — Будете ждать ментов или все тут уберете и скажете, что так и было?

— Да не можем мы тут ничего убирать! — закричала Кира. В первый раз в жизни Аллочка слышала, как она кричит. — А вдруг тут улики какие-нибудь?! Отпечатки пальцев?!

— Нет тут ни улик, ни отпечатков пальцев. Кира, я тебе позвоню.

И он ушел, осторожно пробравшись между опрокинутой мебелью и россыпью бумаг. Раиса заплакала, и Батурин на нее прикрикнул. Аллочка помалкивала.

— Аллочка, я пока не могу ни о чем разговаривать, — не оборачиваясь, сказала Кира. Она ходила по ковру, устланному бумагами, присаживалась и смотрела, но в руки ничего не брала. — Зайди попозже, ладно?

— Или у вас срочный вопрос?

Аллочка посмотрела на Батурина, а он на нее, и, встретившись взглядами, они не сразу смогли отвести их друг от друга.

«Поверил или нет, что у меня роман с полоумным Лешей», — вдруг стремительно подумала Аллочка. Ужасно, если поверил.

Батурин был широкий и крепкий, короткие волосы, темные глаза. Аллочка никогда не видела его в костюмах, он носил свитера и толстые куртки, которые очень ему подходили. Однажды Аллочка была на совещании, которое он проводил, и пришла в восторг — так виртуозно он управлялся с журналистами, так твердо и без показного хамства умел поставить на место или выразить неудовольствие.

Потом она стала читать его материалы, каждый по нескольку раз. Он писал профессионально, сильно и как-то так, что Аллочка, москвичка, богачка, немножечко эгоистка, благополучная, сытенькая, ничем не опечаленная, начинала проникаться жгучим сочувствием к неизвестным, далеким странным людям, о которых говорилось в статье и чья жизнь была примерно так же далека от Аллочки, как планета Марс.

И войну она стала ненавидеть именно из-за Батурина. *До него* ей не было никакого дела — есть война или нет войны. Все это происходило слишком далеко и казалось неправдоподобным, а Батурин приблизил, заставил рассматривать, сострадать, негодовать и стыдиться. Неизвестно, как ему это удавалось, но Аллочка была уверена, что он пишет специально для нее, только для нее, для нее одной, чтобы *она* увидела, поняла, испугалась или возгордилась.

Аллочке, которая страстно мечтала научиться писать, «как Кира», даже в голову не приходило захотеть писать, как Батурин. Почему-то было совершенно ясно, что научиться этому нельзя, нужно родиться Батуриным, чтобы писать так, как он.

И еще. В этом признаться труднее всего.

Аллочке Зубовой очень нравился Григорий Батурин. Ей даже стыдно было, до того он ей нравился.

Негодование поднималось и заливало голову, слепило глаза, даже мешало дышать, едва она вспоминала, как

Верочка, рассматривая себя в зеркало, рассуждала, что брезгует «с ним переспать».

Аллочку огорчало, что ей, начинающей, доверяют только подписи к фотографиям, а Верочка пишет вполне самостоятельные материалы, но из-за Батурина она просто взбесилась.

Вышло так, что Аллочке Зубовой никто и никогда не нравился — ни в школе, ни в университете, ни на лыжных курортах. Были приятные молодые люди, проверенные и «благонадежные», с которыми она с удовольствием проводила время, а потом, когда надоедали, избавлялась и больше не вспоминала — до следующего случая, когда представлялся случай ими попользоваться, например, на балах, банкетах и общественных мероприятиях, в которых Аллочка, как дочь своего отца, должна была принимать участие. С одним из них, самым проверенным и «благонадежным», выпускником всего на свете, карьеристом не просто до мозга костей, а до винтов в безупречных американских челюстях, Аллочка переспала «для опыта».

Опыт оказался неплох. Романтика, красота, высокие бокалы, розы в серебряном ведерке, тихая музыка — едва выскочив из мужественных объятий, Аллочка выключила музыкальный центр. С этой музыкой сцена соблазнения казалась слишком уж классической, следовало поубавить сладкой прелести.

И все. Время от времени они встречались — примерно раз в два месяца, чтобы все повторить, и получали от этого удовольствие, и миленько щебетали, валяясь в шелковых подушках, и даже попробовали вместе принять душ. Это оказалось очень неудобно, мокро и опасно для жизни, потому что в соответствии с правилами в душе следовало «начать все сначала», и он решил «начать», и чуть не сломал ногу на скользком полу, а у Аллочки с волос текло, они лезли в глаза, и она чувствовала себя, как собака под дождем — шерсть как будто чужая и псиной воняет.

И все!

От одного взгляда на Григория Батурина в голове у Аллочки Зубовой происходило какое-то движение, как будто ударяла черная молния и каждый раз выжигала все вокруг. Ей хотелось его потрогать — ну хотя бы через одежду! Просто потрогать, узнать, какой он на ощупь, какая у него щека, какие пальцы или волосы на затылке. Ей представлялось, что он особенный, ни в чем не похожий на гарвардского карьериста, а весь Аллочкин опыт ограничивался именно им.

Она умерла бы от страха, если бы Батурин «обратил на нее внимание», и страстно желала, чтобы «обратил». Она даже умоляла его про себя — посмотри на меня. Ну, посмотри, это же я! Ну, почему ты так и не смотришь?! То, что ты уставляешь в меня глаза, — не в счет!

— Что? — вдруг спросил он совсем рядом. Голос был недовольный. — Что вы на меня вытаращились? Я забыл отстегнуть парашют?

Аллочка покраснела как рак.

Как рак, которого сварили и собираются есть. Живой, еще не сваренный рак, вовсе не красный.

— Гриш, я ничего не понимаю.

— Извините, — быстро сказала Аллочка, — Кира Михайловна, можно мне попозже зайти?

Кира протяжно вздохнула:

— Ну конечно.

Аллочка выскочила в коридор и побежала, вспоминая, как она на него таращилась, а он заметил и даже спросил про парашют!

На лестнице она с разгону врезалась в чью-то спину и пошатнулась.

— Извините!

Спина сделала оборот и оказалась Кириным мужем.

— Ничего, — сказал он, — вы об меня не ушиблись?

Аллочка покачала головой.

Кирин муж посмотрел наверх — шея была крепкой и

сильной, Аллочка рассмотрела, — а потом попросил интимно:

— У вас нет сигарет? Я никогда не курю в присутствии Киры. Считается, что я некурящий и спортивный. Сигареты у меня в машине.

— Конечно! — пылко воскликнула Аллочка и сорвала с плеча портфель. — Сейчас!

Для конспирации, как объяснил Сергей, они спустились еще на один пролет и глубокомысленно закурили.

— Веселая у вас в редакции жизнь, — рассматривая свою сигарету, заговорил наконец Сергей, — просто завидно. У нас все не так.

— А где вы работаете?

— Я директор по науке компании «Сони». Конечно, не всей «Сони», а только российского представительства. У нас все спокойно и размеренно. Почти как в раю.

— Вы думаете, что в раю спокойно и размеренно? — неожиданно спросила Аллочка, и он засмеялся.

— Наверное, по-разному. У каждого свой рай. В моем именно так.

В моем раю, подумала Аллочка, черная молния все время ударяет в одно и то же место. В моем раю должен быть Григорий Батурин.

Вот только как его туда заманить?

И что делать с тем, о чем *она знает*?..

— Кира... очень переживает?

— Ну конечно! — ответил он со странной досадой, как будто не понимал, из-за чего переживает Кира. — Все одно к одному, и записка, и кабинет, и убили его, когда он к нам шел!..

— А вы... были дома? Ну, когда убили?

Сергей посмотрел на Аллочку.

— Нет. Не был.

— А что это за записка? — спросила Аллочка, собравшись с духом. — Я так толком и не поняла.

Может, рассказать ему, промелькнуло в голове. Он, наверное, тоже все понимает. Как Кира.

— Записка в портфеле у Костика, — объяснил Сергей. — Милиция считает, что Кира в ней угрожает ему или шантажирует. А это не записка, а полстранички из ее давней статьи о детективах. Вы не знали?

— Я знала! — возразила Аллочка. — Я не знала, что была такая статья.

Сергей внимательно смотрел ей в лицо.

— Ее и не было. Она не вышла. Чем-то они ее заменили. Когда вы приезжали к Кире на дачу, она как раз ее писала.

Аллочка пожала плечами. Ей было совершенно все равно, что именно писала на даче Кира.

— Говорят, что теперь главным станет Батурин, — поинтересовался Сергей осторожно, — это хорошо или плохо?

— Конечно, хорошо! — с жаром воскликнула Аллочка. — Костик... Константин Сергеевич тоже очень хороший начальник, но все-таки совсем не такой, как Григорий Алексеевич!

— Не такой потому, что он ни разу не грозился вас выгнать? — ехидно спросил Сергей.

Аллочка вспыхнула и вознегодовала. Ей так понравился Кирин муж, показался таким понимающим и таким... своим, а он на самом деле хотел всего лишь посмеяться над ней, как и все остальные.

— Не обижайтесь, — произнес Сергей быстро. Все, что она чувствовала, моментально отражалось на ее лице, как у его сына. — Я просто так. Из вредности.

Это было сказано так, что Аллочка ему поверила.

— Они просто очень разные, — попыталась объяснить она, — совсем, совсем разные. Верочка Лещенко вчера с такой гордостью говорила, что переспала с Костиком только для того, чтобы хорошие задания получать, а с Батуриным... это вообще невозможно.

Тут ей стало так неловко, что она опять покраснела — наверное, до самой макушки. Наверное, под волосами видно, какая у нее красная кожа! Но ей никогда не удавалось ни с кем потолковать о редакционных делах, и никто не слушал ее так, как слушал Кирин муж, и не относился к ее словам так серьезно!

— То есть я хочу сказать...

— Я все понял, — помог ей Сергей, — у Костика были свои методы подбора сотрудников и сотрудниц. Особенно сотрудниц. У Батурина методы другие, и они вам нравятся больше. Правильно?

Аллочка кивнула. Слава богу, он и вправду все понимает.

— Спасибо, — сказал Сергей, — мне нужно ехать. Мои японцы не любят опозданий.

Неожиданно для себя он пожал ей руку и сбежал вниз. На улице потеплело, и он пожалел, что у него нет времени, чтобы заехать туда, где он жил, и поменять куртку. В Кирином гардеробе не было его курток.

Аллочка объяснила многое, но не все. Не все.

Первым делом он должен разобраться с потрошителем бумаг его жены, а потом уж со всем остальным — Леной Пуховой, Масей, которая припадочно лаяла, Валентининым ревматизмом, лиловым «бэрэтом» и запиской с угрозами.

Он сел в машину, поморщился и нашарил в «бардачке» «Орбит белоснежный».

Он ведь и в самом деле никогда не курил.

Кира открыла дверь и позвала с порога:

— Тим!

Послышался какой-то шум, отодвинулся стул, и ее сын возник в коридоре. Он был почему-то в шортах все такой же необъятной ширины и в майке навыпуск.

— Господи, — пробормотала Кира, — на кого ты похож?

Он осмотрел себя с некоторым недоумением.

— А что?

— Почему ты в этих штанах?

— Жарко.

— Где тебе жарко?!

— На теннисе было жарко, — объяснил Тим охотно, — я играл и вспотел.

После тенниса прошло полдня. Бесполезно спрашивать, почему он не переоделся.

— Тим, папа не звонил?

— А должен?

— Да. Должен.

— Почему?

Потому что утром он отвез ее на работу, вместе с ней осматривал разгром в ее кабинете и ушел, пообещав напоследок, что будет звонить. Потому что именно он сказал, что никто не найдет ни отпечатков, ни улик, и милиция *на самом деле* ничего не нашла. Ничего, что могло бы иметь отношение к смерти Костика!

Откуда он знал?! Что он знал?!

От разговоров с «правоохранительными органами» у Киры болела голова и слезились глаза, как будто она целый день просидела в мешке с цементом. А Сергей так и не позвонил.

— Мам, почему он должен звонить?

— Потому что обещал.

Тим забеспокоился:

— Обещал и не позвонил?

— Тим, не переживай, ради бога. Где Валентина?

— Я здесь, Кирочка. У меня есть свежий чай, только что заварила. Выпейте чашечку.

Добропорядочный клетчатый английский фартук показался в коридоре.

— Когда усталость берет свое...

— Мое усталость не берет, — пробормотала Кира, — я железная.

— Что, Кирочка?

— Ничего. Как ваш ревматизм?

Валентина сконфузилась:

— Благодарю вас, Кирочка, немного лучше. Мы сделали алгебру и биологию на понедельник. На ужин курица в белом вине. Я вычитала рецепт в одном романе. Чудный английский роман!

Валентина повела носом и чихнула.

— Весна! — провозгласила она. — Моя аллергия — верный признак весны! Наверное, нужно съездить в Малаховку и убраться. Скоро, скоро все выходные мы будем проводить там, в сердце природы!..

— Это Малаховка — сердце природы? — осведомилась Кира из ванной. Тим радостно фыркнул и убрался в свою комнату. Но Валентину было не так-то просто сбить с толку.

— Сердце природы, его биение можно ощутить везде, но в больших городах, где живут сотни людей, это немного сложнее. В Малаховке я чувствую себя обновленной и вечной! — Тут она остановилась и спросила озабоченно: — Сергей Константинович приедет на ужин? Если да, нужно подать еще один прибор.

— Ничего не знаю про вашего Сергея Константиновича.

— Кирочка, — с беспокойством сказала Валентина, вдвинулась поглубже в ванную и взялась за края клетчатого фартука, — если вы рассердились на него из-за наших утренних... недоразумений, умоляю вас, не стоит! Умоляю! Конечно, конечно, во время развода я всецело, всей душой была на вашей стороне, но если... если вы считаете возможным начать заново жизнь и любовь!..

Кира смотрела на нее во все глаза.

— И потом, мальчик очень счастлив, — добавила Валентина, оглянувшись на дверь. — Очень, очень счастлив. Он так его ждет. Может быть, все-таки он не такое уж... чудовище?

— Какое... чудовище?

— Сергей Константинович, — пролепетала Валентина, — может быть, и не чудовище?.. Может быть, мы... простим его?

Тут Кира стала хохотать.

Хохоча, она звонко поцеловала Валентину сначала в одну, а потом в другую пухлую щеку — Валентина зарделась — и прошлепала мимо нее в кухню.

— Давайте есть! — закричала она оттуда. — Пока не явилось чудовище и не сожрало нашу курицу вместе с прибором!

— Тише, тише!.. — зашипела Валентина.

— Какое чудовище, мам?

— Никакое.

— Мам, пойдем в субботу на «Гарри Поттера»? Что за дела? Все посмотрели, а я нет!

— А потом ты меня изведешь, что я тебя потащила на детский фильм!

— Не изведу, мам. Правда.

— Тогда пойдем. Валентина, давайте ужинать с нами.

— Мне, право, неловко, Кирочка...

— Ловко, — объявила Кира, — право, ловко! Садитесь.

Курица «из чудного английского романа» аппетитно дымилась в фарфоровой миске, исходила соблазнительным духом, огурцы были совсем весенними, похожими на огурцы, а не на зеленую мочалку, корейская морковка, которую любила Кира, сияла неестественным рыжим электрическим цветом, Тим смотрел умильно, Валентина хлопотала, никто не ссорился, и беды отдалились и сжались до размеров пресловутой булавочной головки, в которую неизвестно почему время от времени сжимается все на свете. И тогда приехал Сергей.

Он открыл дверь, и вошел, и никто не слышал, как он вошел, и остановился в дверях, и некоторое время смотрел на них, а потом Кира его заметила.

Заметила, вскочила, и все его мысли скукожились — стянулись все в ту же булавочную головку, а сама булавка впилась в мозги или в сердце, он так и не понял, потому что плохо соображал и только ждал, что она сейчас его поцелует.

Как когда-то. Как всегда, когда он приезжал с работы.

Ну и пусть — мещанское слюнтяйство, ну и что, она все равно целовала его каждый вечер, когда он приезжал с работы, два раза, в губы и в щеку, даже когда они ненавидели друг друга, она *каждый вечер* целовала его так, как будто на самом деле он был ей нужен, и сейчас поцелует, как когда-то, он видел это по ее лицу, а булавка впивалась все глубже, и боль была все острее...

Кира остановилась на полдороге.

Он посмотрел.

Тим и Валентина таращились на них, Тим даже жевать перестал, а у Валентины выпал из ослабевшей от волнения руки зонтик укропа, и немота их поразила, и неподвижность «сковала члены», так скорее всего выразилась бы Валентина.

Сердце ударило, чары разлетелись, булавка выскочила из мозга — или из сердца, — Кира опустила руки, которыми собиралась обнять его. Не ночью, в беспамятстве по старой привычке, а на кухне, в полном рассудке и согласии с собой.

Ему стало страшно — так он ее любил и хотел.

— Привет, ребята, — сказал он, — это я.

— Мы видим, — откликнулась Кира.

Они не могли даже взглянуть друг на друга.

— Пап, здорово. Здравствуйте, Сергей Константинович, — вразнобой поздоровалась семья.

— Ты будешь... ужинать?

— Да, — Сергей выдвинул табуретку и сел поближе к Тиму. Подальше от греха, то есть от Киры. — Мне надо с тобой поговорить.

— Прямо сейчас?

Почему-то она решила, что говорить он хочет о них и о том, как теперь им жить. Не могут же они жить вместе! Они развелись сто лет назад! Один год два месяца и...

— Я собираюсь вечером поехать в Малаховку, — мрачно заявил ее муж, и Кира моргнула. Ничего подобного она не ожидала.

— Зачем?

— Мне нужно.

— Там не убрано, — обеспокоенно встряла Валентина, — мы еще не были там с зимы.

Тим ковырял курицу одной рукой. Другую он держал под столом, скрестив пальцы «на удачу» — хитрый и тонкий план работал! Третий день подряд отец приезжал к ним по вечерам и даже оставался ночевать, и мама — ничего, не злилась.

— Я тебе объясню, — пообещал Сергей Кире.

— Объясни, — согласилась она холодно. Ей было стыдно от того, что она решила, будто он хочет снова с ней жить и собирается говорить именно об этом.

— Сергей Константинович, — сказала Валентина и зашлась пунцовым девичьим румянцем, — относительно утреннего недоразумения я бы хотела разъяснить... я уверена, что на самом деле вы ничего такого не думаете, что... вы сказали, что я... бедного мальчика...

Сергей открыл было рот, но Кира под столом пнула его ногой, и рот закрылся.

— Я никого, никого не видела на лестнице и во дворе! — воскликнула Валентина истово. — Я была немножко... занята своими мыслями, кроме того... знаете, радикулит и аллергия... Моя аллергия — верный признак весны! Как хорек Фил на Индюшачьей горке предчувствует весну, так и...

— Сурок, — поправил осведомленный Тим, — день сурка, а не хорька!

— Да-да, сурок, Тимочка. Так вот мой нос вновь стал напоминать о себе...

— Что, — вдруг спросил Сергей, — что вы сказали?

— Су... сурок, — выговорила бедная Валентина, — сурок Фил. Он предсказывает весну.

— Нет, — перебил Сергей, — до этого?

— До... этого? — пролепетала Валентина. — Ничего особенного. У меня аллергия. Любые запахи вызывают у меня непроизвольное чихание. Так сказать...

— Сереж, ты что?! — спросила Кира, заметив, что муж

совершенно переменился в лице. — Что с тобой? Тебе плохо?

— Плохо, — ответил он злобно, — мне плохо.

— Может быть, воды? — всполохнулась Валентина и вскочила, чтобы немедленно начать его спасать. — «Скорую»? Тимочка, мальчик, иди в свою комнату! Кира, в холодильнике валокордин, справа, на полке. Боже мой, это опасно! Молодые мужчины в этом возрасте особенно подвержены кризисам!.. Скорее, Кира!

— Стоп, — приказал Сергей, — мне не нужен никакой валокордин. Со мной все в порядке. Просто я... понял.

— Что? — выдохнула Кира.

— Все, — ответил ее муж и улыбнулся, — правда, все. По крайней мере, я понял, почему все видели Валентину, когда она давно ушла.

— Ты даешь! — восхитился Тим и от восхищения вынул из-под стола руку со скрещенными пальцами. — Ты даешь, пап!

— Меня?! — вопросила Валентина, попятилась и повалилась на гобеленовый диван. Нашарила рукой журнал «Старая площадь» и стала им обмахиваться. Кира быстро достала из холодильника — на полке справа — валокордин и накапала в стакан.

— Это совсем просто, — продолжал Сергей, — а я и не догадывался!

— О чем?!

— Ты приехала, — начал он скороговоркой, — и Валентина ушла. Это было после семи или около семи. В восемь, когда приблизительно убили Костика, Валентина появилась снова. Ее видели Марья Семеновна, Федот Шубин и его Вася — словом, все. Никто не видел, чтобы в подъезд заходил или выходил из него чужой человек. Мася лаяла как на чужого. Откуда взялся этот чужой? Почему его никто не видел?

— Ну? — выдохнула Кира. — И почему?

— Потому что чужой — и есть наша Валентина!

Упомянутая Валентина взвизгнула. Тим шумно вздохнул.

— Пап, ты что? С ума сошел?

— Да нет, — сказал Сергей с досадой, — конечно, это был другой человек, одетый точно так же, как наша Валентина!

Кира опустилась на диван рядом с домработницей, вынула из ее ослабевших рук журнал «Старая площадь» — выпуск за март — и тоже стала обмахиваться.

— Ребята, — терпеливо проговорил Сергей, — все логично. Валентина приходит и уходит каждый день. Ее все знают. Все к ней привыкли. Кроме того, она одевается одинаково. Всегда. Это верно, Валентина?

— В общем... наверное... наверное, да.

— Не наверное, — поправил Сергей, — это точно. Вы пришли к нам впервые в этом самом клетчатом пальто и берете. Это было лет десять назад. Правильно?

— Племянники, — забормотала Валентина, как будто Сергей собирался немедленно передать ее в руки правосудия за то, что десять последних лет она носит одно и то же пальто, — племянницы... неустроенность... трудный быт... я чем могу... я должна... Это мой долг — помогать, и я помогаю, я-то ведь, слава богу, зарабатываю хорошо, и мне всего хватает, а они...

— Они сами зарабатывать не могут, — подытожил Сергей, — все ясно. Вашему пальто уже десять лет.

— Тринадцать, — поправила Валентина, — если хорошо ухаживать за вещами, они отслужат...

— Кроме того, оно зимой и летом...

— Одним цветом! — вступил Тим.

— Вот именно. Убийца видел вас. Я так понимаю, что не один раз. Ваше пальто, берет и... макияж. Дальше все очевидно. Он надевает клетчатое пальто, берет, красит губы лиловой помадой и становится вами. Конечно, никто не смотрел ему в лицо! Зачем? И так понятно, что это Валентина Степановна из двенадцатой квартиры, которая все время в таком пальто и в таком берете! Он делает свое дело и спокойно уходит, и все его видят, и никому в голову не приходит, что это и есть убийца и он только что застрелил человека. Идея совершенно безошибочная. Отличная идея.

Тут Валентина упала в обморок, повалилась прямо на Киру.

Пока Кира приводила ее в чувство, брызгала в лицо водой, совала к губам стакан, подпихивала подушку, Сергей молчал и думал.

— И вы... догадались? — просвистела Валентина, едва Кира заставила ее сесть прямо, и взор ее перестал мутиться. — Вы не поверили, что это — я?!

Сергей хотел сказать — нет, не поверил, но это было бы неправдой. Он верил, не очень долго.

— Пап, как ты понял, что это не она? — Тим сгорал от любопытства и был совершенно спокоен, и очень гордился Сергеем.

— Василиса сказала, что Валентина прошла мимо них и почти побежала в метро. Валентина не могла бежать, у нее радикулит. Прострел, — повторил он, смешно наморщив нос, — да еще аллергия.

— При чем тут аллергия?!

— Не скажу, — ответил Сергей весело.

В Малаховку Кира увязалась за ним. Впрочем, он был почти уверен, что так и будет, и отчасти даже планировал это, когда приехал и сообщил, что едет на дачу.

Она не сказала ему ни слова, но, когда он стал собираться, оказалось, что у входной двери уже стоит ее рюкзачок, а в нем узкий серебряный английский термос и два яблока, и сама Кира показалась в коридоре — в плотных джинсах и тугом свитерке, челка решительно заправлена за ухо.

— Я с тобой, — объявила она безапелляционно. — Валентина останется с Тимом. Она согласилась у нас переночевать.

— Возьми телефон, — посоветовал Сергей, — у моего батарейки сдохли, а зарядник в машине.

Кира посмотрела на него с подозрением. Он должен был начать спорить, ругаться и не брать ее с собой, она даже к бою подготовилась, но он обувался и на нее не смотрел.

Что бы это значило?

— Мам, пока! Пап, пока! — крикнул Тим из ванной. — Пап, а ты к нам приедешь?!

— Посмотрим, — пробормотал отец себе под нос, и ни Кира, ни его сын не стали уточнять, на что именно он посмотрит.

— Зачем мы едем? — спросила она в машине. — Ты что-то там в прошлый раз забыл?

Устраиваясь в дорогу, она включила радио — «позови меня на закате дня, позови меня, грусть-печаль моя...», — выложила сигареты, расстегнула куртку и повозилась на сиденье, прилаживаясь к ремню.

— Мы едем в засаду. — Сергей перестроился в правый ряд и заставил себя не слишком давить на газ. Утром, проехавшись с ним, Кира выглядела несколько подавленной и глубоко несчастной.

— Куда мы едем? — не поверила она.

— В засаду. То, что искали на даче, искали и у тебя в кабинете. Это очевидно. Раз перевернули кабинет, значит, на даче не нашли. Сдается мне, что в кабинете тоже не нашли.

— Почему?

— Батурин уехал в полдесятого. В двенадцать в здании обход, я спросил. До обхода вор должен был уйти, или пришлось бы остаться на ночь, а это рискованно. Утром его могла застать уборщица или лифтерша. Значит, у него было два часа. Сколько метров у тебя в кабинете?

Кира посмотрела на него.

— Ты думаешь, он не успел?

— Да. Думаю, что не успел. И еще я думаю, что он так все разнес от отчаяния — именно потому, что не нашел того, что искал. Если нам повезет, сегодня он сделает еще одну попытку. В твой кабинет он больше попасть не может. На даче его спугнул я. Он должен попробовать еще раз, он ведь не до конца все посмотрел! И именно ночью, потому что днем там Аристарх Матвеевич с пластмассовой берданкой. В дозоре. Мы с ним так договорились.

Кира закурила. Лицо в свете приборной доски казалось угловатым и заостренным.

— Кто он, Сереж?

— Посмотрим.

— Почему ты не хочешь мне сказать?

— Я не уверен. Я скажу, и неправильно — зачем?

— Затем, что я волнуюсь, черт тебя побери! — крикнула Кира. — Ты просто бесчувственное бревно!

— Я всегда бревно, — согласился он, — тебе не повезло. Такой расклад.

— А он... не вооружен?

— Нет, — сказал Сергей. На самом деле он ни в чем не был уверен. — Скорее всего нет. По-моему, это мирный обыватель, а не убийца.

— Что он ищет?

— Посмотрим, Кира.

— А... записка в портфеле у Костика дело рук этого... обывателя?

— Нет, — сказал Сергей, — записку подложил убийца. В этом я как раз уверен.

— А кто убийца?

Ее муж засмеялся:

— Я не знаю! Правда.

— Ты узнаешь? — требовательно спросила Кира, не принимая его веселья.

— Я постараюсь, — пообещал он. — Машину придется оставить возле дальних соседей.

«Дальними» назывались соседи, которые жили через переулок от них.

— В тот раз он мог видеть мою машину, хотя я сомне-

248

ваюсь. Слишком быстро бежал. Но все равно от греха подальше. Вдруг мы его спугнем?

— Ты будешь Глеб Жеглов, а я Шарапов, — неожиданно сказала Кира, — мы с тобой идем накрывать банду Горбатого.

— Банды нет, — заявил Сергей, — есть один только Костя Кирпич.

— Так мы идем на Костю Кирпича? — пренебрежительно протянула Кира. Ей было страшно. — Всего-то?

Он не ответил. Очевидно, думал, а когда Сергей Литвинов думал, он никого и ничего не слышал.

В Малаховку джип въехал, когда стало совсем темно, и плотный мрак, который бывает только ранней весной и поздней осенью, лег поперек дороги, и желтые столбы мощных фар вырезали из него продолговатые куски и швыряли навстречу машине.

— Как темно, — тычась носом в стекло, потому что машину бросало на ухабах подмосковной дороги, сказала Кира, — сто лет здесь не была. Так люблю. А ты?

— И я. Помнишь, мы хотели за городом жить?

— У нас тогда денег было мало.

Сергей хотел сказать, что теперь «на загород» им вполне может хватить, но вовремя спохватился, что «их» нет.

Есть отдельно он и отдельно она, и каждому по отдельности «загород» был не нужен. Вот ведь странность какая.

— Приехали.

Он заглушил мотор и некоторое время посидел молча. Кира смотрела в стекло и тоже молчала.

— Фонарь, — сам себе сказал Сергей, — свет мы не будем зажигать.

— Без света страшно, — тоненьким голоском заявила Кира.

Она всегда смешно боялась темноты, он знал.

— Пошли.

— А кофе?

— Я возьму.

Он подхватил рюкзак, сунул в него фонарь и включил сигнализацию. Яркий автомобильный свет прощально полыхнул и погас. Кира ушла вперед, он догнал ее. Под ногами чавкала весенняя земля, они шли молча и слушали, как она чавкает.

Не нужно было ехать, думала Кира. Бомба не падает дважды в одну воронку. Никто не придет сегодня ночью продолжать поиски.

Сергей станет молчать, и Кира станет молчать. И так они промолчат все время, отведенное на «приключение», и оба потом будут жалеть об этом, и сердиться на себя и друг на друга. У подъезда Сергей скажет ей «до свидания» — ах, как Кира знала его безразличный отстраненный тон, — и ничего не выйдет. Ничего из того, о чем Кира не разрешала себе думать.

Впрочем, ему скорее всего наплевать. Он бесчувственное бревно. Он просто не хочет, чтобы мать его ребенка посадили в тюрьму.

От этой мысли, чрезвычайно глупой, Кира совершенно расстроилась.

— Может, мне в машине посидеть? — предложила она мрачно. — Что я попрусь, все равно никто не придет!

Это означало, что он должен ее уговорить. Пожалеть. Спросить, в чем дело. Но он всегда слышал только, что ему говорили — и ничего больше. Он не понимал намеков, не читал по лицу и никогда не мог догадаться, чего ей хочется — если она не говорила об этом прямо.

Если я скажу ему, что хочу с ним спать, решила Кира, он перепугается до смерти. Он привык жить один.

Или не привык? Она-то вот так и не привыкла! То есть она привыкла жить одна. Жить без него — не привыкла.

— Хочешь в машину? — переспросил он с сомнением. — Ты долго в ней не высидишь, а я не знаю, сколько придется ждать. Зря я тебя взял, надо было в Москве оставить!

Идиот! Как есть бесчувственное бревно.

В доме по-прежнему пахло деревом и отсыревшими книгами, и Кира некоторое время постояла на прямоугольнике голубого лунного света, лежавшего возле деревянного коня-качалки, которого так любил маленький Тим.

— Привет, — сказала она дому.

— Привет, — ответил ей ее несентиментальный муж и деловито протиснулся мимо нее в большую комнату «с витражом».

— Я в прошлый раз решетку не стал намертво прикручивать, — заговорил он оттуда, — если появится наш жулик, он ее быстро снимет.

— Тогда лучше бы совсем не ставил!

— Это подозрительно, — объяснил он, — была, была, и вдруг нет! Не разувайся, Кира! Я в прошлый раз разулся и бежал за ним в одном ботинке!

— Ты думаешь, я за ним побегу? — осведомилась Кира.

— Нет, — искренне ответил ее муж, — но вдруг ты должна будешь мне помочь.

Никакого рыцарства — «Это мужская работа, дорогая! Дай мне «кольт» и подожди меня на лужайке!» — в нем не было и в помине. Он считал, что раз может он — бежать, держать, тащить, — значит, может и она.

Раз уж мы приехали вдвоем, значит, мы оба будем ловить жулика. Подержи пока мой «кольт», дорогая. Кстати, можешь и свой достать.

Он по очереди заглянул во все двери и прикрыл каждую поплотнее. Зачем-то открыл и закрыл на кухне воду.

— Ты чего стоишь? — спросил, протискиваясь мимо Киры в холодную темную кладовую. Она все стояла на голубом лунном прямоугольнике. — Кир, ты не знаешь, куда тесть масло переставил? — Он чем-то там громко шуровал.

— Какое масло? — Кире хотелось плакать.

— Канистра была с маслом. В твой замок капнуть. Когда я еще в гараж попаду!

Кира поняла это так, что он не желает возиться с ее замком, ехать ради него в гараж и потом опять к ней.

— Кира?

— Я ничего не знаю ни про какое масло, — отчеканила она.

— Ты что?

— Ничего.

Он вылез из кладовой и прикрыл за собой дверь. В доме как будто светлело — то ли глаза привыкали, то ли луна поднималась над соснами.

Сергей потоптался рядом с ней, не понимая, отчего у нее испортилось настроение, и предложил:

— Пошли? Посидим?

— В засаде?

— Кира, что случилось?

— Ничего, — приглушенно крикнула она и, кажется, даже всхлипнула, — иди ты к черту!

Она была уверена, что он везет ее на свидание. А он *на самом деле* привез ее ловить жулика и теперь чрезвычайно и деятельно этим самым жуликом озабочен, а на Киру ему наплевать.

— Ну ладно, — согласился он, — стой.

И ушел в комнату «с витражом».

Кира порылась в кармане куртки, но куртка была «весенняя», только что взятая из гардероба, и в кармане, конечно, не было никакого носового платка. Пришлось вытереть глаза рукавом.

Да еще этот дом.

Кира выросла в нем, и Тим в нем вырос.

Ему было три года, когда Сергей купил велосипед. Дивный трехколесный велосипед с желтыми висюльками на пластмассовых рулевых нашлепках. Тим ездил на нем вокруг клумбы, нажимал клаксон, а потом слезал и крутил педали рукой — просто так, от счастья.

Однажды четвертого мая выпал снег. Они встали утром — весь участок был под снегом, из снега торчали головки цветущих крокусов, и позабытый Тимом на лавочке красный грузовик был весь в снегу, и соседская кошка осторожно шла по дорожке, останавливалась и брезгливо отряхивала намокавшие лапы. Весь день они не вылезали из дома — пекли пироги, обнимались на диване под пледом и играли с Тимом в лото.

Когда Сергей защитил докторскую, здесь был «банкет» — шашлыки и танцы до упаду. Все напились, включая профессоров и академиков. Все, кроме ее мужа. Он вообще почти никогда не напивался — не умел, не любил. Когда академиков разобрали шоферы и жены, а остальная толпа увалила к станции, Кира с мамой и Валентиной покидали в черные мешки одноразовую посуду и пластмассовые стаканы, а Сергей сидел у костра — один. «Ты что, — спросила она, проводив всех спать, — грустишь?» Он смотрел в огонь и молчал, а намолчавшись, сказал: «Все. Кончилась моя наука». Кира не поняла. Как наука может кончиться, когда он только сегодня и с таким блеском защитил докторскую?! Он объяснил ей. Он сказал, что все, что ему нужно было себе доказать, он доказал. Теперь можно идти зарабатывать деньги. Он уволился из своего научного института недели через три после этого разговора и никогда ни о чем не сожалел, по крайней мере, вслух.

Он был сильным человеком, ее муж.

Ощупью, потому что в коридор не проникал свет весенней буйной луны и двери были закрыты, Кира пробралась в комнату «с витражом».

— Ты где, Сереж?

— Я здесь. Слева, под выключателем. Я сижу на полу.

Он взял ее за руку и потянул, она шагнула и чуть не упала.

— Садись. Здесь чисто. — Он говорил шепотом.

— Еще бы! — возмутилась Кира тоже шепотом. — Мы с Валентиной все убрали, когда в феврале я отсюда уезжала!

— Хандрить приезжала?

— Ну конечно, — созналась Кира, — только это плохое место для хандры. Очень много воспоминаний.

— Много, — согласился Сергей, — я когда вчера приехал...

— Что?

— Да так. Помнишь коня? Того, из коридора?

— А как ты докторскую здесь справлял?

— А как мы в постели лежали, а нас твои родители застукали? Тим уже был? Или нет?

— Нет, Сереж, — сказала Кира, — не было Тима. Мы его отсюда и привезли.

— Точно. — Теперь он улыбнулся. — Не было Тима.

Кира прислонилась к его плечу, к той самой куртке из «Спортмастера» на Садовом, которую они покупали вместе, и пахла она знакомым запахом — одеколоном, чистой кожей и немножко машиной.

Было очень тихо, так тихо, как может быть только в Малаховке и никогда не бывает в Москве. Собака лаяла вдалеке и скрипели половицы, как будто по ним ходила луна.

— Сколько времени?

— Двенадцатый час. Если хочешь, спи.

— А долго ждать, как ты думаешь?

— Да мы всего полчаса ждем, — заметил он недовольно. — Тебе надоело?

— Мне завтра на работу, — напомнила Кира и зевнула.

— Я думаю, что если он придет, то скоро. Соседи как раз свет погасили. Может, он уже приехал и наблюдает.

— Ну да, — сказала Кира и опять зевнула, — приехал он, как же!..

Сергей вдруг повернул голову и поцеловал ее в макушку. Поцеловал потому, что у него не осталось никаких сил. Кира замерла. В затылке стало холодно.

— Сереж?

— Что нам делать? — спросил он и сильно притянул

ее к себе, так, что она почти упала к нему на колени. —
Я не знаю. А ты?

— Когда мы разводились, я тебя ненавидела, — призналась Кира, — господи, ты со мной не разговаривал
много лет!

— Ты же знаешь, — сказал он, думая только о том, что
она почти лежит у него на коленях, — я не умею разговаривать.

— Когда тебе надо, очень даже умеешь. Просто ты от
меня устал. Я тебе надоела.

— Кира. — Он старался быть терпеливым. Чтобы отвлечься от того, что она так близко, и бедром он чувствует ее ногу, и слышит, как она пахнет, и знает, что под
курткой, которую она не сняла, у нее тугой свитерок, он
быстро прикинул, какой должна быть площадь зеркала,
чтобы увидеть его с Луны невооруженным глазом. Такие
штуки всегда ему помогали.

Он посчитал площадь и моментально о ней забыл.

— Кира, мы просто... очень разные.

— Знаю, — вздохнула она, — мама всегда говорила,
что ты мне не подходишь. Что ты не человек, а вычислительная машина.

— Я очень устал, — признался он, — ужасно.

— Ты?! — не поверила Кира. — Ты никогда не устаешь!

— Я устал, — повторил он, — я поменял работу и стал
заниматься тем, в чем ничего не понимаю.

— Как — не понимаешь?! Ты что?

— Не понимаю, — настаивал он упрямо, — знаешь,
защитить докторскую и остаться без профессии...

— Как — без профессии?! Ты что? С ума сошел?!

— Да не сошел. Это сейчас у меня уже почти что есть
профессия. По крайней мере, я стал понимать, кем
именно работаю и что именно это за работа. Несколько
лет подряд я только делал вид, что понимаю. Это трудно.
Начальство, — тут он улыбнулся, Кира почувствовала, —

начальство можно убедить в чем угодно, а самого себя нет. Я так... боялся, что ничего не сумею. Что в один прекрасный день все догадаются, что я никто. Дурак без профессии и без мозгов.

— Ты... без мозгов?!

— Почему ты все время переспрашиваешь?! — вдруг рассердился он. — Я, я!.. Я тебе рассказываю про себя!

— Сереж, ты сделал карьеру, и не где-нибудь...

— Да ладно!.. Моя карьера зависела только от моих научных званий, а званий как раз было хоть отбавляй! Японцы любят звания и доверяют им.

Больно надавив локтем на его ногу, Кира села прямее и недоверчиво посмотрела ему в лицо.

— Ты и вправду какой-то больной, Серый. То есть как бы японцам все равно, что ты собой представляешь, были бы только дипломы?! Ну а если бы ты их купил, ты бы все равно сделал такую карьеру? От старшего специалиста до директора по науке?

— Черт его знает, — признался Сергей.

— Тебе в отпуск надо, — решительно сказала Кира, — на море. Одному. Чтоб только лежать и ни о чем не думать. Особенно о японцах.

— Мне не надо одному. — Он взял ее за коротко стриженный затылок и притянул к своему лицу. — Мне надо с тобой. В отпуск и вообще. Мне одному вообще ничего не нужно, Кира. Мне одному неинтересно. Незачем. Понимаешь? — С двух сторон он сильно сдавил ей ребра. — Понимаешь?

— Понимаю, отпусти.

— Кира, я прошу тебя. Пожалуйста.

В глазах плыли фиолетовые светящиеся круги с оранжевыми краями. Они бешено вращались, вгрызались в мозг, в самую его середину, отпиливали куски. Куски отваливались ломтями. Скоро не останется совсем ничего. Только пустая оболочка, внутри которой раньше был Сергей Литвинов.

— Серый, мы же не можем!.. А если опять все сначала?! Опять будем разводиться?!

Он тискал ее и трогал под курткой и от этого и от визжащих кругов в голове ничего не соображал. Он всегда плохо соображал, когда хотел ее.

— Не будем. Не будем мы разводиться. Я тебя больше не отпущу. Хватит.

— Серый, ты все слишком упрощаешь.

Но он был уверен, что все на самом деле очень просто и это она усложняет по своей женской и журналистской привычке.

Есть он, есть она, и жизнь, одна-единственная, ведь никто так толком и не знает, будет ли когда-нибудь второй шанс. Он не может жить без нее — не в том смысле, что его каждую минуту тянет утопиться, а просто не может, и все. Ему неинтересно и незачем работать, он перестал ждать выходных, и дальних поездок на машине, и в рестораны перестал ходить — он не любил, зато Кира очень любила вкусную ресторанную праздность, а теперь оказалось, что он тоже все это любит, но только если вместе с ней. Он перестал смеяться, и злиться тоже перестал — не на кого было, — и радоваться, и огорчаться всерьез, и выяснилось, что вся жизнь у него, как у старика, только в воспоминаниях, и он был уверен, что никогда больше не построит ничего такого же важного и значительного, как в этих воспоминаниях, если будет строить один, без Киры.

Он никогда не смог бы этого объяснить — бревно бесчувственное! Кроме того, он почти не умел выражать словами сколько-нибудь сложные чувства — машина вычислительная! Но ему казалось, что если она поймет, как он ее хочет, как она ему нужна, то поймет и все остальное — и, как всегда, избавит его от зарослей слов, в которых он путался!..

— Кира... — прошептал он, и вдруг тихий звук снаружи дома совершенно отрезвил его. Он перестал хватать, тянуть и тискать, замер и прислушался.

— Что, — спросила рядом его жена, — ты что, Серый?

От того, что он с ней делал, она напрочь забыла, что они «в засаде».

— Тихо, — беззвучно выговорил Сергей, — он уже здесь.

Звук повторился — чуть погромче, как будто царапалась кошка. Что-то стукнуло и опять замерло, только светила луна, освещала голые ветки сирени, которые снизу были видны Кире.

Она вдруг перепугалась не на шутку.

А как же бомба, которая не падает дважды в одну воронку? Кира точно знала про эту бомбу, что она — не падает, пока не услышала этот зловещий и тихий звук под стеной.

— Серый?!

— Тише!

Он встал на колени и затолкал Киру себе за спину, в темный угол, но она немедленно выбралась оттуда — в конце концов, у нее был свой, отдельный «кольт», и она могла бы им воспользоваться, если бы не перепугалась так сильно. Сергей резко и бесцеремонно зажал ей рот рукой. Зажал и отпустил, как бы приказывая больше не разговаривать.

Господи, но ведь бомба не падает дважды!

И все-таки он пришел. Что им теперь делать?! А если Сергей не прав и это именно тот человек, который, нарядившись Валентиной, прикончил у них на лестнице Костика?! Что, если он вооружен, у него нож или пистолет, а они тут на полу... совсем беззащитные?!

Тим останется один. Совсем один.

Он не справится, он же дурачок. Он совсем дурачок, и он не должен остаться без них.

Под окном что-то завозилось, как будто металлом скребли металл, потом послышались ровные поскрипывания — очевидно, он вывинчивал шурупы.

Почему Сергей не приделал как следует эту чертову раму, в отчаянии подумала Кира. Если бы приделал, он не залез бы! Он не залез бы, и все бы обошлось.

Ей стало так страшно, что она подалась назад за его спину, в тот самый темный угол, из которого только что так самонадеянно выбралась, и Сергей кивнул. Он дышал ровно и глубоко, и Кира подумала, что он почему-то совсем не боится. Со своей всегдашней ослиной самонадеянностью он решил, что это просто жулик, жулик, а не убийца, а потому бояться нечего и не боится.

В окне бесшумно возник черный силуэт — луна светила в спину жулику, обрисовывала голову и плечи и поднятые руки.

Кира пискнула.

— Сейчас он снимет решетку, откроет окно, и я зажгу свет, — прошептал рядом Сергей.

Свет?! Зачем свет?! Если он зажжет свет, они будут как на ладони, беззащитные и слабые, а черный силуэт в окне казался огромным и страшным.

Кира замотала головой и схватила Сергея за руку. Он нетерпеливо выдернул руку.

Со слабым скрежетом решетка отделилась от окна, человек аккуратно снял ее и опустил, почти беззвучно. Освещенная голубым светом рука просунулась в форточку и подергала шпингалет — вверх и вниз. Шпингалет загрохотал и забренчал в тишине так, что рука на секунду замерла, но потом снова двинулась вперед. Рамы были старые и слабые, шпингалет сопротивлялся недолго. Человек в окне потянул раму на себя, как будто проверяя, а потом стал медленно вдвигаться в узкую форточку, чтобы открыть нижний.

Кира поняла, что сейчас он непременно их увидит.

Увидит и убьет.

Ничего не произошло. В тишине и лунном свете он открыл второй шпингалет, и окно, застоявшееся за зиму, нехотя распахнулось. Две руки взялись за подоконник, и человек тяжело спрыгнул в комнату. Несколько секунд он стоял, прислушиваясь, а потом достал фонарь — маленький и слабый, Тим однажды купил себе такой в киоске и несколько дней с ним не расставался, светил под диваны, за шкафы и еще зачем-то за унитаз, хотя там ничего интересного отродясь не было.

Желтый лучик мазнул по стенам, по боку голландской печки, по письменному столу и креслам. Не дойдя до Сергея с Кирой, луч вернулся к столу, и человек сделал шаг. Скрипнули половицы.

Очень медленно и очень осторожно он добрался до стола, пристроил свой фонарик и выдвинул ящик.

Сергей вдруг сделал стремительное движение, что-то сухо щелкнуло, и ослепительно яркий свет озарил комнату. Кира зажмурилась изо всех сил, раздался топот, треск, короткий удар и вой.

— Кира, — громко скомандовал Сергей. Так громко, что у нее зазвенело в ушах. — Кира, закрой окно.

Тогда она с безумно округлившимися глазами выбралась из угла за креслом.

Ее муж сидел на корточках перед письменным столом. Сидел так, что окно оказалось у него за спиной — как он туда попал?! Прыгнул, что ли?

Незнакомый человек стоял на четвереньках, по-обезьяньи опираясь на обе руки. Фонарик, померкший в ослепительном свете, вдруг покатился и упал. «Дзинь», — сказало стекло.

Кира кинулась к окну и захлопнула створки.

— Получай своего жулика, — сказал ее муж непередаваемым тоном испанского «мачо», поднялся и посмотрел на нее — отчасти победителем, более суперменом.

— Кира, — заговорил тот, на четвереньках, и она чуть не хлопнулась на пол от неожиданности, — Кира, я ни в чем не виноват, это какое-то недоразумение! Я не хотел, на самом деле не хотел! Кира, прошу тебя, только милицию... милицию... не надо, не вызывай.

— Леня?! — не очень уверенно спросила потрясенная Кира и уставилась на Сергея, как будто только он мог дать точный ответ, Леня это или она ослышалась и ей мерещится.

— Леня! — передразнил Сергей. Он по-прежнему был испанский «мачо».

— Сергей Константинович! — приглушенно закричали с улицы. — Сергей Константинович, все ли у вас в порядке?

— Кира, я тут ни при чем! Ты же меня знаешь! Я всегда... я всегда только во благо, только во благо!..

— Сядьте, — сказал Сергей и, в один шаг добравшись до окна, распахнул его. — Все в порядке, Аристарх Матвеевич. Спасибо.

— Взяли?

— С поличным, Аристарх Матвеевич!

— Я в точности выполнил ваши указания, Сергей Константинович! Мы с Виленой Игоревной дождались вашу машину, сразу погасили свет, и я выступил в дозор. Доброй ночи, Кирочка!

— Здравствуйте, Аристарх Матвеевич, — пробормотала Кира в окно.

— Сергей Константинович выработал гениальнейший план, — сообщил снизу старик и вытянул худую шею, смешно торчавшую из ватника, — гениальнейший! Он решил, что налет на ваш дом повторится, и сообщил мне по телефону, чтобы я начал приготовления. Мы с Виленой Игоревной...

— Кира, — снова начал Леня Шмыгун, — ты не можешь так со мной поступить! Это внутреннее дело компании! Николаев твой приятель, я не могу, чтобы... чтобы в тюрьму, я не делал ничего такого!

— Вилена Игоревна зажгла свет, — продолжал сосед, — я дал ей сигнал. Вызвать милицию, Сергей Константинович?

В окно тянуло холодом и запахом влажной весенней земли, таким острым и позабытым за длинную зиму. На соседнем участке весело и победительно полыхал прожектор, зажженный Виленой Игоревной. Прибежала большая лохматая собака по имени Грей, уселась рядом с хозяином, задрала морду и ухмыльнулась, глядя на Киру.

— Так что с милицией, Кира? — спросил Сергей более человеческим голосом, чем разговаривал до этого. Впрочем, до этого разговаривал не он, а «мачо».

— Подождите, — попросила Кира, — я не понимаю, в чем дело! Я ничего не понимаю!

— Вилена Игоревна, наверное, беспокоится, — сказал деликатнейший Аристарх Матвеевич озабоченно, — я должен пойти к ней. Сергей Константинович, если я понадоблюсь, всегда к вашим услугам. Гениальный план! Я погасил свет и не дал бы злоумышленнику уйти, если бы он вознамерился покинуть дом! К счастью, все обошлось. Вы останетесь до утра, Кирочка?

— Я не знаю, — простонала Кира.

Аристарх Матвеевич смутился:

— Если надумаете остаться, добро пожаловать к завтраку. Мы с Виленой Игоревной рано встаем и будем очень счастливы. Очень, очень счастливы. Вчера в нашем магазине я купил отличнейший творог. Леночка сделает сырники. Сырники с малиновым конфитюром...

Тут вдруг он понял, что увлекся, сбился и заспешил:

— Телефон в вашем распоряжении, Сергей Константинович! Приходите и звоните без церемоний, в любое время! Абсолютно любое!

Он покивал и пошел к калитке, соединяющей участки, худой, сгорбленный, в огромной телогрейке, с пластмассовым ружьем, а собака Грей бодро трусила следом.

— Ну что? — спросил Сергей, притворяя окно. — Как я понимаю, это Леня Шмыгун, ваш коммерческий директор. Правильно понимаю?

— Кира, ты не можешь этого сделать! Ты не должна! Ты же не станешь сажать меня в тюрьму только потому, что я воспользовался...

— Послушай, Лень, — с недоумением произнесла

Кира и присела рядом с ним, — ты зачем сюда залез?! И в кабинет мой?! Это ты залез, да?

Леня Шмыгун, значительный, важный, всегда очень официальный, смотрел на Киру жалостливо, чуть не со слезой, и вытирал со лба пот. Платок был зажат в кулаке.

— Ну, конечно, он, — подал голос Сергей. Он стоял коленями на подоконнике, зачем-то потряхивал раму и смотрел вверх. — Я же тебе говорил, что это из кино про жуликов, а не про убийц! Леня и есть жулик.

— Я не убивал! — вдруг скороговоркой выпалил коммерческий директор. — Нет, не убивал! Это же ты его, Кира! Ты! Все знают, что это ты, а не я!

— Так зачем ты сюда залез?! И в кабинет?! Что ты искал?

— Бумажку искал, — опять сказал Сергей. Очевидно, трудно было сразу перестать играть в «мачо». — Ту, которую ты тогда подписала, помнишь? Ну, я же спрашивал у тебя, почему ее подписала ты, а не Батурин!

— Помню. — Кира потерла ладонями щеки. — Леня, да объясни ты мне в конце концов!

— Да что тут объяснять! — Сергей спрыгнул с подоконника и вытер о джинсы руки. — Он воровал деньги со счетов. Костик ничего не замечал, правильно? Он бы еще поворовал немного, а потом уволился, и никто никаких концов не нашел бы, он же коммерческий директор! Костик подписывал липовые платежки, которые он ему подсовывал. А одну тебе подсунул — ждать было невмоготу или денежки могли уплыть! Костика убили, на его место неожиданно пришел Батурин, а не ты, и он понял, что дурить Батурина, как он дурил вас с Костиком, не получится. Нужно было заметать следы. Я думаю, что в бухгалтерии никаких подозрительных документов не осталось, да? А копия платежки, которую ты подписала, осталась у тебя. Если бы ты ее отдала Батурину или в бухгалтерию, можно было бы вытянуть все остальные его махинации. Он знал, что ты ничего не выбрасываешь, а все по папкам раскладываешь, значит, и платежка в какой-то твоей папке, и ты о ней знать не знаешь. А когда станешь разбирать бумаги, найдешь и отдашь куда надо, и он тогда пропал.

— Батурин не должен был! — закричал Леня Шмыгун и посмотрел на Киру. — Зачем Батурин! Он же танк, а не... не журналист! Зачем ты его вместо себя, Кира?! Зачем?!

— Слушай, Лень, — задумчиво сказала Кира, — а ведь Костик Батурина подозревал. Ну, что это Батурин ворует. Он даже выгнать его хотел с волчьим билетом. Ты что, специально на него наводил?

— Ну да! — с отчаянием согласился Леня.

— А почему не на меня?

— А Николаев? — искренне удивился Леня. — Да он ни за что бы не поверил, что ты воруешь! Вот и пришлось!

— Ну да, — согласилась Кира, — пришлось.

— Я его спугнул, — продолжил Сергей. Он сидел на подоконнике и качал ногой. Кира ненавидела, когда он качал ногой. — Я все думал, зачем он смотрел старые счета? А он потому и смотрел, что искал именно счет. Только не старый, а новый. Платежку. Я его спугнул, и он решил искать в твоем кабинете и тоже не нашел. Что такое одна-единственная платежка!.. Но она ему нужна позарез, и я был уверен, что он будет ее искать до победы. Так что наша с тобой засада — чистый экспромт и везение.

— Как же экспромт, если ты соседей предупредил? — обиженно спросила Кира. — Ты же знал!

— Я предполагал.

— Как ты мог предполагать, что он не нашел ничего в кабинете?!

— Да потому что я нашел!

— Что?!

Сергей Литвинов отклеился от подоконника, полез в задний карман и с преувеличенной осторожностью вытащил сложенный в четыре раза листок дрянной желтой бумаги.

— Она?

Леня Шмыгун, коммерческий директор, взвыл и кинулся головой вперед. Сергей молниеносно закрылся креслом. Бумажку он держал в зубах. Сильно загрохотало, Леня завизжал, стараясь дотянуться до бумажки, и Кира закричала изо всех сил:

— Прекратите!!!

Сергей выхватил изо рта бумажку и сунул ее обратно в задний карман. Леня отчетливо щелкнул зубами.

— Как она к тебе попала?!

— Я ее нашел, — самодовольно заявил Сергей, — у тебя в кабинете. Кстати, это была единственная платежка с твоей подписью. Я понял, что дело в ней.

— Как, черт побери, ты ее нашел?!

— Все счета ты всегда хранишь одинаково. — Он посмотрел на нее. — Я женат на тебе черт знает сколько лет. Ты подсовываешь их под обложку ежедневника. Ты даже ежедневники всегда покупаешь такие, чтобы у них на внутренней стороне обложки был кармашек. Поэтому я не стал перебирать бумаги и вытряхивать папки, а посмотрел в ежедневнике. И нашел.

— У-у-у! — завыл Леня Шмыгун.— У-у-у!..

И сильно схватил себя за волосы.

— У всех, кто приезжал к тебе на дачу, — серьезно объяснил Сергей, — была какая-то определенная и объяснимая цель. Только у него никакой не было. Платежку мог подписать Батурин. Однако он не стал показывать ее Батурину, а потащился за город, к тебе. Он знал, что ты, как Костик, проверять ничего не станешь. Подпишешь, и дело с концом.

— Кира, я не виноват! Я просто так! Я думал, что... Но ведь я никому не сделал плохо! Никто из вас даже не знал, а Батурин отдал бы меня под суд! Во имя старой дружбы, Кира! Я не могу в тюрьму!

— В какую еще тюрьму! — фыркнула Кира. — Ты

Гришку зачем подставил?! Ты, поганый мелкий жулик, ну и воровал бы себе, но Батурина ты зачем подставил?! Костик места себе не находил! Он ему не доверял! Он даже мне говорил, что Батурин! Чего тебе не хватало? Бассейна с золотыми рыбками, что ли?

— Кира, — бормотал коммерческий директор, — я не хочу... я не стану... доказательств никаких.

— Да ладно, — сказал Сергей, — полно доказательств. А Батурин мужик кремень. И я тебя с поличным поймал.

— Кира! Прошу тебя!

Сергей вдруг посмотрел на часы и свистнул.

— Давай, — сказал он коммерческому директору, — езжай.

— Что! — вскрикнула Кира. — Как?!

— Кира, все равно в Малаховское отделение милиции мы его не сдадим, верно? Ну, посадят его до утра в «обезьянник», ну и что?

— Давай его в Москву отвезем!

— Куда? На Петровку, 38? Тебе надо, чтобы завтра во всех газетах написали, что журнал «Старая площадь» проворовался? Никуда он от вас не денется, не беспокойся! Чтобы в Бразилию улететь, нужны визы, билеты и черт знает что, а сейчас два часа ночи! Кроме того, он же не дурак. Ты не дурак, Леня, — спросил Сергей интимно, — ты понимаешь, что, раз уж мы тебя поймали, денежки лучше всего вернуть, верно? И желательно самому Николаеву в руки. Или Батурину. Ты же не хочешь в тюрьму или в федеральный розыск? Платежка у меня. Николаев бизнесмен, а не поэт, он тебя, родного, из-под земли достанет и заставит все платежки у него на глазах сожрать. Так что езжай, Леня, и утром очередь занимай, чтобы первым в редакцию войти и Батурину в ноги кинуться. Если кинешься, он тебя просто уволит. Денежки заберет, пересчитает и уволит. Ему скандал сейчас противопоказан, ему репутацию нужно беречь. Если в бега ударишься, будет тебе федеральный розыск и зона, когда найдут. А найдут без вариантов. — Он подумал и вдруг добавил: — Ясный перец, найдут. У меня вот тут еще на всякий случай...

Он взял со стола Кирин диктофон и помахал перед носом у Лени.

— Все записано. Для страховки. Так что езжай, соберись с мыслями, чистую рубаху не забудь...

— Сергей! — крикнула Кира. — Он сбежит!

— Никуда он не сбежит. Ему бежать невыгодно, а уж выгоду он лучше всех понимает.

— Кира, — застонал коммерческий директор, — пожалей ты меня! Батурин меня... убьет. Пристрелит! Я не могу к нему. Не хочу!

Кира изумилась:

— Ты хочешь, чтобы я... чтобы ты...

— Он хочет, чтобы ты никому не рассказывала, — встрял Сергей, — милый Леня, это невозможно. Или у тебя денег не осталось совсем?

— Де...нег? — заикаясь, переспросил директор. Лицо у него сморщилось и перекосилось, как у ребенка, который собирается плакать.

Сергей взял его за плащ, поднял на ноги и повел в коридор. Леня оглядывался, порывался вернуться и звал Киру, но Сергей все тащил и тащил его.

Хлопнула дверь, на крыльце забухали шаги, соседская собака Грей бодро и радостно залаяла, как будто устав молчать. Кира прислушивалась, а потом встала и начала ходить по комнате. Кресло попадалось ей на дороге, и она старательно его обходила, но не догадалась переставить.

Опять шаги, знакомый скрип двери. Она скрипела столько лет, сколько Кира себя помнила. Вот интересно, почему она скрипит — и отец, и муж регулярно мазали петли, но они все равно скрипели.

— Ну что?

— Зря ты его отпустил! — Кира натянула на пальцы рукава свитера. — Он все-таки сбежит!

— Никуда он не сбежит. Он жулик, а не рецидивист!

Что бы мы стали тут с ним до утра делать? Или в твою квартиру повезли бы?

— Или в твою, — предложила Кира.

— Он сейчас все обдумает, остынет и утром сам придет, это точно. Это называется проиграть с наименьшими потерями. С такими ребятами, как твой Батурин, не шутят. Ему выгоднее признать поражение, чем ударяться в бега. Поймают — посадят. Это если менты поймают. А искать станут не только менты, ты ж понимаешь. Или ты согласилась бы на скандал, только чтобы все было... правильно? Чтоб мы его в милицию отволокли и все такое?

Кира помолчала.

Ее муж прав. Прав, черт побери все на свете! Опять прав. Он бывал прав в девяти случаях из десяти и невыносимо этим гордился.

— Спасибо тебе, Серый, — неловко сказала она и ткнула в него ладошкой, — ты молодец. Как это ты про него догадался?

Сергей перехватил ее руку, перевернул и посмотрел.

— Помнишь, ты все искала линию жизни? И говорила, что она у меня подозрительно длинная. И еще какие-то три брака и семеро детей.

— Не семеро, — возразила Кира, — по-моему, там было всего двое.

— Где?

— На твоей ладони. — Она не смотрела на него. — Слушай, может, нам позвонить нашему единственному сыну и сказать, что мы еще... живы?

— Он спит.

— Может, он волнуется.

— Я волнуюсь, — сказал Сергей, взял ее за подбородок и повернул так, чтобы она смотрела на него.

Кира посмотрела.

— Нам нельзя, — напомнила она, — ты что? Не знаешь?

— Знаю, — согласился он и поцеловал ее в ладонь, — я без тебя больше не могу.

— А девица?

— Какая девица?

— Я звонила, а к телефону подошла девица.

— Кира! — крикнул он в отчаянии.

Он никогда не умел хорошо, правильно и красиво разговаривать с ней. Он все знал про любовь, про уши, про женщин и знал, как составить все эти слова, чтобы получилось бессмертное откровение какого-то психолога, которое цитировалось во всех книгах про семейную жизнь. Такие книги изредка почитывала Кира — когда приносила какая-нибудь из подруг.

Он знал, но на практике применять не умел. И только удивлялся — неужели можно в чем-то сомневаться или хотеть глупых слов, когда они занимались любовью так, как будто именно они придумали и открыли это занятие!

Он прижал ее к себе, почти оторвав от пола. И потрогал губами макушку. Это была новая прическа, сделанная «после него», и ему все время хотелось потрогать, пощупать, погладить ее волосы, казавшиеся такими странными и чужими. И еще посмотреть на нее, вспомнить ее — ее кожу, запах, звук дыхания, — и черт бы побрал все на свете слова, которые он не умел говорить!

Кирины руки забрались ему под свитер, браслеты царапали кожу на спине, потому что она изо всех сил прижималась к нему, стискивала руками. Собираясь с ним в Малаховку — господи, какая стыдоба! — она откопала в ящике среди белья новый черный шелковый комплект с кружевцами, и торопливо нацепила, и теперь вдруг перепугалась, не осталось ли на нем бирок и ценников — вполне могли. Но он был совершенно равнодушен к белью, она отлично это знала. Он не замечал на ней никакого белья, даже если бы она нацепила трико кисельного цвета или полосатые монументальные подштанники. Он хотел ее — всегда! — и на белье ему было наплевать.

Кира заскулила и стала тащить с него свитер, а он все прижимал ее к себе, и ей неудобно было тащить свитер.

Она собралась погасить свет, но он не дал ей, потому что хотел смотреть на нее, вспоминать и узнавать снова.

— Серый! — с силой сказала она. — Серый!

Диван всхлипнул и как будто икнул, когда они плюхнулись на него. Это был отличный, ковровый, столетней давности диван, на котором было столько всего пережито, перепробовано, перечувствовано, и, кажется, именно на этом диване их застали неожиданно приехавшие ее родители.

От того, что все было правильно и хорошо, и так, как всегда и только у них, Сергей отчаянно торопился, потому что боялся за себя, за то, что не дождется ее. Он загорался быстрее и сильнее, чем она, и знал, что после очередного виража он не сможет ни остановиться, ни оглянуться, ни подождать ее.

У нее были сильные руки, которые все про него знали. У нее были изумительные гладкие ноги, о которых он забыл — какие они. Короткие волосы на затылке щекотали ему ладонь, когда он трогал их, вверх и вниз. Она была стремительная, неукротимая, движущаяся, как будто шелковая, как белье, которое попалось ему под руку, и он куда-то зашвырнул его.

Как он прожил без нее столько времени?! Столько драгоценного времени ушло понапрасну!

Ему стало смешно, и он, кажется, засмеялся, но Кира перехватила его и снова поцеловала в губы, и он обо всем забыл — даже о вираже, после которого он не сможет вернуться, и о том, что нужно поберечь дыхание для финишной прямой, чтобы все-таки не умереть на ней!

Он не умер.

По крайней мере не до конца...

Сергей сказал себе, что спать ни за что не станет — в конце концов, на самом-то деле он вовсе не бесчувственное бревно! — и уснул, как только они перебрались с дивана в старую спальню, где на стене висела почерневшая от времени картина, изображавшая летний полдень, еще был пузатый комод с потрескавшимся зеркалом и широченная кровать.

Утром он проснулся от счастья, уверенный, что в его жизни все хорошо. Самое главное, что он наконец-то понял, что значит хорошо и что нужно для того, чтобы так и оставалось, и только хотел сказать об этом Кире, как она вдруг заторопилась, стала суетиться и отводить глаза.

Он ничего не понял. Он только что открыл «формулу счастья», так гордился собой, так радовался прошедшей ночи и знал, что впереди у них еще уйма таких ночей, и был уверен, что Кира тоже открыла свою «формулу».

— Нет, — быстро сказала она, как только он полез к ней с поцелуями, — не приставай ко мне, Серый. Мне надо подумать.

О чем?! Зачем?! Он не понимал.

Они уехали из Малаховки очень рано, чтобы успеть до работы заехать домой, и Кира ничего не ответила, когда он сказал — специально, чтобы проверить ее, — что ему тоже надо домой. К себе. В свою, отдельную от Киры, квартиру.

То ли она не слушала, то ли ей было все равно.

Что он станет делать, если ей и вправду все равно?! Если она решила, что секс с бывшим мужем ничем не отличается от секса с «козлиной» и затевать семейную жизнь сначала просто не стоит свеч?!

Почему, черт побери, он так и не научился говорить эти самые слова, которые все бы ей объяснили, растолковали, и после таких слов она не смела бы так напряженно и независимо смотреть в окно его машины!

— Я поднимусь, — мрачно сказал он, затормозив у подъезда, — дашь мне ключи от «Фиата», я налью масла в твой замок.

— Позавтракаешь? — спросила она. Ему показалось, что спросила просто так, из вежливости.

— Нет, — отрезал он.

— Серый, ты...

— Что?

— Ничего. Ты... не торопи меня. Это ничего не значит. То, что у нас было. — Тут она покраснела и пятерней откинула назад свою потрясающую челку.

— Это значит все на свете, Кира.

— Для тебя.

— А для тебя нет?

— Добренького утричка, — заголосила из своей стеклянной будки Марья Семеновна, — добренького, добренького! Издалёка в такую рань-то, Кирочка?

— Здрасти, — пробурчал Сергей.

— Из Малаховки. — Кира пронеслась мимо будки с Марьей Семеновной и свернула к лифту. Сергей едва успевал за ней.

В молчании они поднялись на пятый этаж, и Кира решительно вставила ключ в замок. Сергею показалось, что это она ему демонстрирует решительность.

— Ребята! — неестественно закричала Кира, едва перешагнув порог, и кинула под вешалку рюкзак с термосом. — Вставайте, мы дома! Тим, вставай! Валентина!

— Я здесь.

Валентина вышла в коридор, сразу же оказавшись в двух шагах от Киры с Сергеем.

В руке у нее был пистолет.

Аллочка заметила его сразу. Он стоял в дверях, перегородив вход, и не торопясь рассматривал закусочную, очевидно, отыскивал ее.

— Григорий Алексеевич!

Он посмотрел на нее издалека, и лицо его как будто чуть-чуть дрогнуло и смягчилось, но, когда он подошел к ее столику, оно уже было прежним.

— Ну хорошо, — сказал он, не здороваясь, и пристроил свою палку к соседнему свободному столику, — я пришел. Зачем вы хотели меня видеть, да еще в такую рань, да еще в «Макдоналдсе»?

— Мне надо с вами поговорить, — быстро и решительно сказала Аллочка, — а по телефону я не могла.

— О чем?

— О смерти Константина Сергеевича.

Батурин молчал, никак не выражая ни изумления, ни смущения — вообще ничего. То есть совсем ничего.

Что такое? Должен бы выражать.

— Вы знаете, кто его убил? Или это вы его убили?

— Вы с ума сошли! — тихонько вскрикнула Аллочка. — Что вы говорите?!

— Не знаю, — признался Батурин, — а вы что говорите?

И подвинулся на стуле, удобнее устраивая свою ногу. Устроил, посмотрел на стол и задержал взгляд на ее стакане с недопитым дрянным кофе.

Неизвестно почему у Аллочки закружилась голова.

Нет, известно. Потому что Батурин смотрел на ее стакан с недопитым кофе.

— Можно? — вдруг спросил он. — Мне идти лень.

— Что? — не поняла Аллочка.

Он кивнул на стакан.

— Допить.

— Господи, конечно! — засуетилась Аллочка. — Я могу принести вам свежего, Григорий Алексеевич! Хотите? Я сейчас, одну минуточку!

— Сядьте, — попросил Батурин, — не бегите. Я глотну, и мне хватит.

Он взял стакан и посмотрел на Аллочку очень черными, странно черными глазами. И вдруг улыбнулся.

— Может, мне хочется кофе именно из вашего стакана.

— Из... моего? — запнувшись, переспросила Аллочка.

Она отлично умела играть в разные полезные для жизни игры. Играть, становиться то неприступной, то наивной, то деловой, то непонимающей. Она выросла в среде, где такое умение ценилось больше других важных качеств, где оно могло заменить многое, если не все. Аллочка разбиралась в играх до тонкостей, хотя пользовалась своим умением не слишком часто.

Теперь, когда игру предлагал Батурин, она растерялась.

Батурину стало неловко.

— Да, — сказал он, одним глотком допив из стакана кофе, — так что там с Костиком?

— Я видела, — выпалила Аллочка ему в лицо. — Я видела, что это именно вы сунули ему в портфель листок из Кириной статьи. Видела, Григорий Алексеевич.

Кира попятилась, зацепилась ногой за лямку брошенного рюкзака и стала валиться на спину. Сергей не мог оторвать глаз от маленькой черной дырочки в вороненом стволе.

Нужно как-то спасти Киру. И Тима.

Где-то в квартире их сын. Скорее всего он еще спит. Спит и ничего не знает. Он не должен проснуться от выстрела, который убьет его мать.

— Мам, пап, привет! — пробасил Тим где-то совсем близко.

— Тим! — крикнула Кира. — Тим, не смей сюда ходить?!

— Почему же? — спросила Валентина и нелепо взмахнула пистолетом.

«Сейчас, — подумал Сергей. — Как же я не был готов?!! Почему?!!»

— Пап, — Тим выскочил из коридора, ведущего в кухню, из него вышла и Валентина. — Вы чего там в Малаховке делали?

На нем были пижамные штаны, волосы всклокочены, а в кулаке почему-то зубная щетка.

— Пап, смотри! — Он подбежал к Валентине и вытащил у нее из руки пистолет. — Классная штука, да? Мы ее в диване нашли. Как ты думаешь, откуда она там взялась, а, пап?! Мам, ты чего? Ты чего, мам?! Пап, что с ней, а?

— Тима! — крикнула Кира, бросилась и обняла его, как будто не чаяла увидеть живым. — Тимка! Ты просто... ты просто дурак какой-то!!

И заплакала.

— Почему дурак-то? — не понял Тим. — Папа, ну посмотри же ты!..

— Смотрю.

Сергей постоял еще секунду, прогоняя безумие из головы. Ладони были мокрыми, и сердце колотилось у глаз.

— Где вы это взяли?

— В диване, — доложила Валентина и покосилась на пистолет, — в гостиной, в диване. Я хотела лечь на нем, а он... не слишком удобен. Особенно для моего ревматизма. Мы с Тимочкой решили его разложить и...

На самом деле они полезли в диван, потому что играли в дурака до первого часу и потеряли карту. Они играли в дурака, ели бутерброды с колбасой и толстыми кусками желтого сыра, и еще солнечные квадратики мармелада, и конфеты «Трюфели», которые обожала Валентина, и клубничный джем, и жареные орешки.

А потом они полезли в диван искать карту и нашли... пистолет.

Они долго рассматривали его, вытаскивали друг у друга из рук, сталкивались лбами, шушукались, совещались, потом Валентина сунула его в карман своего клетчатого фартука и, как Тим ни ныл, больше ему не дала.

— Покажите где, — приказал Сергей, — где именно, покажите.

Они показали. Злополучная карта, так и не найденная ночью, оказалась на самом виду, и Тим даже делал некоторые маневры, чтобы припрятать ее, но ни отец, ни мать ничего не заметили.

— Та-ак, — протянул Сергей. Кира смотрела на него, и в глазах у нее был ужас. — Пистолет я возьму с собой. Тим и Валентина никому не должны о нем рассказывать. Никому и нигде. Понятно? Кира, я сейчас сделаю твой замок, ты поедешь на работу и там тоже никому и ничего не скажешь. Тим, открой маме воду погорячее, видишь, она вся трясется!

— Откуда у нас в доме... У нас в доме... — Кира никак не могла выговорить это слово, — пистолет?! Откуда?!

— В том-то и дело, — непонятно сказал Сергей.

— В чем?

Он посмотрел на нее сверху вниз, чувствуя себя намного сильнее, гораздо сильнее, чем она.

— В том, что, когда я осматривал квартиру наутро после смерти Костика, никакого пистолета здесь не было.

— Я? — натурально изумился Батурин. Так натурально, что Аллочка ему почти поверила. — Я подложил листок?!

— Вы, — стояла на своем Аллочка, — я видела.

— Что вы видели?!

Он вдруг оглянулся по сторонам, взгляд был недобрым.

А если он меня убьет, пронеслось в голове у Аллочки. Это ведь не полоумный Леша Балабанов, это сильный, хладнокровный, очень опасный человек!

— Я видела, как вы сунули ему в портфель бумажку, Григорий Алексеевич! Вы зашли к нему в кабинет, постояли немного, подождали, потом открыли его портфель и положили туда эту бумагу.

— Да, — задумчиво произнес Батурин, — я никого не заметил. Сдавать стал.

И вздохнул печально.

Аллочка замерла.

Он должен был кричать и оправдываться, он должен

был доказывать ей, что все это неправда, он должен был кинуть в нее стаканом из-под кофе — от возмущения. А он сказал: я вас не заметил.

Он посмотрел на нее и усмехнулся:

— С чего вы взяли, что это именно та бумага?

— Как... с чего? — пробормотала Аллочка. — Какая же еще?

— Вы видели, что я сунул ему в портфель бумагу. Почему вы решили, что именно ту?

Аллочка молчала.

— Сначала я вытащил эту бумагу у него из портфеля, — продолжал Батурин. Достал сигареты, но не закурил. — С некоторых пор я часто лазил к нему в портфель.

— Зачем?!

— Затем, что я думал, что он ворует деньги. Много. Я хотел найти этому подтверждение и смотрел все финансовые бумаги, которые он носил с собой. Я был убежден, что все его выступления в мой адрес просто прикрытие. Попытка свалить с больной головы на здоровую. Так что я ничего не подкладывал, Аллочка. И не думал даже.

Она поверила ему. Поверила и даже заулыбалась, и он улыбнулся в ответ.

— Пошли, — сказал Батурин, поднялся и приспособил свою палку, — уже десятый час.

В молчании — Аллочка не знала, что говорить, а Батурин просто молчал — они перешли Маросейку и прошли немного по тротуару. Аллочка старалась не торопиться, потому что он шел медленно, а ей хотелось идти именно с ним.

Кирин «Фиат» притормозил перед поворотом на стоянку, Кира помахала им рукой, и Батурин махнул в ответ, а Аллочка не стала, постеснялась.

Со всех сторон в стеклянные двери шли люди, и Аллочка радовалась, что идет вместе с ними. Идет на работу.

Потом все это вспоминалось отчетливо и даже болезненно — свежее утро, запах дождя, машин, духов и просыпающейся зелени, тяжелые шаги Батурина у нее за спиной, и люди, спешащие на работу.

В вестибюле Кира их догнала.

— Привет, — сказала она озабоченно. — Гриш, мне надо с тобой поговорить...

Все дальнейшее случилось в одну секунду, упало на них, как черная простыня.

Возле стеклянных дверей снаружи с визгом затормозила машина, и из нее посыпались люди в черных масках и с автоматами — неизвестно сколько.

В одну секунду они оказались внутри, заполнив все помещение, и автоматная очередь оглушительно ударила в потолок, и белая пыль повисла в воздухе.

— Всем лечь на пол!!! На пол, вашу мать!!

Батурин стал медленно поворачиваться, откуда-то бежал растерянный охранник, и автоматная очередь вдруг остановила его, согнула пополам и швырнула на пол.

— Мать честная! — пробормотал Батурин.

— На пол!! На пол, кому сказано!! Всех замочу, суки!

Батурин дернулся вперед, закрывая собой Киру и Аллочку, автомат в руке одного из тех как будто сам по себе повернулся, и Батурин упал назад, повалив тяжелым обмякшим телом их обеих, и больше не шевелился.

Кира видела, как стремительно и страшно опустела улица, как будто вымерла или затаилась в ожидании мировой катастрофы. Две минуты назад ей казалось диким, что они лежат тут под дулами автоматов, а люди вокруг, за «карантинной зоной», огороженной чистыми стеклами и толстыми стенами старого дома, живут обычной жизнью, идут по делам, катят коляски, смеются и разговаривают друг с другом, как две молоденькие девицы, которых Кира проводила глазами, а теперь она поняла —

лучше бы шли, и разговаривали, и катили коляски, чем вот так — остаться один на один с бедой.

Несколько перепуганных человеческих особей на плиточном полу и несколько уверенных человеческих особей с автоматами. И больше никого. Нигде.

Помощи ждать неоткуда. Помощь не придет. Помощь приходит вовремя только в американском кино.

Брюс Уиллис, «Крепкий орешек».

Кира прикрыла глаза, потому что прямо перед ее носом остановился обшарпанный рыжий ботинок. Такие ботинки очень уважает Тимофей, особенно если они не только обшарпанные, но и не слишком чистые.

Кире стало нехорошо.

Сколько же лет этому, в рыжих ботинках? Тринадцать? Пятнадцать?

— К стене! — рявкнул трудноопределимый голос, и маска наклонилась к ней, она чувствовала чужой запах и чужое тепло. — К стене!

И зачем-то он вдруг ударил прикладом ей в ребра.

Взвизгнула Аллочка, и ее он тоже ударил — раз и два. Аллочка всхлипнула, как подавилась, и затихла. Кира старалась дышать, но это было трудно, почти невозможно.

— В следующий раз убью, — пообещал рот в прорези черной маски, — если только шевельнетесь, суки!

Сквозь красный туман в голове Кира подумала, что он плохо себя контролирует, почти визжит, не может держать себя в руках.

Они нас убьют, поняла она очень отчетливо. Им все равно. Им нечего терять.

В эту секунду вдруг стало ясно, как это — когда окружающим ничего не стоит тебя убить. Им нет дела, жива ты или нет. Им было бы даже удобнее, если бы ты умерла.

Откуда-то издалека вдруг наплыл и пропал вой сирены, и рыжие ботинки пропали из поля ее зрения.

Она умрет, но у Тима останется Сергей. Она умрет, но Сергей никогда не бросит Тима. Она умрет, им будет недоставать ее, но они будут вдвоем, и Тим не пропадет.

Ничего. Не так страшно.

У стеклянных дверей, через которые она утром входила в редакцию, злясь на портфель, у которого так некстати развалился замок, сейчас стояли трое. Один все время оглядывался по сторонам, словно боялся, что из стен на них и впрямь выпрыгнет бравый Брюс Уиллис, «Крепкий орешек». Все трое были в масках — прорезанные глаза и рты, как у черепов. У одного был автомат, а что у двух других, Кира не видела. Тот, что в рыжих ботинках, вдруг громко выматерился за колонной, раздался удар, вскрик и короткий хлопок.

Трое у дверей оглянулись, и один спросил как-то очень буднично:

— Ты че?

Вообще, если не считать масок, они вели себя очень буднично и просто — никаких звериных оскалов, никакого волчьего воя, никаких дьявольских штук. И от этого становилось особенно ясно — они безжалостны, как насекомые, и равнодушны, как ледяной бетон. Они убьют всех, если им будет так удобнее — без заложников. Или не убьют, если не будет времени с ними возиться.

— Тут сучара с мобильником игралась, — проинформировал тот, который был в рыжих ботинках. Он нервничал больше всех. — Теперь не играется.

— Брось ты их! — с досадой сказал второй и снова повернулся к двери: — Иди сюда лучше.

— Пристрелю как собаку первого, кто шевельнется, — проинформировали рыжие ботинки и пошли к дверям, наступая на пальцы, сумки, кошельки и очки. Какая-то женщина, Кира ее раньше не видела, отдернула руку, и ее он тоже ударил в ребра — просто так, потому что шел мимо.

Просто так. Просто так.

Рядом захрипела Аллочка, и Кира сильно вздрогнула, косясь в равнодушные спины. Они смотрели в окно, за которым была мертвая, как после ядерного удара, улица, и где-то снова тоскливо и тяжко завыла сирена.

Не отрывая от них глаз, Кира подтащила Аллочку повыше — тащить было трудно, потому что Аллочка ничем ей не помогала, руки болтались, ноги беспомощно волоклись по плиточному полу — сантиметр, еще сантиметр, еще один.

Лоб у Киры вспотел.

Если она застонет, ее убьют. Они услышат и убьют ее, потому что это будет их раздражать или потому, что она стонет, когда они приказали не стонать. Ее нужно подтащить к себе и заткнуть ей рот. Как-нибудь. Чем-нибудь. Чтобы она могла дышать, а стонать не могла.

Если они увидят, что я шевелюсь, меня тоже убьют. Мне приказали не шевелиться. У них автоматы, и им все равно, жива я или нет. У них автоматы, и они не чувствуют ничего, стреляя в людей.

Что вы чувствуете, когда прихлопываете наконец комара, который звенит у вас над ухом? Облегчение? Радость? Сострадание? Да нет же! Вы не чувствуете ничего, совсем ничего, потому что вам нет до комара никакого дела, до его жизни и смерти, до его предназначения, возраста, материального и семейного положения!

Спасибо за внимание, с вами был Ларри Кинг в программе...

Кира закрыла глаза и тут же вновь их открыла, потому что один из них вдруг быстро пошел в ее сторону, придерживая болтающийся на плече автомат. Кира знала, что он идет убивать ее.

Она перестала тянуть Аллочку и уткнулась носом в пол. По крайней мере она не станет на это смотреть.

Она не будет смотреть, как ее убивают.

Нужно потерпеть, наверное, недолго. Потерпеть, только и всего. Она перетерпит, а потом увидит все это сверху — вестибюль, плиточный пол, залитый кровью, трупы охранников, насекомых в масках, Аллочку, мертвого Батурина.

Может быть, он еще не слишком далеко ушел, и она догонит его по дороге. Вдвоем не так страшно. Хотя там, дальше, и так не страшно. Страшно здесь, перед порогом. А там...

Трусиха, говорил Сергей, посмотри, какой хорошенький, и показывал ей паука, а она визжала и боялась.

Почему она боялась паука? Разве паука можно бояться?

Секретарша вбежала в кабинет и замерла на пороге, хватая ртом воздух, как будто сошла с марафонской дистанции за три метра до финиша.

— Что? — спросил Сергей недовольно. Она молчала, только открывала и закрывала рот. Он передразнил ее — едва заметно.

— Что?! — повторил он. — Да что с вами?!

— Сергей... Константинович... — прохрипела секретарша.

— Я! — бодро, как на линейке, отозвался Сергей. — Что случилось, Ирина Федоровна? Переворот? Крах? За один рубль дают тридцать долларов?

— Кира... Кира... Михайловна...

— Да. Звонила? Заезжала? — Сергей швырнул бумаги и вдруг забеспокоился — секретарша тряслась с головы до ног и на самом деле не могла связать двух слов.

— Нет... нет. Сергей Константинович, там у них... беда.

— Где беда? Какая беда? У кого — у них?!

— В редакции, — секретарша выпалила это ему в лицо и вдруг опустилась на стул, как будто совсем обессилев. Сергей, наоборот, вскочил. Затылку стало холодно.

— Что в редакции?! Да будете вы говорить или нет?!

— Бандиты напали, — скороговоркой сказала секретарша, — по телевизору... в новостях... экстренный выпуск. Только что.

— Ка... какие бандиты?! — крикнул Сергей, понимая, что это уже случилось, хотя он так толком и не понял, что именно, но оно случилось, самое плохое, что только могло случиться, и ничего уже не вернуть, и ничего не поправить, и это изменит все, как меняет война, или гибель Атлантиды, или падение Тунгусского метеорита.

Ирина Федоровна посмотрела на него — в глазах у нее было озеро из слез, страха и любопытства.

— Бандиты напали, — непонятно начала она, — и всех держат в заложниках. Говорят, что есть... убитые. Несколько человек. Говорят, будут штурмовать. Что делать, Сергей Константинович?!

Некоторое время он смотрел на нее. Потом, сбрасывая со стола бумаги, которые падали и разлетались по всей комнате, проворно откопал на столе телевизионный пульт и нажал кнопку.

В эфире было полное и безмятежное спокойствие. На первом канале придурковатый милиционер чистил пушку. На втором придурковатый певец пел песню. На третьем придурковатый комментатор говорил речь. На четвертом...

— ... пока не сообщается. Сейчас в прямом эфире наш корреспондент Максим Бобров. Максим, что в данный момент происходит на месте событий и есть ли уже комментарии официальных лиц?

— Здравствуйте, Катя. К сожалению, мы находимся довольно далеко от здания редакции еженедельника «Старая площадь», которое три часа назад было захвачено террористами. Прибывший на место происшествия спецназ оцепил здание и несколько прилегающих улиц, и пресса сразу оказалась за линией оцепления. Насколько я знаю, движение на улице Маросейка закрыто и сейчас идет эвакуация людей и припаркованных машин. Ожидается прибытие мэра Москвы, но пока не сделано ни одного официального заявления по поводу разыгравшейся здесь трагедии...

— Максим, есть ли сведения о жертвах? — встряла ведущая, и корреспондент в кадре поплотнее прижал наушник. Вид у него был очень юный и странно растерянный.

— По словам очевидцев, беспорядочная стрельба в здании еженедельника продолжалась довольно долго, хотя вряд ли сотрудники редакции и даже охрана могли оказать сколько-нибудь серьезное сопротивление террористам. Известно совершенно точно — когда на место событий прибыло руководство МВД, на чем настаивали бандиты, из окна на втором этаже был выброшен труп. Это сделано, чтобы продемонстрировать серьезность их намерений по отношению... к заложникам, и здесь говорят, что...

— Максим, известно ли, сколько в здании террористов?

— Пока... пока нет, но один из руководителей отряда быстрого реагирования, с которым мне удалось переговорить, сказал, что от трех до семи человек.

— А требования? Какие требования выдвигают бандиты, Максим?

— Об этом тоже ничего пока... не известно, как и о том, будет ли предпринят штурм здания, или спецслужбы позволят террористам покинуть его. Отсюда само здание мы не видим, видна только стоянка и...

Камера мазнула по кустам и углам домов, по голым веткам деревьев, уткнулась в грязный ряд далеких машин, и Сергей увидел красный «Фиат».

Красный «Фиат», принадлежавший его жене.

Все, почему-то подумал он, и это слово колокольным звоном ударило в виски и в уши. Все.

Она там.

Он прибавил громкость так, что голос корреспондента загремел в тесном кабинете, и секретарша сильно вздрогнула на своем стуле.

— ...тоже ничего нельзя сказать, хотя нам только что сообщили, что руководитель Центра общественных связей ФСБ должен через несколько минут сообщить журналистам...

Контролируя непослушные пальцы, Сергей набрал номер. Нужно было что-то делать с собой, и он стал считать вдохи и выдохи.

Раз, два. Три, четыре. Пять, шесть. Семь, восемь.

— Машину, — сказал он в толстую несчастную секретарскую спину. Внезапно он забыл, как ее зовут, — отправьте машину прямо сейчас.

— Куда, Сергей Константинович?

Три, четыре. Семь, восемь. Пять, шесть.

Голос Киры сказал ему в ухо, что ее сейчас нет дома, и предложил оставить сообщение.

— Тим, — позвал Сергей, — Тим, это я. Трубку возьми. Возьми сейчас же трубку!

Он сбивался со своего идиотского счета и начинал считать сначала.

Сына не было дома, и Сергей даже представить себе не мог, где он может быть и что он станет делать, когда... когда узнает. Он посмотрел на часы, чтобы понять, в школе он или уроки кончились, и потом оказалось, что так и не понял.

Нужно ехать, сказал он себе. Нужно ехать.

— Куда машину, Сергей Константинович? — спросила секретарша, но он ничего не знал про машину.

Как только он положил трубку, телефон вдруг бешено зазвонил — его личная линия, — и в приемной зазвонил, и в кармане у него затрясся мобильный, настроенный на «режим вибрации».

Секретарша кинулась в приемную, а он выхватил мобильный. Может быть, Тим догадался позвонить.

Звонила мать.

— Сережка!

— Да, — проскрежетал он, — да, я знаю.

— Папа сказал, что он сейчас за тобой заедет и вы вместе... Ты где, Сережка?

— На работе.

Странно, что она не понимала, что он не может говорить. Совсем не может.

— Сережа, я тебя прошу, я тебя умоляю, один никуда не езди в таком состоянии! Сейчас приедет папа! Он уже выехал, он с тобой поедет! Может, она где-то задержалась и не пришла на работу! Ты ей звонил?

— Нет.

— Не звонил?!

— Она пришла на работу, мама. Там ее машина, я видел.

— Ну и что машина, подумаешь, машина! — заспешила мать, и Сергей снова начал считать.

Раз, два. Три, четыре. Семь, восемь. Нет, как-то еще.

— Позвони ей, Сережа!

Он не мог сказать, что боится звонить. Боится так, как никогда еще ничего в жизни не боялся.

— Мама, — выговорил он, — если я найду Тима, вы его заберете. Верни отца домой, пусть он едет к школе и заберет Тима. Поняла? Прямо сейчас.

— Сережка, ты один не...

— Мама, ты поняла меня?

Что-то мешало ему, лезло в голову, и он вдруг понял, что это звонит телефон у него на столе. Он швырнул мобильную трубку, не дослушав мать, и схватил другую.

Там тоже кто-то что-то говорил, но он перестал слушать, как только понял, что это не его сын.

В приемной громко разговаривали, он морщился как от зубной боли — разговоры ему мешали. Ему всегда мешали разговоры, он привык работать в тишине, и никто не смел в середине дня орать у него в приемной, а сейчас орали, как будто имели на это право, а он из-за этого никак не мог вспомнить, что ему нужно, чтобы завести машину.

Ключи! Ключи, твою мать!..

— Сереженька! — растолкав народ, в кабинет влетела Инга, тараща огромные прекрасные лихорадочные глаза. — Это правда, говорят, что твоя англичанка там, где сегодня заложников взяли?! По всем каналам показывают!

Сергей Константинович выглядел странно.

Наверное, из-за англичанки переживает, решила проницательная Инга. Надо же, какой чувствительный! Еще ничего и не случилось, заложники живы — не все, но большинство-то живы! Освободят, куда денутся. Конечно, освободят!

— Пальто, Сергей Константинович! — пискнула секретарша и, как ребенка, завернула его в пальто. Он просунул руки в рукава. — И вы про машину сказали, а я так и не поняла...

В приемной раздался ужасающий топот, на секунду смолкли голоса, и в кабинет влетел его сын. У него было очень бледное, до зелени, остроугольное, взрослое лицо.

— Папа?!

— Пошли, — сказал Сергей. —Хорошо, что ты приехал, я тебя искал.

— Пап, что с мамой?!

— Я пока не знаю. Мы сейчас поедем и попробуем узнать.

В присутствии сына он не мог бояться так, как боялся до него. Он не мог переложить на него то, что только что случилось с ними. Он сильнее и старше, и именно он, Сергей, должен сейчас стоять на краю, и прикрывать, и утешать, и делать всезнайский вид, и отвечать за все — потому что рядом его ребенок, который смотрит на него, и вместо лица у него страх, даже розовые уши и короткие волосы излучают страх.

Только страх, и больше ничего.

...Щека закаменела на холодном полу, и от холода, ввинтившегося в мозг, Кира поняла, что сейчас ее убивать не будут.

Еще не сейчас.

Аллочка перестала стонать, лежала очень тихо, Кира не могла расслышать, дышит она или нет. Может, сознание потеряла? Если тот, в рыжих ботинках, раздробил ей ребра, вполне могла потерять.

Хорошо, если она без сознания.

Волосы на затылке вдруг встали дыбом, и она поняла, что к ней приближается что-то. Она не видела, что именно, и боялась открыть глаза, но знала, что это близко, очень близко.

Шаги зазвучали за головой, потом тяжкий, как жернова на шее утопленника, мат и снова совещание у стеклянных дверей — далеко, судя по звуку голосов.

А это все приближалось.

Что?! Что это может быть?!

Кира открыла глаза, каждую секунду ожидая удара — не потому что им зачем-то нужно ее бить, а потому, что они приказывали не шевелиться, а она открыла глаза!

Рядом никого не было. Она повела шеей и даже дернула головой, чтобы лучше было видно, и пустая улица мелькнула перед ней, и лужи на широком крыльце за стеклом, и знакомая пепельница на ножке, и кожаные кресла, и стеклянный столик с журналами — новые всегда воровали, и охранники клали на стол только старые журналы.

Густая черная лужа проворно пожирала чистый пол, подбираясь к Кириной голове. Она ползла неслышно и широко и наползла уже на руку Батурина, кончики его неподвижных пальцев были внутри черноты, которая на пальцах становилась красной.

Кровь, поняла Кира.

Из кого-то вытекала кровь — очень много. Разве в человеке может быть так много крови?

Тот, в рыжих ботинках, убил кого-то, кто «баловался» с телефоном, и ненужная больше кровь выливается наружу, и течет по полу, и сейчас подберется к Кириным волосам.

Ее затошнило, она дернулась, пытаясь спрятаться от крови за Батурина, и в голове вдруг стало просторно и пусто и как-то необыкновенно гулко.

Из нее тоже потечет кровь, когда они застрелят или зарежут ее. Так же много бесполезной черной крови на плиточном полу.

Мимо опять протопали ноги — на этот раз торопливо, зазвенело разбившееся стекло, обвалилось в ушах морозным звоном. Почему-то свет мигнул и погас.

— ...Козлы вонючие, уроды, вашу мать, всех урою!

Опять мат, непродолжительный и страшный взвизг, удар, как хлопок по резине. Кира знала, что это не резина, а слабая и хрупкая человеческая плоть.

— ...через десять минут не будут выполнены, начнем мочить козлов! Всех до единого! По одному в пять минут! Засекай, твою мать! С этого начнем!!

Кричат с крыльца, с той стороны, поэтому так плохо слышно, но все-таки слышно, и Кира половину оставшейся на ее долю жизни отдала бы, только чтобы не слышать этого!

Она думала, что перетерпеть осталось чуть-чуть. Она думала, что справится.

Не справится. Не перетерпит.

Все.

— Лежи тихо.

Шепот был почти неслышным, и она не поняла, кто шептал. Никто не мог шептать.

Она замерла, на весу держа голову, потому что опустить ее значило опустить в чужую кровь. И зажмурилась.

— Кира.

Она открыла глаза. Нет. Нет, не показалось.

— Кира, лежи тихо. Подложи руку под голову и лежи тихо.

Трое были у стеклянной стены. Один ушел к задней двери, и Кира слышала, как он там шурует, матерясь и грохоча, — баррикаду, что ли, возводит?!

Батурин у нее перед носом лежал так же мертво и неподвижно, как все это время. Аллочка хрипло и коротко дышала, между веками блестела полоска глазного яблока. Батурин не дышал.

— Кира.

Шепот был странный — как будто внутри ее головы, как будто только она могла слышать. Рукав быстро намокал от крови.

— Кира, помоги мне. Только молча. Ни слова.

Батурин. Но его же... убили?!

— Нож. С левой стороны, у щиколотки. Мне не достать. Давай.

Она зажмурилась изо всех сил, так что больно стало векам, и под веками тоже стало больно. Больше никто не шептал, и она стала осторожно вытягивать руку — по сантиметру.

— Пять минут!!! — проорали со стороны крыльца. — Пять минут, уроды, твою мать!!! Автобус и деньги!

Грохот за спиной обвалился оглушительно, раздался сильный удар, и опять мат. Кира мгновенно сунула руку между собой и Батуриным. Он не шевельнулся, и она подумала, что он и не может шевелиться, потому что он... убит. Они сразу же его убили, как только ворвались в вестибюль. Охранников и Батурина.

Пальцы нащупали шершавую джинсовую ткань, под которой была нога — теплая и живая. Если он убит, он не может быть теплым. Или еще... может?

Зубы стучали, и Кира была уверена, что всем слышно, как они стучат.

Следующим движением она нащупала что-то странное, похожее на переплетение ремней, а потом холодное и металлическое. Нож.

Она потянула вверх, и ей показалось, что не могла вытащить очень долго — ремни мешали, не пускали.

Значит, он жив?! Все это время он был жив?! Он рядом с ней — живой?!

Ногти царапали жесткую кожу батуринской ноги, и Кира вдруг перепугалась, что она его поранит ножом — она же не видит, где нож, а где нога!

Все. Вытащила.

— Под правую руку. Под правую руку, Кира. И телефон.

Телефон?! Какой телефон?!

— Три минуты!! Щас начну считать, твою мать! Давай, давай сюда, сука, на колени! Ноги! Ноги врозь, голову вниз! Ее первую пристрелю как собаку! Никаких переговоров, твою мать! Раньше надо было! Давай здесь! И автомат мне!..

Краем глаза Кира видела шевеление за стеклянной стеной, и двое из тех троих, которые были у нее перед глазами, вдруг залегли и, как в кино, выставили вперед автоматы и локти устроили поудобнее, чтобы ловчее было стрелять в тех, кто должен прийти с той стороны стекла.

— Быстрее.

Телефон оказался в его заднем кармане — увесистый, старомодный. Должно быть, носить его в заднем кармане очень неудобно. Зачем он его там носил?

Кира ткнула ножом в неподвижную батуринскую руку, и нож моментально исчез, как будто его никогда не было. Кира перестала дышать.

— Телефон.

Она добыла телефон и тоже сунула в направлении его руки.

Аллочка вдруг пришла в себя, задышала коротко и бурно, дернулась, и Кира сильно толкнула ее ногой. Она затихла, только таращилась вверх, на нее — глаза были перепуганные, как у маленького Тима, когда он боялся грозы и знал, что она все равно будет.

— Как только произойдет, в ту же секунду назад, за стойку, — опять послышался шепот, и Кира поняла, что слышала не только она, но и Аллочка тоже, потому что вздрогнула и стиснула Кирину ногу изо всех сил.

Что произойдет? За какую стойку?!

Да. Все правильно. Прямо у них за спиной длинная мраморная стойка — прилавок, за которым стоит гардеробщица, когда принимает пальто. Она стояла там еще утром, когда была нормальная жизнь.

Нет, неправильно. Утром, когда еще была жизнь.

Как же ее звали? Эльза Филипповна? Эмма Федоровна? И жива ли? Может, жива...

— Давай, Кира. С богом.

«Мертвый» Батурин вдруг стремительным движением выдернул из-под себя свой старомодный телефон и, коротко размахнувшись, метнул его в стекло. Стекло ахнуло, медленно-медленно треснуло сверху донизу и стало осыпаться на плиточный пол.

Трое тех как по команде оглянулись и замерли, позабыв про свои автоматы. Незнакомая женщина, которую один из них держал за голову, стала медленно валиться на бок, и в ту же секунду визг завибрировал в воздухе, как будто сам по себе, как будто не люди визжали, а весь воздух переродился в визг.

Вспомнив, Кира судорожно поползла за мраморный угол — ноги и руки не слушались, слишком долго она лежала на полу не шевелясь, и теперь затекшие мышцы не понимали, чего от них хочет хозяйка. За волосы она волокла Аллочку, а вокруг все дрожало от визга и грохота, сыпалось стекло, и казалось, что от крика и мата сейчас обрушится потолок.

Один из тех, который строил баррикаду у задней двери, теперь мчался прямо на них, комично вскидывая ноги и разевая рот под маской. Рукой он прилаживал к себе автомат и не приладил — нож Батурина бесшумно, точно и очень мягко вошел ему в горло, под самый подбородок. Блестящий и чистый кончик лезвия, проткнув насквозь, нагло и победительно высунулся чуть ниже затылка. Некоторое время бандит еще бежал с этим ножом в шее, а потом наконец упал — грохнулся животом вперед и больше не шевелился.

Он не добежал до Батурина одного шага, а до своих ему было совсем далеко, да и не поняли они, что случилось в этот, самый последний, момент.

Рывком, так что дернулось и подпрыгнуло тело, Батурин вытащил у упавшего автомат и веером, от бедра, как в кино, полоснул в ту сторону, где были остальные трое.

Крик, мат, рев каких-то машин, сизый от пороха воздух.

— На пол!!! На пол лечь!!

Кира видела его лицо из-за стойки, где всегда дежурила гардеробщица Эмма Филипповна, — в углублении лежал маленький кипятильник и стаканчик стоял, наверное, она чай из него пила, когда народу было мало.

Он шел напролом, не пригибаясь и не торопясь, и автомат казался его продолжением, и у него были узкие сосредоточенные глаза, и он не хромал, словно позабыв о том, что должен хромать, и Кира поняла, что сейчас его непременно убьют.

Прямо сейчас, в эту минуту.

— Пресвятая Дева Мария, Матерь Богородица, смилуйся над нами, спаси, сохрани и помилуй нас, грешных. Только чтоб он не упал, Пресвятая, Пречистая Дева, потому что, если он упадет, значит, все, значит, убили. Смилуйся над нами, Пречистая Дева, спаси, сохрани и помилуй нас!

Она никогда не умела молиться и поняла, что кричит, кричит во все горло эту свою нелепую молитву, только когда вдруг на долю секунды упала тишина, чтобы тотчас же взорваться ужасом, воплем, автоматными очередями.

В следующую секунду все остановилось.

Стремительные тени в камуфляже и таких же ненавистных черных масках, пришедшие с «нашей» стороны, заполнили то, что раньше было редакционным вестибюлем, и крик как-то сам собой вдруг замер, и только клубы синего дыма медленно извивались в воздухе, и выли на улице сирены, и где-то еще сыпалось стекло.

Батурин швырнул на пол автомат — далеко от себя — и медленно поднял на затылок руки.

— Этот готов! А тот жив еще! Твою мать, сволочи проклятые, столько народу положить! Наручники дай мне или выруби его!

— Ты, Креп? — негромко позвал Батурин. — Меня только не пристрели до кучи!

Один из громил в масках замер, перехватывая автомат.

— Гришка?! — переспросил он, как бы не веря себе, и подошел, хрупая стеклом. — Батут! Батут, твою мать! Леха, давай сюда! Быстрей! Батут, так тебя и не так, так это ты нам подсоблял?!

И он что было силы хряснул Батурина по плечу. Батурин накренился носом вперед, сделал несколько торопливых шагов и уткнулся в грудь другого подошедшего громилы. Громила схватил Батурина за свитер, приподнял и потряс.

— Здорово, Леха, — пробормотал Батурин.

— Капитан, — с удовольствием выговорил громила, — капитан, твою мать!

По всему вестибюлю люди шевелились и поднимались на ноги, неуверенно, как будто никак не могли понять, что от них требуется. Какая-то женщина ударилась в крик, увидев камуфляж и дырки для глаз и рта, прорезанные в черной шерсти. Хрустело стекло, и пороховой дым медленно вытягивало в разбитые окна.

Кира заправила за ухо волосы, которые лезли в глаза, и попыталась посмотреть, что там, под стойкой, с Аллочкой, но так и не посмотрела. С рукава ее пиджака падали какие-то тяжелые капли, она слышала, как они шлепаются в битое стекло — шлеп, шлеп... Капли были красными и, перемешиваясь со стеклянной пылью, усеивали весь пол вокруг нее.

Она еще посмотрела на эти пятна, потом вдруг хрипло крикнула и стала валиться в обморок.

Батурин и те двое на нее оглянулись. Она еще успела удивиться, что у всех троих такие одинаковые лица.

— ...то есть сразу можно было, но я... сомневался что-то. Людей полно кругом, и эти какие-то беспредельные, обдолбанные, что ли?

— Ну конечно, обдолбанные, какие же!

— Охранников постреляли сразу же, ну, я и упал, так, чтобы было понятно, что меня тоже замочили. И лежал. Вас ждал. Чего тянули-то? Или опять, — трехэтажный мат, плавно повышающийся до семиэтажного, Кира улыбнулась, не открывая глаз, — или опять какие-то крысы хотели переговоры вести?!

— Батут, ты же знаешь, как у нас операции проходят! Пока доложат, пока согласуют, пока подпишут, пока в известность поставят!

Семиэтажный мат, перерастающий в нечто невообразимое.

— Зачем они охрану замочили? Со страху, что ли?

— Я не знаю! Да это вообще какие-то ублюдки! Когда стали орать, что начнут убивать заложников, я решил, что вы сейчас штурмовать начнете. Ну, и... Одного я точно прикончил, а про остальных...

— Который с перерезанной глоткой?

— Ну да.

— Вроде ранил одного. Когда мы вошли, — Кира опять усмехнулась — они вошли! — когда мы вошли, он на полу валялся, визжал, как свинья. В рыжих ботинках, сволочь! Модный, твою мать!

Ноздри защекотал сигаретный дым. Кира слушала

их невозможный, немыслимый, ужасающий мат, как музыку.

— А ствола своего у тебя не было, что ли?

— Ты че, Креп, больной? Какой ствол! Я на работу шел! С сотрудницей, — Кира услышала улыбку в батуринском голосе, — как нормальный человек, блин! Я со стволом на работу не хожу в отличие от тебя!

— А какая, какая из них сотрудница-то? Ногастая? Или грудастая?

— Обе. Но я шел с... грудастой.

— Слушай, Батут, и она вот прям с тобой работает, да? Небось командует, да? Иди туда, иди сюда, подай то, принеси это, потри спинку, подай кофей! Да, Батут?

— Иди ты к чертовой матери, Крепов! Как был кретин, так и остался! — миролюбиво сообщил Батурин, и Кира поняла, что надо открывать глаза, чтобы не наговорили чего-нибудь, за что потом будет стыдно.

Они были ее герои, ее рыцари, ее спасители, и она не хотела, чтобы ей было за них стыдно.

— Здорово, капитан! Рад видеть.

— Здравия желаю, товарищ полковник.

— Здрасти, товарищ полковник.

— Мы с тобой уж видались, Крепов.

Захрустели осколки, подходил кто-то тяжелый, большой. Кира открыла глаза и повернула голову. Почему-то пол был очень далеко от нее, так что она даже подумала, что непременно ушибется, если упадет.

Впрочем, какое это имеет значение! Теперь — как после войны — почти ничего не имеет значения.

Батурин еще раз затянулся, бросил окурок и не спеша поднялся навстречу тому, кто подходил. И второй — огромный, высоченный, бритый, в камуфляже, с ногой, перетянутой ремнями, и в перчатках с обрезанными пальцами — тоже поднялся и тоже не спеша.

— Молодец, капитан. Не забыл науку.

— Спасибо, товарищ полковник, — деревянным голосом ответил Батурин, — ваша школа.

— Моя, — согласился полковник.

У него тоже была бритая башка, грубое лицо, огромные ручищи. Сдвинутая далеко на макушку черная маска делала его менее похожим на героя фильма, чем его подчиненные, но зато он выглядел куда более человечным.

— Покури и подходи ко мне, — распорядился полковник, — все надо записать как следует. Крепов, ты тут займись.

— Слушаюсь.

— Считай, что ты сегодня второй заработал, капитан. Первый у тебя какой, я забыл?

— «Мужества».

— Ну, значит, будет два «Мужества»! Да, а мадамов почему не отправляете? Крепов, давай отправляй быстрей! Или чего с ними? Померли?

— Никак нет, товарищ полковник. Вроде живы, — пролаял в ответ невидимый Крепов, и Кира стала медленно садиться, понимая, что лежать больше никак нельзя. Ноги свешивались и не доставали до пола, спине было холодно, и наконец она поняла — почему.

Потому что главный редактор политического еженедельника «Старая площадь» Григорий Батурин после того, как перерезал глотку одному из бандитов и подстрелил второго, почему-то уложил ее на узкую гардеробную стойку.

Кретин.

— Здрасти, — сказала Кира полковнику, — спасибо вам большое.

— Пожалуйста, — любезно ответил полковник, и по его тону Кира моментально поняла, что он не так прост, как кажется, — идеальная машина для захвата и убийства, тяжелая, точная, тренированная, накачанная. У него были внимательные и очень серьезные глаза, и он рассматривал Киру как-то так, что она сразу поняла — он видит по ней что-то, что ему нужно для его работы.

Да. Работа у него — не подарок.

Давя ненавистное стекло, подошел Батурин и крепко взял Киру за плечо.

— Ну вот, — сказал он, наклонившись к ее лицу, — видишь, как бывает.

— Вижу, — согласилась Кира.

Все помолчали, стоя вокруг нее, даже полковник перестал оглядываться в ту сторону, где раньше были двери и где теперь толпились люди в форме и белых халатах.

— Если бы не ты, — сказала Кира Батурину, — мы бы все умерли. Они бы нас расстреляли.

Батурин потрепал ее по затылку. Всю жизнь она терпеть не могла этого жеста. Она думала, что он унижает ее женское достоинство.

Обеими руками она взяла его руку и прижалась лицом к ладони — ладонь была теплой и свежей, как будто он только что вымыл руки, — и поцеловала, раз и еще раз.

— Да ладно, — пробормотал Батурин.

— Я сейчас выпить найду, — пообещал его друг Креп.

— Крепов, ты особенно не расслабляйся.

— Есть не расслабляться, товарищ полковник! Да я и не для себя, я для дамы.

— То, что ты найдешь, дама все равно пить не будет. Вы как, дама? Ничего? Или медицину позвать?

— Нет, — отказалась Кира, — нет, спасибо. А... Аллочка где, ты не знаешь? Она... жива?

— Я жива.

Как по команде все посмотрели под стойку и как будто удивились, увидев там Аллочку. Она сидела на полу, в куче битого стекла и таращилась вверх, на них. Кире ее взгляд не понравился.

— Все твои... коллеги, капитан? — спросил полковник ехидно. — Так сказать, товарищи по печатному слову?

— Можно и так сказать, — согласился Батурин.

— Ладно, — сказал полковник, — заканчивайте здесь и подходите. Если этот, — кивок в сторону Крепова, — принесет выпить, рекомендую сначала понюхать и на веру ничего не принимать.

— Това-арищ полковник!

— Я хочу домой, — скороговоркой заявила снизу Аллочка, — мне нужно домой. Родители, наверное, с ума сходят. Маме нельзя волноваться. Мне нужно папе позвонить.

Кира соскочила со стойки и охнула от боли в ноге.

— Буду теперь как ты, — сказала она Батурину и присела на корточки перед Аллочкой, которая все бормотала, как в лихорадке:

— Позвонить. Мне обязательно нужно позвонить. Прямо сейчас. Маме нельзя волноваться. Они, наверное, меня потеряли. Я всегда звоню, когда прихожу на работу, и сегодня должна была позвонить, а вот не позвонила. Мама сегодня улетает в Париж. У отца там переговоры, а он терпеть не может ездить один. Они, наверное, уже улетели. Рейс в девять сорок. Они не знали, что я... что у меня...

Над Кириным ухом как будто что-то мелькнуло, свистнуло, и батуринская лапа изо всей силы впечаталась в Аллочкину щеку. Голова ее дернулась, затылок стукнулся о мраморную стойку.

— Хорош или еще? — деловито спросил Батурин, рассматривая Аллочку, как будто масло на глаз наливал в двигатель.

Аллочка моргнула — веки сошлись и разошлись, и, когда они разошлись, Кира увидела совсем другие глаза. Словно Аллочка вдруг вынырнула из озера безумия. Вынырнула, вытерла лицо, посмотрела вокруг и поняла — надо вылезать.

— Кира? — спросила она. — Ты жива, да?

— Да.

Но Кира ее почти не интересовала.

— Ты остался жив, да? Я же видела, как вас убили! Он выстрелил, и вы упали, прямо перед нами. Я знаю, я же видела, что вы не дышите!

— Он дышал, — вмешался друг Креп, — он родной брат Витаса, ты разве не знала? У них эти... генетические отклонения. Жабры, — и он смешно оттопырил уши, показывая Кире и Аллочке, какие жабры у братьев — Витаса и Батурина.

— Игорь, подойди, а? — позвали из группы в камуфляже и халатах.

— Это еще братва не видала, которая по кустам и крышам лежит, что ты здесь, — с удовольствием, как будто предвкушая момент, когда «братва» узнает, сказал Креп Батурину, — слушай, Батут, поедем вечером ко мне, а? Посидим, выпьем...

— Игорь!

— Да иду, иду! Батут, ты тоже подгребай.

— Ладно, давай.

Родной брат Витаса по прозвищу Батут взял Аллочку за руку и потянул вверх. Она послушно встала, сразу оказавшись на голову выше Киры и почти вровень с ним.

— Почему ты жив? — требовательно спросила она у него. Почему-то она говорила ему то «ты», то «вы». — Я же видела, как ты упал.

— Я профессионал, — морщась, сказал брат Витаса, — то, что я упал, означает только то, что я упал. Сейчас со всех снимут показания, и можно ехать домой. Кира, позвони своим, пусть Сергей подъедет и заберет тебя, я сейчас попрошу фээсбэшников, чтобы их пропустили. В смысле, не сейчас, а когда освободимся. Ты на машине? — спросил он у Аллочки.

— Кажется, да. Да. Кажется. Или точно. Точно, да.

— Тогда не принимай никаких успокоительных и ничего не пей, кроме чая, — распорядился Батурин, — иначе не доедешь.

Он говорил, смотрел, вздыхал и двигался, как привычный, обыкновенный, всегдашний Батурин — и.о. главного редактора еженедельника «Старая площадь». Он снова начал хромать и все оглядывался вокруг, шарил взглядом по полу, видно, искал свою палку и все не мог найти. И говорил он скучные фразы скучным батуринским голосом, и заляпанные кровью джинсы казались просто грязными, и ничего романтического не было в ремнях, обхвативших щиколотку, только штанина задралась некрасиво, и нога под ней была некрасивая — бледная, волосатая, мужская нога, отдающая по весне в синий цвет, — и рубаха сзади вылезла из штанов, так что Кире все время хотелось ее заправить.

Она вдруг вспомнила, как он шептал, так, как будто шепот звучал только у нее в голове, а снаружи ничего не слышно. И вспомнила, как исчез нож, как только она ткнула рукояткой в его ладонь. И вспомнила, как он шел, держа автомат у бедра, а она во все горло кричала: «Помилуй нас, Пресвятая Дева Мария!»

Так не бывает.

Или, может быть, бывает, но в чьей-то чужой жизни. Не в моей.

И не в жизни такого обыкновенного Григория Батурина, неплохого журналиста и пока еще непонятно какого начальника.

— Ты что? — спросил Батурин. — Номер забыла?

И нетерпеливо оглянулся на жидкую толпу у бывших стеклянных дверей — одна створка разбилась не до конца, неровные пласты стекла торчали в проеме, как выбитые зубы, грозили каждую минуту обрушиться. Кире показалось, что ему неловко, просто до смерти неловко под взглядом Аллочки и хочется скорее сбежать туда, к своим.

Как он сказал? Я профессионал?

Кира знала, что он профессионал, но никогда не видела его профессионализма своими глазами.

— Серый, — выговорила она в телефон, когда он неожиданно отозвался ей в ухо голосом ее мужа. — Это я. Я жива.

Телефон замолчал, но она слышала отчетливое сопение. Ее бывший муж там, внутри, сопел и молчал.

— Серый, — повторила она, понимая, что он ведь, по своему обыкновению, может ничего и не знать о том, что случилось, и тогда ей придется объяснять, а она не сможет, ну, совсем не сможет.

— Серый, у нас тут была... — Она поискала слово. Как журналист, она любила точные и правильные слова. — Чрезвычайная ситуация.

— Ее показывали по всем каналам, — проскрипел Сергей, — твою чрезвычайную ситуацию.

— Мама?!! — завопил в некотором отдалении Тим. — Мама?!! Мам, ты жива? — Голос придвинулся вплотную, и Кира закрыла глаза. Она как будто забыла о Тиме, и родителях, и о свекре со свекровью и теперь вдруг вспомнила. Так остро, что даже застонала тихонько. Батурин посмотрел на нее.

— Мама, ты где?! Ты все еще там, да? Тебя не ранили?! Ты жива?!

— Я жива, Тимка, и меня не ранили.

— Их всех положили, да? До одного?! Мам, а ты где была? У себя в кабинете? Или где?

— Тим, я была в вестибюле. Я не успела дойти до кабинета.

— Как — в вестибюле?! — ахнул сын, и в трубке опять возник Сергей.

— Как мне тебя забрать, Кира? Где ты, черт тебя побери?!

Меня же еще и побери, подумала Кира со вздохом. Как всегда.

— Скажи ему, чтобы подъехал к началу Маросейки, — распорядился рядом Батурин, — если ее не открыли. Если открыли, то к оцеплению. Я сейчас скажу мужикам.

— Серый, ты где?

— Мы все здесь. У памятника героям Плевны.

— Кто все? — не поняла Кира.

— Твои родители. Мои родители. Тетя Лиля. Кто еще, Тимка?

— Катька подъехала. И Мишка сейчас подъедет.

Кира закрыла глаза и застонала, на этот раз очень громко.

— Тебе плохо? — всполошилась Аллочка.

— Мне хорошо. Серый, Батурин говорит, чтобы ты подъехал к оцеплению. А остальных разгони по домам! Господи, неизвестно, сколько придется здесь торчать! Пусть все уезжают!

— Ну да, — непонятно сказал Сергей, то ли согласился, то ли не согласился.

— Номер машины у него какой?

Кира сказала номер. Она знала номер его машины, а он сам вряд ли.

— Подъезжай, Сереж. Батурин говорит, что скоро всех отпустят, только какие-то показания запишут, хотя я понятия не имею, что я должна... показывать.

— Поговори со мной, — вдруг сказал Сергей, — поговори со мной, Кира.

— Поговорить? — переспросила она.

— Не выключай телефон. Поговори. То есть ты можешь с кем угодно говорить, но так, чтобы я тебя слышал.

Она молчала.

— Кира?

Она еще помолчала.

— Ты... сильно испугался, да?

— Да, — сказал он, — да. Я сильно испугался. Я хочу забрать тебя домой. Прямо сейчас. Это можно?

— Нет, — она улыбнулась, — нельзя. Я же тебе говорила про показания. Только что. Ты не слышал?

— Я слышал, — возразил он.

Вообще он говорил как-то странно, и Кира никак не могла понять, что там с ним такое.

— Подъезжайте к оцеплению, Серый. А Тим? Он тоже испугался?

— Да. Но меньше... меня. Кира, пожалуйста, не выключай телефон. Пожалуйста.

Ей вдруг вспомнилось, как он объяснялся ей в любви — совсем недавно, лет шестнадцать назад. Она даже запах вспомнила — мороза и овчины от его доморощенной дубленки. Он сказал: «Я тебя люблю» — и посмотрел на нее сердито, как будто она была виновата в том, что он ее любит.

— Кира, поговори со мной.

— Телефон сожрет все мои деньги.

— Черт с ними. Я заплачу.

Почему он в такой панике? Ведь все позади! Никогда в жизни ее муж не боялся за нее — он был так уверен в себе, в ней, в жизни, что, даже когда она рожала Тима, был совершенно спокоен. Мама потом говорила, что «это не муж и не отец, а бревно бесчувственное».

Он всегда был непробиваемо и тупо убежден, что все будет хорошо. Если кто-то рассказывал, что чудом избежал, например, автомобильной катастрофы, он непременно встревал с утверждением, что опасность была невелика, и производил подсчеты вероятности, и всегда оказывалось, что вероятность эта была совсем небольшая и бояться-то, в сущности, нечего.

А сейчас? Что с ним такое?

— Пошли, — поторопил Батурин, — во-он туда, где Креп. Аллочка, ты... вы можете идти?

— Могу, — мрачно сказала Аллочка, — я теперь все могу.

Кира сунула в карман телефон, так и не нажав «отбой», и некоторое время помнила о том, что Сергей совсем рядом, в маленьком телефонном тельце, болтающемся в кармане, а потом забыла.

Батурин уезжал почти последним, когда сумерки уже засинели между домами, и небо стало темней и выше, и по-вечернему остро запахло землей, взрытой колесами тяжелых машин, утренним дождем, так и не убравшимся с тротуаров, жареным мясом из ресторанчика напротив. И музыка оттуда вдруг грянула, как бы свидетельствуя о том, что вечер уже близко, уже почти начался — самое лучшее время в жизни, вечер пятницы.

Кира давно уехала, Сергей забрал ее, и Батурину приятно было думать, что она оказалась такой... крепкой и неистеричной. Еще неизвестно, что бы получилось, если бы она не достала ему нож. Навыки навыками, но у него давно не было... практики во всех этих делах, он вполне мог замешкаться, привлечь к себе внимание раньше времени, и все пошло бы кувырком, даже учитывая, что до штурма оставались считаные секунды.

Никто не пострадал при этом самом штурме, и это его заслуга, капитана Григория Батурина, это уж точно.

Только палку он так и не нашел. Куда она могла деться? Он весь вестибюль исходил — нет палки!

Дома у него была еще одна, самая первая, с которой он тогда выписался из госпиталя, но она была неудобная, и вообще Батурин ее не любил.

Она напоминала... о войне, а он не хотел о ней вспоминать и никогда не вспоминал, вопреки сентиментальным телевизионным сюжетцам о том, что, «собираясь вместе, они часто вспоминают высоту и открывшийся за ней поворот дороги, за которым их ждал тот самый бой, ставший для многих последним».

Сюжетцы он тоже не любил и никогда не смотрел.

И комментаторов не любил. В отличие от военных корреспондентов на войне они никогда не были, и все, что они говорили, звучало до невозможности фальшиво, и как-то глупо, и как-то слишком красиво, и ненатурально трагично, в общем, совсем не так, как это видел он, капитан Григорий Батурин.

...Да где ж эта палка-то, мать ее возьми? Куда могла деться? Может, забрали как сувенир?

Нога болела подло и тяжко, норовила подвернуться, когда он наваливался на нее, — устала за день. И есть ему хотелось очень сильно, все из-за того, что из соседнего ресторанчика так славно и вкусно пахло жареным мясом. Он подумал было даже зайти, но вспомнил, что джинсы в крови, и рубаха в крови, а куртку затоптали ногами так, что придется отдавать в химчистку, и неизвестно еще, очистят ли ее там.

В довершение всего выяснилось, что машину отогнали неизвестно куда. Кирин «Фиат» остался на стоянке, и еще несколько машин остались, а где его — неизвестно.

Завтра придется искать. Найдет, конечно, но даже мысль о том, что он сейчас потащится домой на общественном транспорте — сначала метро, потом троллейбус, потом чахлый скверик, потом пятый этаж без лифта и без палки, — была убийственной.

Он глупо поотряхивал свою куртку, тихо ругаясь, что отказался уехать с мужиками, — а ведь Креп звал, и Леха звал! — потоптался немного и захромал мимо копошившихся в стекле и грязи «федералов» и эмвэдэшников к улице Маросейка.

— Григорий Алексеевич!

Он остановился и оглянулся, стискивая зубы.

Ну, конечно. Только вас нам и не хватало.

— Григорий Алексеевич, простите, пожалуйста!..

Она бежала к нему от своей машины, чистенькой и элегантной, как костюмчик прет-а-порте, даже дверь за собой не захлопнула, так и оставила нараспашку, самоуверенная, избалованная, богатая девчонка, ничего не знающая о жизни.

— Вы давно должны быть дома, — сказал он чудовищным тоном и моментально возненавидел себя за этот тон, — чего вы выжидаете?

Она смотрела ему в лицо, шарила глазами по физиономии. Что высматривала? Ему вдруг показалось, что ее темные глазищи оставляют на его коже борозды и выбоины — так горячо она смотрела.

— Я... — Аллочка заправила за ухо черную прядь и опять уставилась на него. — Я поняла, что вашей машины нет. Я... Можно я вас подвезу? Пожалуйста, Григорий Алексеевич!

Он должен был сказать «нет».

В отличие от нее он все знал о жизни, и точно знал, что там она насочиняла себе сегодня — благородный герой, раненый боец, принц с автоматом, герой боевика, твою мать! — и знал, чем все это может кончиться. Еще он знал, что даже если ему внезапно станет двадцать пять лет, исчезнет хромота, и постоянная подлая боль, и из головы заодно уж исчезнет все, что там накопилось, и с кожи пропадут бугристые уродливые перетянутые шрамы, содеянные полевым хирургом из месива, в которое превратилось тогда его тело, — все равно он не годится для нее.

Он журналист — наверное, неплохой, — и трудоголик, и живет на то, что получает в кассе в день зарплаты, и в отпуск ездит под Псков в деревню, где до сих пор колупается дед, единственный оставшийся от семьи.

Папа — президент банка, и мама — хозяйка Дома высокой моды, а также Сорбонна, Лазурный берег, серфинг на Бали, домик под Цюрихом, горные лыжи в Давосе никогда не будут иметь к нему никакого отношения.

Он должен сказать «нет».

— Григорий Алексеевич, — словно собравшись с духом, начала она снова, — я... так долго вас ждала! Пожалуйста!

— Хорошо, — наконец согласился он, презирая себя, во-первых, за то, что согласился, а во-вторых, за то, что так долго ломался, — черт с вами. Везите.

Изо всех сил стараясь не хромать и от этого, и от усталости хромая больше обыкновенного, он заковылял к ее машине. Она обежала его и открыла ему дверь.

Он зарычал сквозь стиснутые зубы.

— Я не инвалид и не ветеран Первой мировой, — процедил он. Проклятые зубы все никак не разжимались. — Не надо так уж подчеркивать мою... неполноценность.

— Я не подчеркиваю, — забормотала она в испуге.

Кажется, ей пришлось сделать над собой усилие, чтобы не пристегнуть его ремнем, как младенца. Она даже руку протянула и, опомнившись, стала делать этой рукой какие-то странные пассы возле его носа. Добравшись таким образом до приемника, она нажала кнопку. Приемник бодро запел.

— Мне на Речной вокзал, — проинформировал ее Батурин, кое-как вытянул ногу и закрыл глаза. — Выезжайте на Ленинградское шоссе.

Аллочка нажала на газ, и низкий «би эм дабл’ю», как выражались продвинутые клерки у них в редакции, стал выбираться на Маросейку.

— Ты так долго меня караулила? — спросил он, не открывая глаз, позабыв, что они на «вы». — Всех отпустили три часа назад!

— Я очень боялась, что ты с этими уедешь. Со своими друзьями, — быстро ответила она.

Батурин посмотрел на нее.

Она не только боялась. Она загадала.

Если уедет, значит, все. Конец. Ничего и никогда у них не выйдет.

Если не уедет, они будут жить долго и счастливо, и умрут в один день, и она будет любить его так, как мать всю жизнь любит отца, и они заведут собаку, и мальчика назовут Алешей, а девочку Катей, а если второй тоже мальчик, то...

— Я тебе не нужен, — сказал Батурин с нажимом и опять закрыл глаза, — ты все придумала, еще когда я... разговаривал с тобой в коридоре. В первый раз, а эта дура нас подслушивала из телефонной будки. Как ее? Зинуша?

— Верочка, — поправила она.

— Вот именно.

Он все-таки должен сказать «нет». Ну вот хоть сейчас. Хоть как-нибудь. Он должен сказать, а она должна понять и... освободить его. Он тоже сделан не из железа, и неизвестно, насколько в нем хватит унылого, тягостного инвалидного благородства.

— Ты кто? — вдруг спросила Аллочка. — Ты кто, Батурин?

Он не стал делать вид, что не понял.

— Спецназ. После армии закончил училище, служил в... разных местах. Ранили, я ушел.

— Сразу... к нам?

— К вам, — передразнил Батурин. — Или ты думаешь, что военных не учат писать?

— Батурин, ты пишешь не как военный, а как журналист, — сказала Аллочка тихо, — как журналист экстракласса. У нас так пишет еще только Кира, а больше никто.

— У меня, должно быть, талант, — резюмировал Батурин и не выдержал, посмотрел на нее еще раз.

У нее были очень черные волосы, чуть-чуть не достававшие до плеч, выстриженные неровными прядями. Пряди разлетались в разные стороны. Профиль классической красавицы, уверенный подбородок, энергичная шея. Он слышал, как она пахнет — порохом и духами, — и видел ее руки, держащие руль. Никогда в жизни ничто не казалось ему таким сексуальным, как ее руки на черном пластике толстого руля — длинные пальцы, тонкие кости, узкие запястья.

Он даже не поцеловал ее ни разу в жизни. Он понятия не имел, как это — поцеловать ее. Он вообще не слишком уверен, что ее можно целовать. А ее пальцы? Сожмутся в кулаки, стискивая его, или вопьются, как щупальца, или оттолкнут его?

Он взялся за больную ногу — чтобы не забыться ненароком — и стал смотреть в окно. Это было намного безопаснее.

— Господи, — пробормотала Аллочка, — что же это за дела такие? Главного у нас убили, в заложники нас захватили! Мама мне не поверила. Говорит — ты просто проспала и выдумываешь. Это потому, что я должна была им позвонить с утра и не позвонила. А потом оказалось, что они уже в Париже. Они сегодня улетели в Париж, — объяснила она зачем-то.

— Понятно.

«Би эм дабл'ю» проехал еще совсем немного и остановился в густеющих синих и теплых сумерках.

Это был никакой не Речной вокзал.

— Что? — спросил Батурин и посмотрел в окно. За окном виднелись низкий заборчик, ступеньки и кованые железные ворота, а за ними дом, похожий на океанский лайнер, и будка со шлагбаумом, а в будке охранник. — Куда ты меня привезла?!

— К себе, — заявила Аллочка решительно и, дернув, отшвырнула привязной ремень. Ремень поехал вверх с приятным звуком. — Я привезла тебя к себе домой.

Батурин помолчал.

— Зачем?

— Затем, что я не доеду до твоего б...кого Речного вокзала! — закричала она и заплакала. Вернее, она не заплакала, а слезы сами по себе хлынули из ее глаз и стали капать Батурину на руки, очень горячие, очень тяжелые.

Он стал вытирать их, потому что боялся слез.

Мама умерла, и все соседские тетки утопали в слезах. Ему было семь лет, когда он понял очень отчетливо, на всю оставшуюся жизнь: раз слезы, значит, горе, сравнимое с тем, что было у него, когда умерла мама.

— Прости, пожалуйста, — забормотал он, хотя ни в

чем не был виноват, — конечно. Раз ты не можешь. Конечно. Не надо было меня ждать так долго. Ты сильно перенервничала, я знаю.

— Я не перенервничала! — выкрикнула она злобно и бросилась на него.

Ее губы обрушились на его губы, и она стала целовать его так, как никто и никогда в жизни его не целовал. Она почти кусалась, прижималась, выбравшись из своего сиденья, и ему пришлось подхватить ее и прижать, чтобы она не упала. Черные волосы лезли ему в лицо, шелковые тряпки ее костюма задирались, открывая стройные бедра, и когда ладонями он почувствовал ее кожу — горячую, как давешние слезы, — в голове у него что-то произошло.

Все. Назад дороги нет.

На самом деле и не было никогда, это он придумал, что есть. Из трусости.

Подхватив в ладонь ее затылок, он притиснул Аллочку к себе — еще ближе, еще больше, чтобы уж точно нельзя было отступить, — и начал быстро целовать ее щеки и губы, которые как будто разгорались от его поцелуев, и жар стал стремительно распространяться, как в высохшем лесу, и отравил кровь, и ударил в голову, в спину и в ноги, и он даже завыл тихонько от этого жара и от того, что не может получить ее немедленно, прямо здесь, на узком сиденье двухместной спортивной машины, перед будкой с охранником и домом, похожим на многоэтажный океанский лайнер, будь оно все проклято!

— Я не перенервничала, — бормотала она ожесточенно, у самых его губ, — я не перенервничала! Ты просто ненормальный, Гришка! Я хочу тебя с тех пор, как ты налетел на меня в коридоре и сказал, чтобы я проверила компьютер на вирусы! Я спать не могу, я есть не могу, я думаю только о тебе, день и ночь, а ты... ты даже знать меня не хочешь!

Запищав, она расстегнула последнюю пуговицу на его рубахе, распахнула ее и снова кинулась на него. Только теперь она прижималась прямо к нему, к тому месту, где тяжело бухало огромное чужое сердце, и там, где она прижималась, кожа становилась влажной и болезненной, как будто слишком натянутой, как на барабане.

— Это ты, — бормотал Батурин, тиская ее, — это ты ненормальная. Ты не можешь. Мы не должны. Ты хоть понимаешь, что мы не должны?

Почему-то он ничего не видел и не сразу понял, что это ее волосы закрывают ему свет, и он сильно дернул ее за волосы, заставив откинуть голову назад, и впился в ее шею, оставляя на ней красные вампирские следы.

Его руки были под ее одеждой, гладили, узнавали, мяли ее, ногой он придавил ей ногу, заставив вскрикнуть.

Только с ней. И прямо сейчас.

— Нет, — тяжело дыша, сказала она ему в губы, — прямо сейчас, но не здесь.

Он мимолетно удивился, потому что ничего не говорил вслух, просто она читала его мысли, но он не знал, что теперь должен отпустить ее.

Он не мог отпустить ее. Он больше никогда не сможет отпустить ее. Вот как все обернулось.

— Пусти меня, — выдохнула она ему в лицо, — пусти меня сейчас же!

В ее голосе были злоба и мука, и он убрал руки. Он почти не соображал.

Она... больше не хочет его? Она... отвергает его? Она вняла наконец-то доводам рассудка?

Я умру, подумал он мрачно и четко. Прямо здесь, в ее машине.

Аллочка перелезла через него на свое место, кое-как запахнула пальто и включила зажигание. Руки у нее сильно тряслись.

— Ты что? — спросил Батурин хрипло.

Если она сейчас выставит меня из машины, я на самом деле умру.

И почему-то вспомнилась картинка из сказки «Аленький цветочек» — пригорок, и на пригорке печальный подыхающий урод с цветком в волосатой лапе.

Это я. Этот подыхающий урод с цветком — я.

Аллочка вдавила газ, машина прыгнула вперед, к шлагбауму, который стал неторопливо подниматься, и, задев его крышей, она пролетела дальше, вниз, к съезду в подземный гараж, и еще ниже, с визгом резины, с заносом на поворотах, и еще ниже, еще один шлагбаум, и просторное асфальтовое подземелье, залитое синим светом, и совсем немного машин, и... тут Батурин немного пришел в себя.

Она его не выгнала. Она привезла его в гараж.

Здесь, конечно, лучше, чем на улице, перед будкой с охранником.

— Вылезай! — скомандовала она. — Господи, я больше не могу! Вылезай быстрее, ладно?

Кое-как он выбрался из низкой машины, и она за руку потащила его к раздвижным дверям, на ходу запахивая на себе пальто, под которым блестел голый белый живот — оказывается, он тоже расстегнул на ней блузку!

В лифте она кинула на пол его куртку, которую зачем-то тащила с собой, и прижала его спиной к зеркалу, сильно стукнувшись о какой-то металлический поручень, и снова стала целовать — в шею и плечо.

Лифт тренькнул и дрогнул, останавливаясь.

— Ключи, — бормотала она, одной рукой копаясь в сумке. Другой она держала Батурина, как если бы он намеревался сбежать, — ключи!

Ключи нашлись, и, попав не с первого раза в скважину, она открыла замок, толкнула дверь, и они ввалились в чистый и теплый полумрак. Батурин тяжело дышал.

— Господи, — прошептала Аллочка и кинула на пол сумку, — ну вот. Ну наконец-то... Я думала, что умру без тебя, Гриша. Только ты, пожалуйста... Только ты должен знать, что я никогда и никому тебя не отдам. Понимаешь? Никому и никогда. У тебя есть кто-нибудь?

— Кто? — глупо спросил Батурин.

— Жена и все такое.

— Нет, — сообразив, сказал он.

— Хорошо, — прошептала она ему в губы, — а то мне пришлось бы ее убить.

— Убить? — переспросил он растерянно. Ему все казалось, что она принимает его за кого-то другого.

— Ну да. И меня посадили бы в тюрьму, и ты остался бы один. Один. Без меня. Понимаешь?

— Нет, — ответил он, — не понимаю.

Ему нужно было посмотреть на нее, пользуясь минутной передышкой, которая уже подходила к концу, — бикфордов шнур опять разгорался, деловитое пламя подбиралось все ближе к бочке с порохом. Он отодвинул ее на расстояние вытянутой руки и посмотрел.

Она не улыбалась, у нее были очень черные и очень серьезные глаза.

— Ну? — сглотнув, спросил он. — Что это такое?

— Я тебя люблю, — сказала она строго, — я без тебя жить не могу. А ты без меня можешь?

— Нет, — признался он, — но я совсем не тот, кто тебе нужен!

— Не смей говорить, кто мне нужен, а кто не нужен! Откуда ты знаешь, черт тебя побери! Я хочу тебя больше всего на свете. Только тебя. Тебя одного. И я тебя получу.

Ты меня получишь, подумал Батурин, конечно, получишь. Ты меня получишь и больше не захочешь, это уж точно.

Подыхающий урод с цветком в лапе, оказывается, все еще был в перспективе.

С этой минуты все изменилось.

Инвалидного благородства не хватило, как он и предполагал.

Не стало хромого капитана Батурина, и главного редактора процветающего политического еженедельника «Старая площадь» тоже не стало. И того спецназовца, каким он был ровно половину своей жизни, не стало. И мальчишки семи лет от роду, который знал, что раз все ревут, значит, мама умерла.

Остался только мужчина, которому предлагали все, на что он даже не смел надеяться, а он не только не имел никаких прав, он даже не был уверен, что предлагают именно ему.

Ну и ладно. Ну и хорошо, твою мать!

Хоть так.

Он вытащил Аллочку из пальто и бросил его на пол, и оказалось, что бросил вместе с блузкой, которую расстегнул в машине, и зарычал, потому что она осталась в мятых брюках и атласном лифчике с тонкой полоской очень простых кружев на белой коже.

Эта полоска кружев произвела в нем разрушительное действие, небольшой взрыв, и кровь забурлила — он чувствовал, как она моментально вскипела бурными черными пузырьками.

С трудом, непривычными пальцами, он снял с нее лифчик вместе с полоской. И прижался к ней по-настоящему, в первый раз так, как ему хотелось, уже давно, всегда, с тех самых пор, как она налетела на него в коридоре и уверяла, что знает, что президента зовут вовсе не Василий Васильевич!

Он почти не мог дышать, и приходилось делать над собой усилие, чтобы протолкнуть через горло воздух.

Никогда и ничего подобного не было в его жизни — ни разу за все тридцать шесть лет.

Секс всегда был просто секс, когда лучше, когда хуже, но он был прямолинеен и однозначен, как некое постоянное арифметическое действие — сколько ни складывай и ни вычитай, ответ все равно остается тот же.

Он понятия не имел, что останется в ответе, когда все

произойдет — сейчас и именно с этой женщиной. Он боялся ее больше всего на свете.

Боялся и любил.

Никогда ни среди слагаемых, ни среди вычитаемых в батуринской голове не было слова «любовь», а теперь вот взялось откуда-то.

Он засмеялся, когда она укусила его в грудь, и оглянулся назад, потому что помнил про свою ногу, а она не помнила, конечно, и ему страшно было упасть и как-то испортить или притушить бикфордов шнур, который становился все короче, и времени до взрыва оставалось все меньше и меньше.

Обратный отсчет.

Десять. Девять. Восемь. Семь...

Она поцеловала его в живот, распрямилась и, глядя в глаза, стала расстегивать ремень на его джинсах, а ее брюки давно куда-то подевались — он не знал, куда, потому что не снимал их. Или он забыл?

Не справившись, она сунула руки ему в джинсы, и он замер, коротко и бурно дыша открытым ртом.

Почему-то он был уверен, что с ней он не может валяться по полу, что это непременно оскорбит ее, и, стиснув узкие, совсем девичьи плечики, он куда-то ее потянул.

— Куда? — спросила она преступным хриплым голосом, не отрываясь от него.

— Диван, — выдавил он, — или... что?

Она не могла ждать, не могла искать диван, она совсем забыла, где именно в ее квартире находится этот чертов диван, но всей своей энергетикой, настроенной на него, она уловила, что для него это почему-то важно.

Она сильно потянула его за собой, и он чуть не упал из-за проклятой подвернувшейся ноги, но даже это не охладило ее.

Она затолкала его в спальню, полную синих мартовских сумерек и ее детских игрушек, и снова прыгнула на него.

Сердце больше нигде не помещалось.

Кровь грохотала и уже не бурлила, а выкипала в жилах.

Штурм был стремительным и неудержимым, и он все не мог поверить, что все это — для него. Из-за него. С ним.

Он перекатился и придавил ее всем телом, чувствуя ее собой — с ног до головы, — и стискивая зубы так, что стало больно почему-то в ушах, и не только в ушах, везде стало больно, и прямо перед ним были ее черные глазищи с золотистыми точками, и мокрый лоб, энергичный рот, растянутый в странной гримасе, и когда бикфордов шнур догорел и взрыв грянул, оказалось, что рванул не порох, потому что вспышка в его голове была ужасающей и неконтролируемой, смертоносной и ослепительной, как водородный взрыв, виденный им однажды на полигоне, и этот взрыв почти убил его.

Он даже не сразу понял, что жив.

Аллочка тяжело, со всхлипами, дышала, мелко дрожала и зубами хватала его за ухо. Он вдруг перепугался до смерти.

— Тебе больно?

— Я тебя люблю, — выпалила она ему в лицо, высвободила руки и прижала его голову, — если бы ты только знал, как сильно я тебя люблю! Это просто стыдно, что я так тебя люблю.

— Стыдно? — переспросил он растерянно и пальцем потрогал ее губы. Они были влажными и очень яркими от его поцелуев.

Она вдруг пихнула его в плечо, и ему пришлось чуть отодвинуться.

— Ты тяжелый, — сказала она с удовольствием, — ты не даешь мне дышать!

— Дышать? — опять переспросил он.

Кретин, твою мать. Великовозрастный любовник-переросток, впервые познавший радости большого, светлого чувства.

— Я никому тебя не отдам, — сообщила Аллочка, взяла его за уши и потрясла его голову, как будто собиралась вытряхнуть из нее остатки связных мыслей. — Ты понял, Гриша? Ни-ко-му!

— Никто и не претендует, — пробормотал он, и она с силой пнула его под ребра. Он охнул от неожиданности.

— Если бы претендовали все на свете, я бы все равно тебя не отдала! Слышишь?

Он слышал, конечно.

Как только взрыв прогремел и ударная волна, прокатившись по нему, отхлынула и оставила его, бездыханного и обессиленного, он внезапно снова начал соображать.

По его, выходило, что Аллочка тоже неизбежно должна начать соображать, а это могло означать только одно — раскаяние, неловкость, стыд, поспешное прощание с торопливым поцелуем комнатной температуры, и в финале все тот же подыхающий на пригорке урод.

— Аллочка, — начал он тихо, — я... даже не знаю...

— Конечно, ты меня пока не любишь, — преувеличенно бодро откликнулась она и потерлась о него носом, — но ты полюбишь. Теперь-то я это точно знаю. Если бы ты меня совсем, ну, вот нисколечко не любил, мы ни за что не смогли бы... ну, у нас так хорошо бы никогда... да еще в первый раз, а когда в первый раз хорошо, значит, потом будет еще лучше!

Тут она застеснялась и спряталась.

Батурин отстраненно подумал, что сию минуту непременно заплачет.

О чем она говорит?! О какой такой любви?! О своей любви к нему?!!

— Ты знаешь, — продолжала она, — у меня даже теория есть. О том, что любовь не бывает безответной. Ну, если это, конечно, любовь. Безответно можно влюбиться в Бреда Питта, к примеру, или в Филиппа Киркорова, но это чушь собачья. Любовь дается одна на двоих. Если нет двоих, то любовь не дается. Одному она ни к чему, непонятно, что с ней делать. У нас с тобой любовь, Гришка. Я часто думаю — надо же, ты был совсем большой, когда я только родилась. Десять лет, нормальный человек. А потом тебе стало двадцать, ты в армии служил, на войне воевал, а мне как раз исполнилось десять, и я в четверти получила тройку по природоведению, и бабушка меня так ругала, а папа с мамой смеялись. То есть они меня тоже ругали, но однажды ночью я встала, подошла к их двери, а они хохотали над моей тройкой, и я как-то сразу успокоилась. А ты все воевал, работал и был совсем взрослым, и все это — для меня. Я не знаю, как объяснить... Ну? Что ты молчишь?

— Я не молчу, — измучившись бояться, выговорил он, — просто я был уверен, что... Короче, я даже не...

— Что? — настороженно спросила Аллочка.

— Я не верю ни одному твоему слову, — с усилием продолжил он, — ни единому. Я уверен, что у тебя... взыграл адреналин пополам с гормонами. Ты не можешь меня любить. Это неправильно.

Она смотрела ему в лицо, и ему до смерти хотелось, чтобы она его немедленно разубедила, закричала, что только его она и любит, что он один ей нужен — все в духе того урода с цветком.

Она пожала совершенными плечами.

У нее были совершенные плечи и изумительная грудь, маленькая, крепкая, вызывающая. Ее грудь находилась сейчас прямо у него перед носом.

Он отвел глаза, как вор, укравший хлебные карточки у инвалида.

— Я, — сказала Аллочка, глядя ему в глаза. — Тебя. Люблю. И я буду любить тебя всегда. И когда тебе станет девяносто лет, и ты будешь глухой брюзга, а я все еще буду молодой восьмидесятилетней красоткой, я все равно буду тебя любить. Неужели это не очевидно, Гриша?

Он быстро отвернулся, будто собрался посмотреть на часы — ужасно, если она заметит его слезы, — и сказал тяжело:

— Нет. Не очевидно. Но ты можешь попробовать меня убедить.

Ты можешь попробовать меня убедить — так говорил главный редактор Григорий Алексеевич Батурин, Аллочкин начальник.

Она засмеялась, стянула покрывало, невесть как оказавшееся на нем, и уселась сверху.

— Буду убеждать! — объявила она и замерла, таращась на него.

Ну да. Конечно. Странно, что она не почувствовала этого на ощупь. Впрочем, в горячке трудно чувствовать.

Глаза у нее стали вдвое больше ее обычных глаз, и он потянул на себя брошенное ею покрывало.

— Не смотри, — посоветовал он, — противно. Здесь можно курить? Или лучше выйти?

Она снова дернула покрывало, которое он было натянул.

— Противопехотная мина, — объяснил он терпеливо, — хирург сказал, что мне повезло. Большинство привозят вообще без ног.

— А... это? — Она осторожно потрогала его живот, как будто там все еще могло быть больно.

— Это все одно и то же. Осколки. Не смотри! — вдруг рявкнул он, приходя в ярость. — Кому я говорю? Ну!

Аллочка наклонилась и несколько раз быстро поцеловала отвратительные узлы и рубцы неровного цвета, как будто изъеденные болезнью или разложением.

Батурин замер в изумлении. Никто на свете никогда не целовал его раны.

— Как хорошо, что ты есть, Гришка, — прошептала Аллочка и потерлась сначала одной, а потом второй щекой об его уродливый живот, — какое счастье, что ты остался здесь, несмотря на эту... мину! Где бы я тогда тебя искала?

Она снова стала целовать его, пробираясь все выше, и добралась до лица, и горячо задышала в губы, в щеки и в лоб, и вытянулась на нем, легкая и прохладная, и он вдруг понял, что это *она* и есть, на самом деле она, и глупо и невозможно спрашивать себя, откуда она взялась, и чем он это заслужил, и как долго это продлится, и что будет с ним, если вдруг все закончится!

— Ну во-от, — протянула Аллочка, — наконец-то поверил!

Откуда *она* узнала?

Жидкая толпа сотрудников, пришедших на работу «несмотря ни на что, вопреки всему и назло врагам», стояла перед полосатыми лентами, натянутыми между лавочками и столбами, огораживающими стоянку. Зайти в карантинную зону никто не решался, все курили, переговаривались под дождем и переходили от одной расцвеченной зонтами толпишки к другой.

Кира вдруг почувствовала истовый — до жжения в глазах — прилив любви к своим коллегам именно за то, что «вопреки всему и назло врагам». За то, что пришли к разгромленной редакции, хотя, конечно, знали, что сегодня не будет никакой работы. За то, что стоят и не уходят, хотя вполне могли бы остаться дома, раз уж случился неожиданный выходной. За то, что вчера на полу в вестибюле и в кабинетах на втором этаже оказались лишь два десятка человек, пришедших на работу пораньше, а сегодня приехали все — даже типографское начальство разглядела Кира, и ребят из «Линии График», которые разрабатывали журналу «фирменный стиль», и капитана Гальцева — несколько в стороне, и недавно родившую Юлю Доброву с коляской, и Диму Галкина, уволившегося с месяц назад, и еще какие-то знакомые, но с ходу не узнаваемые лица.

Вот вам и корпоративная причастность, о которой так любил потолковать Костик на собраниях коллектива. Вот вам и здоровый патриотизм в отношении родной редакции. Вот вам и «любить по-русски» — когда все спокойно и ничего не происходит, работу вместе с начальством принято ругать и отчасти даже ненавидеть. Как только беда — все бегут на помощь, даже уволенные и с грудными младенцами.

Пока Кира пережидала поток машин, чтобы повернуть на стоянку, перед полосатой ленточкой оцепления невесть откуда взялся Батурин и уже что-то говорил, а его все слушали, моментально собравшись в единое целое и просовываясь поближе.

Батурина Кира тоже очень любила — в это особенное утро с дождем, серым небом, мокрым асфальтом и бесконечной вереницей залитых водой машин.

Завидев ее, сотрудники расступились, пропустили, и Аллочка подлетела — сияющая, розовая, неправдоподобно красивая, как будто из журнала. Подлетела и поцеловала с разгону, и смутилась, и остановилась, и как будто отступила.

— Привет, — сказала Кира весело. Аллочка была что-то уж слишком хороша, как будто не она вчера хрипло дышала на плиточном полу, и закатывала глаза, и с трудом приходила в себя, да и то только после батуринской пощечины.

Все вразнобой поздоровались, и Кира пробралась поближе к Батурину. Под многочисленными взглядами ей было неловко и хотелось, чтобы все отвернулись. Раньше ничего подобного она не испытывала. Гальцев издалека загадочно усмехался.

Из-за того, что было у нее в портфеле, Кира чувствовала себя от капитанской усмешечки ничуть не лучше, чем вчера в вестибюле.

Нет, наверное, все-таки лучше.

— Хорошо, — увидев ее, сказал Батурин, — значит, в конференц-зале. Мы сможем забрать из редакции компьютеры, я договорился. Номер переверстаем. Весь. От начала до конца. Магда Израилевна, фотографии погибших охранников. Найдете?

— Конечно, Григорий Алексеевич.

— Кто поедет в больницу, решим по ходу.

— А кто в больнице, Григорий Алексеевич?

— Гардеробщица. Ну, которую на крыльцо выволокли перед самым штурмом, — объяснил он Кире, и она вдруг сильно побледнела, до зелени. Но он знал теперь, что бледность ее почти ничего не значит. Она будет держать себя в руках, никаких истерик и посттравматических психозов. — Информацию о террористах я раздобуду сам.

— Можно мне, Григорий Алексеевич? — предложил Леша Балабанов.

— Нет, — отрезал Батурин, — про них вообще забудьте. Я сам.

Леша пожал плечами и усмехнулся.

— О двух других погибших тоже собрать информацию. Они не наши, из конторы на четвертом этаже. Вась, ты сделаешь.

— Хорошо.

— Вопросы?

Все задвигались и посмотрели друг на друга. Вопросов ни у кого не было. Маросейка ревела машинами. С зонтов лило за шиворот и на ноги. Обычное дождливое утро.

— Нет вопросов, — констатировал Батурин, — тогда пошли. Времени мало, а работы много, ребята. Под вечер всех пустят на рабочие места. Спасибо всем, кто пришел нас поддержать.

— Григорий Алексеевич, а правда, что это вы вчера всех...

Батурин помолчал.

Что-то он скажет, подумала Кира.

— О моем героическом прошлом, — заявил Батурин, — я поведаю всем желающим за рюмкой чая после того, как мы разгребем завалы. Устроим банкет, выпьем, и я отвечу на любой вопрос. Почти на любой! — Он повысил голос, перекрикивая поднявшийся веселый и уважительный шум. — Приглашаются все присутствующие. А пока пошли, сделаем номер гвоздем сезона и утрем нос всем, кто думает, что мы раскиснем!

Костик никогда не умел так говорить с людьми. Он был неплохой начальник, но так — не умел.

— Очухалась? — спросил Батурин, переждав, когда пройдет народ, потянувшийся в обход здания, к дверям конференц-зала. Гальцев куда-то подевался.

— Все в порядке.

— Мне Шмыгун с утра названивает, — сообщил Батурин, — каяться хочет. Знаешь, я думал, что это Костик ворует.

— Знаю, — согласилась Кира.

— С чего это он решил каяться?

— Его Сергей запугал. Сначала поймал, а потом запугал.

— Иди ты! — неинтеллигентно и весело удивился Батурин.

— Ну да. Ты видел Гальцева?

— Видел.

— Как ты думаешь, они не решат, что налет на офис организовала я? Чтобы замести следы предыдущего преступления?

— А что? — спросил Батурин. — Он опять намекал?

— Гриш, я с ним даже не разговаривала. Просто, несмотря на то, что вчера мы все вернулись живыми с передовой, все остальные проблемы остаются в силе. Как это ни странно.

Сергей велел никому не рассказывать о том, *что ей*

предстоит сделать. Даже Батурину. Но у Киры было свое мнение на этот счет, которое не совпадало с мнением мужа. Кажется, раньше он был бывший.

— Гриш, — сказала она решительно, — мне нужно с тобой поговорить. Только сначала ответь мне на один вопрос.

Батурин внезапно напрягся, и Кира заметила это.

В чем дело? Какой вопрос может оказаться таким неприятным для железобетонного Батурина, что он даже не может этого скрыть?!

— Гриша, — начала она, разглядывая его лицо. Лицо было как лицо. — Ты приезжал ко мне в Малаховку? Когда я там засела и статью писала? Приезжал?

Батурин моргнул. Почему-то он ожидал, что вопрос будет про Аллочку Зубову. Вопрос и какая-нибудь сочувственная речь в том смысле, что, несмотря ни на что, он ей не пара.

Почему он решил, что про Аллочку?

Потому что сам он думал только о ней, вот почему. О ней и о том, что с ним случилось вчера — на переднем сиденье «би эм дабл'ю», будь он неладен, а потом в ее квартире.

Мировая катастрофа. Парад планет. Любовь до гроба.

— В Малаховку? — переспросил он и полез за сигаретами. — Ну... да. Приезжал.

— Зачем?

Он вздохнул, как слон на водопое.

— Поговорить хотел с тобой! Постоял, постоял, покурил и уехал. А откуда ты знаешь, что приезжал?

— От соседей. Они тебя засекли.

— Точно, — Батурин улыбнулся, — дедок в шубе. Шуба коричневая, вытертая, вроде цигейковая, шапка меховая, клетчатый шарф и валенки. Прошел сначала в одну сторону, а потом вернулся с другой.

— О чем ты хотел говорить?

— Да все о том же! О том, что у нас ворует кто-то!

Я был уверен, что Костик, и хотел тебе сказать, а потом не стал. Решил, что ты его прикроешь, позвонишь своему Николаеву, и скорее турнут меня, чем Костика. Мне... не хотелось терять работу.

— Конечно, — согласилась Кира.

— Пойдем под крышу, — попросил Батурин и потянул вверх воротник куртки, — вымокнем совсем.

— Нет, — решительно сказала Кира, — здесь по крайней мере точно никто не подслушивает. Можем посидеть в твоей машине.

Тут Григорий Батурин вдруг так смутился, что уши у него стали отчетливо красные, а щеки коричневые, как будто его на секунду мокнули в ведро с разными красками.

— Я сегодня... не на машине, — выговорил он и посмотрел на небо. Так всегда смотрел Кирин сын Тим, когда с ходу не мог придумать, как бы соврать поубедительнее. — Я сегодня... своим ходом. Вчера мою машину отогнали, а я пока еще...

Что такое? Из-за машины так проняло?!

— Можем в моей посидеть.

— Не надо сидеть, — быстро сказал Батурин, — давай уж здесь.

Кира пожала плечами:

— Я тебе расскажу, а ты сам решай. Это все тоже Сергей придумал. Но я должна сказать, что это... неплохо. — Она улыбнулась и вытащила сигарету из батуринской пачки. — Я даже не ожидала, что он может так придумать.

Она рассказывала, а он слушал. Просто слушал, никак не выражая своего отношения. Кира нервничала.

— Пистолет у меня в сумке, — сказала она напоследок, — я даже не знаю, что будет с Гальцевым, если он его у меня найдет. И со мной тоже.

— С тобой-то как раз понятно, — задумчиво произнес Батурин. — Посадят тебя лет на десять, только и всего.

— Я не могу, — решительно возразила Кира, — у меня ребенок маленький. И муж — тонкая натура.

Батурин посмотрел на нее, и они улыбнулись друг другу.

— Только все это нужно делать не так, — решительно заявил он. — Ты молчишь как рыба. Ни с кем не разговариваешь. Смотришь в пол. Уходишь курить каждые пять минут, а сумку оставляешь на стуле. Информационную поддержку обеспечу я, хорошо? Я в институте проходил, как формируются направленные слухи.

— Как?! — изумилась Кира. — И это тоже?! Не только как из автомата стрелять, но и как слухи формировать?!

— Ну конечно. Только автомат я проходил не в институте. Бог даст, клюнет кто-нибудь. Хотя я даже представить себе не могу, кто из наших...

— Вот именно, — тихо сказала Кира. — Пошли.

Пусть кто угодно, думал Григорий Батурин, глядя в ее стриженый затылок, пусть хоть она сама, только не Аллочка Зубова. Она ведь тоже была «из наших».

Любовь до гроба, твою мать. Парад планет.

Все утро Сергей просидел за компьютером своего сына, рассматривая фотографии красоток в немыслимых платьях и без них, в бикини, в сверкающих юбочках из бисера, в лифчиках из драгоценных камней — чувственные, холодные, нарочито равнодушные, соблазнительные, строгие, изысканные, вульгарные, почти одинаковые из-за глянца и лака, покрывающего не только лица и тела, но, кажется, и мозги тоже.

Он не просмотрел и трети, когда неожиданно понял, что выбирать красоток — занятие очень утомительное и невкусное.

Нужно было досмотреть до конца, и он снова начал перелистывать лица, бюсты, попы — все дивной красоты, — и Валентина, как назло, куда-то подевалась, сварила бы кофе, он бы хоть попил!

Он так прилежно листал бюсты и попы еще и потому, что ему никак нельзя было думать о Кире и о том, что случилось с ней вчера, и о том, что чуть не случилось с ним. От этих мыслей он раскисал, а ему нужна была свежая и соображающая голова.

В его компьютере время шло назад — фотографии красоток незаметно, но неумолимо менялись. Поубавилось блеску и шику, улыбки стали менее уверенными, а зубы менее белыми, потому что десять лет назад никто в этой стране слыхом не слыхивал про вставные американские челюсти. Платьица стали победнее и попроще — одно плечо голое, на втором блескучая застежка. Сцена, на которой паслись красотки, казалась темноватой, декорации убогими. Про постановщиков шоу тогда тоже еще никто не слышал.

Ох-хо-хо... Сколько же их еще будет?

Сколько вообще может быть красоток, мечтающих определиться «в модели», покорить конкурсы красоты, сделать карьеру бюстом, задницей и ногами?!

Сергею почему-то представлялось, что их не слишком много, а оказалось — просто тьма.

Часа через два он позвонил Кире.

— Привет, — сказала она озабоченно, — пока ничего. Пистолет пока на месте.

Как будто он звонил узнать про пистолет!

— Ты никому ничего не сказала?

— Только Батурину, — призналась она, помедлив.

— Зачем?!

— Сереж, — торопливо перебила она, — ну, правда, это ужасная глупость. Ну, не Батурин это! Я точно знаю. Особенно после вчерашнего!

— При чем здесь вчерашнее?!

— Как при чем?!

— Он может быть профессионалом в... области ведения антитеррористических операций и при этом застрелить Костика.

— Переодевшись Валентиной, — подсказала Кира, прикрыв трубку ладонью.

Сергей промолчал. Батурин, переодетый Валентиной, выглядел не слишком убедительно.

— А ты, — через некоторое время спросила Кира, — нашел что-нибудь?

— Пока нет, но ищу.

— Сереж, мне кажется, что у нас ничего не выйдет, — выпалила Кира. — С чего ты взял, что он... клюнет?

— Вот увидишь.

— Давай лучше Гальцеву все расскажем.

— Я расскажу. Только не все, а то, что ему нужно знать. Он должен нам помочь. Все получится, Кира.

Она всегда ему верила, это уж точно. Он пессимист и паникер, но, когда говорит «все будет хорошо», этому можно безоговорочно верить, и это столь же надежно, как курс доллара по отношению к евро.

Больше говорить было нечего, но Сергею очень не хотелось с ней прощаться, будто с ней все еще что-то могло случиться в ту же секунду, как только он положит трубку и перестанет контролировать ее.

— Валентину я отпущу, — сказал он, — как договаривались.

— Пока, — попрощалась она.

Вчера он так и не спросил у нее, что будет дальше, потому что вчера об этом невозможно было спрашивать, а сегодня этот вопрос замучил его.

Он походил по квартире — и это было очень странно. Его собственная квартира — вон даже планка над холодильником висит так, как он прибил ее, когда он еще все прибивал, и приклеивал, и отпиливал сам, и не было денег на «специально обученных людей» — осталась точно такой же, какой была, когда он уходил из нее. А он сам, Сергей Литвинов, отвык, забыл, как забывается дом после долгой командировки, и так радостно и весело его вспоминать — его особенности, чудачества, мелочи, вроде той, что свет в ванной включается только со второго раза, и сколько бы ни менялись выключатели и провода, с первого раза включить его не удавалось.

Сергей вернулся за компьютер, некоторое время прилежно и с новыми силами изучал лица и бюсты и не поверил своим глазам, когда нашел.

Нашел. Точно нашел.

Он посмотрел дату. Все правильно. Дата тоже совпадала.

Красотка из компьютера только подтвердила то, о чем он догадывался, но зато теперь у него не было никаких сомнений.

Он открыл подряд несколько файлов, прочитал и пустил на печать.

Значит, все дело не в разговоре на лестничной клетке, а в пакете, упавшем с вешалки.

Ай да Аллочка Зубова! Ай да молодец!

Аллочка пробралась по тесному коридору, среди каких-то ящиков и стульев, к единственному окну, залитому дождем и давнишней побелкой. Верочка Лещенко оглянулась на нее.

— Везучая, — сказала Верочка с завистью, — в такую переделку вчера попала, да еще с начальниками! Ты теперь у нас новая звезда. Может, фамилии перестанешь путать и города станешь правильно называть.

— Я ничего не путала и называла правильно, — возразила Аллочка.

— Слушай, а правда, что Батурин всех террористов перестрелял, а одному горло перерезал?

— Не всех, — буркнула Аллочка.

— Как тебе повезло! — выдохнула Верочка. — Вот как бывает! Стараешься, стараешься, а повезет...

— Меня вчера чуть не убили! — крикнула Аллочка неожиданно даже для себя. — Сегодня меня могло бы уже не быть! Если бы не Батурин!

— Ну не убили же, — заметила рассудительная Верочка. — Зато теперь все у твоих ног. Героиня. Даже Батурин пялится. Я заметила. Смотрит и смотрит. Или у вас на почве стресса был секс?

Аллочка отвернулась.

Не было у них с Батуриным никакого секса.

Была у них необыкновенная любовь, та самая, что дается раз в жизни, по собственной Аллочкиной теории. И утро было необыкновенное. И он не стал просить ее высадить его из машины «на углу», мужественно доехал с ней до толпы сотрудников на стоянке, странно, что Верочка ничего об этом не слышала.

Теперь самое главное — не упустить его вечером, заманить к себе. Если она его не упустит, станет приучать постепенно, может быть, в конце концов и приучит.

Но пока нужно выяснить еще одно обстоятельство.

— Слушай, — сказала Аллочка, — все говорят, что Кира... что с Кирой что-то... ты не слышала?

— Ой, ну конечно, слышала! — фыркнула Верочка. — Ничего такого. Кира сама дура. Рассказала Магде, она же с ней дружит, а Магда всем остальным! Пистолетик-то у нее! Из которого Костика прикончили.

— У Магды? — зачем-то спросила Аллочка, хотя все прекрасно поняла, и Верочка посмотрела на нее как на ненормальную.

— У Киры! Она, конечно, сказала, что ей его подбросили, но кто этому поверит?! И милиция куда-то запропала. Она пистолет выбросит по дороге в Яузу, и привет. Не будет никакого правосудия.

— Значит, все-таки Кира, — под нос себе пробормотала потрясенная Аллочка, — все-таки она...

— А я сразу знала, что она! — заявила Верочка. — Я бы на ее месте из этого пистолета сама застрелилась, честное слово, а она... Льдина.

Когда вчера Кира волокла Аллочку за гардеробную стойку, она не была льдиной. Она вполне могла ее бросить, но не бросила, тащила, прикрывала, а теперь самоуверенная Верочка говорит, что она льдина!

— Посмотрим, — пробормотала Аллочка и поправила на носу стильные очки.

— Что посмотрим-то?

Но она уже уходила по темному коридору, пробиралась среди стульев и вешалок, грациозная, как молодая лошадка.

Верочка проводила глазами ее спину, пожала плечами и вздохнула. Жаль, что ее, Верочки, не было вчера в здании. Сияющий нимб героини и мученицы очень пошел бы ей, а в то, что опасность была реальной и настоящей, не имеющей ничего общего с лихой и веселой киношной опасностью, Верочка не особенно верила.

В конце концов, все живы. Охранников поубивали, но — Верочка опять вздохнула — она даже не знала их в лицо, а потому смерть их казалась чем-то слишком далеким и незначительным. Зато остальные прославятся надолго. Сегодня интервью с ними покажут по всем каналам, и большие люди сделают какие-нибудь важные заявления, и президент выразит поддержку и соболезнования и что-нибудь куда-нибудь перечислит, и все это пройдет мимо Верочки. Уже прошло.

Вот жалость какая!

Когда Аллочка вбежала в конференц-зал, все занимались своими делами. Киры не было, это она заметила сразу. Раиса на широком подоконнике разливала чай в невесть откуда появившиеся знакомые редакционные кружки. Батурин говорил по телефону. Магда Израилевна втолковывала что-то фотографу, веером разбросав снимки на дальнем конце громадного, как морской причал, стола.

За компьютером, на котором она проработала все утро, сидел Леша Балабанов. Сидел, читал и правил текст.

У Аллочки обручем сдавило голову.

В Питере, в экзотическом музее пыточных приспособлений, куда водил ее гарвардский карьерист, чтобы «вздернуть усталые нервы», она видела такую штуку — обруч с палкой, чтобы сдавливать голову по вискам. Сдавливать до тех пор, пока не полезут черные вздувшиеся мозги.

Дыхание сбилось.

Аллочка неслышно в общем гуле подошла и заглянула Леше через плечо.

ФСБ превратилась в КГБ. Террористы в туристов. Журнал почему-то в криминал — фантазии, что ли, не хватило? Вестибюль в вестибуляр. И так далее и тому подобное во всех вариантах.

Леша исправил еще что-то, закрыл файл и уверенной рукой отправил его по электронной почте на батуринский адрес.

Батурин — собака — Старая площадь — точка — ком. Аллочка знала этот адрес наизусть.

Батурин получит ее статью. Не сейчас, а, допустим, завтра, когда доберется до своего почтового ящика. Или сегодня вечером. Станет смотреть, что пришло ему за день, и увидит Аллочкину статью с вестибуляром вместо вестибюля.

Как во сне Аллочка медленно подняла с пола портфель, размахнулась и что было сил врезала Леше по шее.

Леша хрюкнул и ткнулся лбом в монитор.

— Ты что?! — закричали за спиной. — Сдурела?!

Аллочка размахнулась и врезала снова. Леша вскочил и попятился, защищаясь руками, глупо размахивая ими перед самым Аллочкиным носом, но не задевая ее.

— Ах ты, сволочь, — негромко сказала она и вырвала руку, за которую ее схватили, — ах ты, гадость такая! Мало того, что ты меня извел своими приставаниями, ты еще мне все тексты перепортил!

— Успокойся, — скороговоркой забормотала Магда

Израилевна, издалека приближаясь к ней, — успокойся, Зубова, что с тобой?

— Ну ладно, ты решил меня трахнуть, — продолжала Аллочка, ничего не видя и не слыша вокруг, — но в мои тексты ты зачем полез?! Чего тебе надо-то?!

Она снова замахнулась, чтобы ударить, и в последний момент поняла, что в руке у нее больше нет портфеля, отобрали, и тогда она ударила кулаком — сильным, острым девичьим кулаком, и прямо по зубам.

— Григорий Алексеевич! Кира! Зубова, успокойся! Магда Израилевна, не подходите к ней, видите, она бешеная! Может, милицию вызвать? Аллочка, в чем дело? Леша, отойдите от нее! Да она не в себе!..

Леша улыбнулся и отнял от губы ладонь.

— Тексты? — переспросил он и опять улыбнулся. — Где ты видела тексты, сучка? Это у меня тексты, а у тебя дерьмо, и ты будешь его хлебать до конца жизни! Ты кто?! Ты бездарность, бестолочь, шлюха! Ты что, решила, что умеешь писать?! — Леша засмеялся и поднес кулак к ее лицу, к самым глазам. — Раз ты миллионерша, значит, тебе все можно, да?! Ноги выставлять, статьи писать, деньги грести, мужиков иметь, а мне нельзя, да?

— Леша, ты что? — пробормотала совершенно потерявшаяся Магда Израилевна, которая никак не могла взять в толк, кто из них «взбесился» — Зубова или Балабанов.

— Я тебе еще покажу, сука! — негромко продолжил Леша. — Ты у меня еще пощады запросишь, встретимся мы на темной улице, я тебя...

Аллочка внезапно изменила тон так резко, что Батурин, пробиравшийся к ней, остановился на полдороге.

— Неужели ты думаешь, что я могу не знать, как зовут президента? — спросила она с высокомерием английской королевы, вынужденной «по протоколу» беседовать с вождем людоедского племени. — Да я выросла с его сыновьями! Я даже замуж собиралась за одного из них, а ты в это время со стипендии пиво покупал и вонючую селедку! Вот потому тебе и неймется, скотина! Ты просто завистливый жадный придурок, а вовсе не роковой мужчина!

Леша вдруг с ног до головы задрожал, рот повело в сторону, глаза стянуло к носу, и он завыл:

— А-а-а!

Дернул Аллочку за волосы и притянул к себе. Другой рукой он выхватил из кармана шприц и, ударив об стол, сорвал пластмассовый цилиндр. Держа шприц в миллиметре от Аллочкиного горла, он подался назад, толпа шарахнулась, и Леша просвистел:

— Все, сука! Доигралась. Не надо было рот разевать! Конец тебе!

— Ну хватит, — сказал Батурин совершенно хладнокровно. Подошел и одной рукой выдернул у Леши шприц, а другой — Аллочку.

Она покачнулась, Батурин ее поддержал.

— А я думал, какого хрена ты в меня бутылку кинул! — Батурин отправил Аллочку себе за спину, перехватил Лешу и легко вывернул ему руку в каком-то неправильном, противоестественном направлении.

Леша вытаращил глаза, перегнулся вперед и стал хватать ртом воздух.

— А тут у тебя что?

Батурин встряхнул шприц, посмотрел на свет, выпустил тонкую струйку и сосредоточенно понюхал.

— Водичка? — ласково спросил он у Леши. — Из-под крана?

— Из бутылки, — признался Леша и заплакал. — Отпустите меня, Григорий Алексеевич! Я больше не буду!

— Не будешь, — согласился Батурин, — тебя, родной, лечить надо. А то ты наделаешь дел! Кира, звони в «Скорую». У нас ненормальный.

Пока звонили, пока ужасались, бегали курить, пока ждали санитаров, а потом провожали, смотрели вслед и возвращались на рабочие места, Кира ни разу не заглянула в свой портфель.

А когда заглянула, пистолета там не было.

Кира затормозила у подъезда и мрачно посмотрела на собственный дом. Сергей сто раз повторил ей по телефону, что она должна вести себя «естественно», но ничего естественного не было в том, что она сидит в машине у подъезда и не выходит. Обычно она неслась домой на всех парах.

Нет, на парусах.

Впрочем, какая разница!

Особенно быстро — на парах или парусах — она неслась, когда Сергей приезжал раньше ее. Она очень любила приходить домой, когда он уже там был.

Он жарил картошку — единственное, что научился готовить за пятнадцать лет, кроме макарон и яичницы. Макароны и яичница были его коронными блюдами, можно сказать, вершиной мастерства еще со студенческих времен.

Когда Кира спрашивала, почему он никогда не кладет в макароны сыр, а в яичницу помидоры и зелень, он отвечал: зачем, и так вкусно!

И вправду, зачем?

В лобовое стекло Кира еще несколько секунд смотрела на дом, а потом выбралась из машины.

Сергей сказал: «Все будет хорошо», и она верила ему, но боялась идти в подъезд, где ее должны убить.

Лифт не работал, и Марьи Семеновны не было на месте — как будто маленький привет от капитана Гальцева. Кира стиснула портфель, прижала его к боку и стала медленно подниматься.

Второй этаж.

Бомба не падает дважды в одну воронку — уж теперь-то Кира знала, что еще как падает! Глупый взрослый маленький Тим счастлив, что отец живет с ними. Разве он живет с ними?

Третий этаж.

Лена Пухова разговаривала с Костиком на лестничной площадке, и это видели Федот и его нянька.

Сегодня в конференц-зале были только свои.

«Свои, свои», — повторили каблуки ее ботинок. Только свои могли вытащить у нее из портфеля пистолет.

За всю ночь на диване в Малаховке ее муж ни разу не сказал ей, что любит ее, а для нее это было очень важно. Не могла же она попросить его — скажи мне, что ты меня любишь!

Раньше просила.

Четвертый этаж.

До квартиры осталось два пролета. На площадке стоит кресло. На этой площадке убили Костика.

Ладони стали мокрыми. Сердце как-то определилось и увеличилось, Кира теперь совершенно точно могла бы сказать, где именно у нее сердце.

Надо идти.

Она стала подниматься, прижимая к боку портфель, который полз и полз из мокрых пальцев, и строительная канонада из бывшей квартиры Басовых приблизилась вплотную к ушам, и конечно, никто не расслышит выстрела в такой канонаде!

И все-таки скажи мне, что ты меня любишь...

Площадка, кресло, темная глубина лифтового холла, цветок в кадушке.

— Стой.

Кира остановилась и взялась за сердце. Из темноты лифта выступила Валентина. Рука в черной кожаной перчатке держала пистолет.

Кира перевела дыхание.

— Даже не шевелись, — негромко приказала Валентина. — Просто стой, и все.

Портфель поехал из рук и шлепнулся на плиточный пол.

— Боишься? — спросила Валентина. — Все правильно. Осталось чуть-чуть.

И она подошла поближе.

— Откуда у тебя... пистолет? — прошептала Кира, не отрывая глаз от вороненого ствола. В нем плясал лестничный свет.

— Из твоего портфеля. Зачем ты его на работу привезла, дура? Избавиться хотела?

— Я... — пролепетала Кира, — я имею в виду другое. Где ты его вообще взяла.

— Где-где! Купила! — презрительно сказала Валентина.

— Но... почему? — выдохнула Кира. — Почему?! За что?!

Рука в черной перчатке шевельнулась, как будто ловчее перехватывая рукоятку пистолета, и Кира закрыла глаза.

— Потому что он был моим, пока ты не появилась снова! Но ты появилась, и он опять побежал к тебе! Как собачка. Ты развелась, стала свободной, и он побежал к тебе! Я его наказала. И тебя накажу.

— Верочка, — сказала Кира, вдруг успокоившись, — он никогда не был моим любовником. Вот что самое смешное. Никогда, понимаешь? Он был мой друг много лет.

— Как же, — засмеялась Верочка, — друг! Знаю я такую дружбу! Он тебя имел, а ты за это получала все, что хотела! Ты думала, что ты умнее всех, но я умнее тебя. Господи, как я тебя ненавижу! Каждую минуту ненавидела — когда ты читала мои материалы, правила, так важно кивала! Как мне было весело, когда я его убила! Я знала, что тебя посадят и ты сгниешь в тюряге! Кира Ятт в тюрьме, «шестерка» на зоне! Теперь мне придется тебя пристрелить, хотя это хуже, чем тюряга! Это слишком быстро для такой твари, как ты! Но напоследок хочу тебе сказать, что я женю на себе твоего муженька.

Просто так, для смеху. Он будет страдать, я буду его утешать, это я умею. Он и оглянуться не успеет, как я его на себе женю! А твоего ублюдочного сыночка сгною в интернате. Это тоже легко. Сначала наркотики, потом драки, потом зона. Его будут бить и трахать плохие парни, а я останусь в твоей квартире с твоим мужем, как ты с моим Костиком. Так что подыхай в радости, дорогая! Пока. До встречи. Только не скоро мы с тобой встретимся.

— Если ты меня убьешь, все поймут, что Костика застрелила не я.

— Не буду я тебя убивать. Ты убьешь сама себя. Самоубийство в порыве раскаяния. На том самом месте, где ты убила Костика. Все прошло гладко в тот раз. Пройдет и в этот. Почему бы нет?

— Потому что мой муж знает, что это ты подложила нам пистолет.

— Чушь, — фыркнула Верочка, — ничего он знать не может! Я думала, что пистолет найдут менты. Я бы позвонила, сказала, что я твоя домработница, нашла пистолет, но боюсь тебя до смерти, приезжайте и посмотрите! А ты нашла его раньше, чем я позвонила! Тебе потрясающе везет, Кира. Просто удивительно. Только теперь везению пришел конец. Подыхай и помни, как я поступлю с твоим сыночком-кретином. Думай об этом, когда я в тебя выстрелю.

— Валентина не носит кожаных перчаток, — как завороженная прошептала Кира.

Верочка оглядела себя.

— Ну и что? Никто ничего не понял. И не поймет! Господи, нарядиться в это огородное пугало никакого труда не представляло! Я столько раз привозила тебе тексты, чтоб ты читала, поправляла, кивала, я столько раз ее видела, твою дуру! Я тебя застрелю и выброшу тряпки на первой помойке. А вечером буду пить шампанское и думать о том, как твой муж станет носить меня на руках. Я ведь моложе тебя на десять лет! Моложе, красивее и умнее! И что Костик в тебе нашел?!

— Он не был моим любовником, Верочка.

— Ну конечно! Можешь не стараться. Я все равно тебя убью. Давай. Медленно и боком, боком. Я выстрелю тебе в голову, чтобы вылетели мозги и чтоб твой ублюдочный сыночек тебя не сразу узнал. Он будет ползать по площадке прямо в твоих мозгах и выть!

Растение в кадке шевельнулось, Кира скосила глаза. За плечом у Верочки произошло какое-то движение, ударил по глазам свет, Верочка взвизгнула, прыгнула на Киру, откуда-то в поле зрения появился тяжелый грязный ботинок и снизу вверх вмазал по черной перчатке, и пистолет выскочил, взмыл и стал медленно падать, и в голове у Киры стало просторно и бело, как в тундре, и прямо посреди тундры, с неба, на ослепительный снег все падал и падал пистолет.

— Кира! Кира, приди в себя!! Ты что? Тебе плохо?!

Пистолет упал прямо ей на голову, стукнул в темя вороненой рифленой сталью. Она пошатнулась.

— Кира!

— Да, — с трудом произнесла она, — да, я здесь.

Сергей держал Киру за плечи на расстоянии вытянутых рук и рассматривал ее лицо. Голова у нее мотнулась из стороны в сторону.

— Пап! — позвал откуда-то Тим. — Она... жива?

— Ну конечно, я жива! — воскликнула Кира с досадой. — Еще бы! Где ты, Тимка?!

— Я здесь.

— Ребенка уберите, — приказал капитан Гальцев, — парень, постой там пока! Ты же видишь, не до тебя!

— Сергей Константинович, — спрашивал сосед Михаил Петрович, — может, воды Кире Михайловне?

— Кира! — кричала Лена Пухова. — Кира, как ты там?!

— Пропустите! У меня валокордин и капли Вотчела.

Пропустите меня, товарищ милиционер! Тимочка, мальчик, иди в дом. Сергей Константинович, вот, вот стаканчик!

Надрывно, захлебываясь, лаяла припадочная Мася на руках у Елены Львовны. Строители высыпали из бывшей квартиры Басовых, переговаривались и глазели. Одной площадкой ниже Данила Пухов мужественной рукой прижимал к себе Лену Пухову. Какие-то люди в форме ходили по плиточному полу.

Все. Теперь все в порядке.

— Давай, — предложил капитан Гальцев и присел на ступеньку рядом с Кирой. Достал измятую пачку и ткнул ей в бок. Кира вытащила из пачки сигарету. Он зажег спичку и подождал, пока она прикурит, глядя ей в лицо.

— Что... давать?

— Тебе давать ничего не надо, — успокоил ее капитан, — ты отдыхай. Я твоему мужу говорю — давай. Рассказывай. Откуда узнал?

— Догадался давно. — Сергей перехватил Киру поудобнее, но совсем не отпустил. — Марья Семеновна сказала, что Валентина с ней попрощалась и обдала ее духами. Василиса, няня мальчика из восьмой, сказала, что Валентина побежала к метро. У Валентины аллергия и радикулит. Я никогда не слышал, чтобы она душилась, а она работает у нас десять лет. Значит, в подъезде была не она, а кто-то, переодетый Валентиной. Собака лаяла как на чужого. — Сергей оглянулся. Мася теперь только рычала и тряслась, Елена Львовна ее утешала. — Молодец Мася. Значит, был чужой, на соседей она не лает. Костика могли убить только редакционные, кто знал, что вечером он собирался к Кире. Знала вся редакция, так уж у них принято — секретов никаких сохранить невозможно. Когда у него в портфеле нашли Кирину рукопись, стало теплее. Слава богу, про рукопись знали не все. К ней на дачу приезжали коммерческий директор, Верочка Лещенко и Аллочка Зубова. Еще Батурин, но он дальше забора не пошел. Коммерческого директора мы поймали на денежных делах, Аллочка про статью ничего не знала. Осталась одна только Верочка. Аллочка, умница, сказала, что Верочка обмолвилась о том, что Костик был ее любовником. Ну, тут уж совсем горячо стало! А с пистолетом она и вовсе напортачила.

— Почему? — спросил Гальцев заинтересованно. Он вообще слушал с большим интересом.

— Потому что не было у нас в квартире пистолета! Я точно знаю, я все осмотрел на следующее утро после убийства, всю квартиру! Я, между прочим, думал — что-то в этом духе может произойти. То есть что нам могут подкинуть пистолет, раз уж Киру так основательно... подставляли. Пистолет появился после визита Верочки. С полки в коридоре упал ее пакет, мы кинулись поднимать, а она в это время подбросила пистолет. Пакет лежал очень неудобно — высоко и ненадежно. Зачем класть его туда, если можно на пол поставить? Как раз затем, чтобы он упал и отвлек наше внимание. Верочка приезжала к Кире очень часто — и Валентину видела, и грохот у соседей слышала. Так что все сходится.

— Сходится! — фыркнул Гальцев. — А брали с поличным, потому что доказательств-то никаких!

— Меня сбило с толку, что Данила приезжал в восемь, а не в одиннадцать, и Лена, его жена, на лестнице разговаривала с Костиком. А сегодня я все проверил. Лена получила звание «Мисс Москва» в девяносто третьем году. Костик был членом жюри. Я так понял, что у них тогда начался роман.

— Ничего и не роман! — раздраженно заявил с нижней площадки звезда мирового спорта. — Да, Ленок? Просто... погуляли они, да и разбежались. Ну и че? Это еще до меня было. Да, Ленок?

Ленок всхлипывала и прижималась к его могучему боку.

— А этот ваш покойник стрекозел был первосортный

и ходок по дамской части. Ну, увидел Ленка на лестнице и давай всякие куры разводить — мол, сохну без тебя, мол, давай все сначала! Вроде шутейно, а Ленок расстраивается, значит! Ну, поговорили так, Ленок мне звонит и плачет. Приезжай, говорит. Я приехал, утешил, успокоил, хотел ему по морде стукнуть, поднялся, а он тут мертвый лежит. Ну, я подумал, что мне лучше возле трупа не светиться, да и уехал. Ленку только сказал, чтоб не говорила, что я приезжал! А ты узнал, да, Серег?

— Узнал.

— Надо было милицию вызвать, — назидательно сказал капитан Гальцев.

— В другой раз как труп найду — вот те крест, вызову! — пообещал Данила.

— Автограф дадите? — с надеждой спросил капитан и заглянул вниз, где посверкивала лысина Данилы, — сын фанатеет, и я, конечно, тоже. Так сказать, с ним заодно.

— Хоть сто! — возвестил Данила. — Ленок, сгоняй в гардероб, там, где майки подарочные, знаешь? Энхаэловские? Принесешь? Сколько вас, мужики?

Данила приложился к шейке Ленка, слегка шлепнул по задику, потрепал по загривку, отпустил совсем и привалился к подоконнику.

— И мне майку! Можно? — крикнул сверху Тим.

И — как финальный аккорд в победительной родственно-соседской милицейской симфонии — голос Валентины:

— Тимочка, попрошайничать некультурно!

— Мам, — спросил Тим, заглядывая внутрь прозрачного ящика с осторожной и любопытной брезгливостью, — мам, чего-то она маленькая совсем?

— Тимочка! — укоризненно воскликнула Валентина, утирая мокрые сияющие глаза. — Тимочка, это же совсем крошка! Ангел, небесный ангел, ниспосланный нам в утешение!

— Ангел, а красная!.. Мам, почему она красная?

— Тима, она вовсе не красная! — вступила свекровь. — Она просто прелесть!

— И красавица! — поддержала Кирина мама. — Только опять на отца похожа!

— Ну и очень хорошо! — немедленно заявила приготовившаяся к обороне свекровь. — Очень хорошо, что на отца! Сережа очень симпатичный...

— Ну конечно! — фыркнула теща. — Он симпатичный! Вы скажете тоже, Александра Петровна!

— Все правильно я говорю, Людмила Ивановна. Мой сын очень симпатичный, и Лиза очень на него похожа!

— С чего вы взяли, что это Лиза? Мы думаем, что Маша!

— Людка, Людка, — приглушенно завопил Кирин отец и ткнул супругу в бок локтем, — смотри, она зевает!

Некоторое время все благоговейно смотрели, как зевает Лиза или Маша.

— Тим, — расслабленно сказала Кира, — ты не расстраивайся. Она потом будет ничего, получше. Это сейчас она такая страшная.

— Кира!!! — хором закричали теща и свекровь. — Кира, как ты можешь?!

Тим подошел, присел рядом с Кирой на высокую кровать и снова заглянул в прозрачный ящик.

— А может, и ничего, — протянул он задумчиво, — только маленькая очень.

— Зато у нее ресницы, как у тебя, — с гордостью сказала Кира и потрогала нежную щечку. У Тима были очень длинные и густые ресницы.

— Да где ты там нашла ресницы?! — удивилась ее мать. — Нет там никаких ресниц!

— Уж вы скажете, Людмила Ивановна! Ресницы совершенно как у Сережки!

— Да у него вообще никаких ресниц нет! Ни волос, ни ресниц! Одно название.

— У него чудесные волосы.

— У него даже пятнадцать лет назад не было никаких волос, Александра Петровна!

— Боже мой, — простонала Валентина, утираясь, — какое счастье! Девочка! Цветочек! Небесный ангел! Тимочка, не дыши на нее, на всех нас очень много бактерий!

— А раньше ведь в роддома не пускали, — высказался кто-то из дедов, — я помню, что под окном по полдня стоял. Ничего не видно, мороз, цветы не берут, поговорить нельзя! Ужас!

— Ничего и не ужас, — сказала тетя Лиля, — все правильно. Я, как медицинский работник, эти новомодные штучки, чтобы муж был при родах, чтоб родные таскались когда хотят, не одобряю. У нас тут не Америка!

— Я бы одна с ума сошла, теть Лиль, — не согласилась Кира, рассматривая Лизу или Машу.

Ей все время хотелось смотреть на нее. Лиза или Маша, родившаяся вчера вечером, почти все время спала. А когда просыпалась, тоже смотрела на Киру, но довольно равнодушно.

— Я тебе там всяких штучек привезла, — сообщила тетка, подсаживаясь поближе, — ну, знаешь, аптечных. Ты потом посмотришь. Там кремы, молочко косметическое, гель для подтяжки живота...

— Нет у меня больше никакого живота, — оскорбилась Кира.

— Все равно, — настаивала тетка, — тебе надо сейчас особенно за собой ухаживать! Это ведь такое трудное дело — людей рожать! Ты посмотри все хорошенько и обязательно почитай инструкции по применению. Да, я еще рыбки положила и...

— Опять, опять, — запричитали в один голос деды, — опять зевает!

Пока все, растроганно умолкнув, умильно смотрели в прозрачный ящик, Тим спросил будто между прочим:

— Мам, а ты теперь все время с ней будешь, да? Раз

она такая маленькая! И английский не будем учить, и в Турцию в мае не поедем. Да?

— Ну, конечно, будем и поедем, — успокоила сына Кира и положила руку ему на макушку, — у нас же Валентина! Она нам будет помогать.

— Почему только Валентина? — моментально встряла свекровь. — А мы с отцом?

— И мы! — вступила теща. — Миша будет меня по утрам привозить, а по вечерам забирать.

— А я сама буду приезжать, — энергично пообещала свекровь, — я не барыня, я сама за рулем могу.

— Это же надо, — задумчиво проговорила тетя Лиля, — это же надо! Сейчас просто кулек, а вырастет барышня, мальчишки будут звонить, на свидания приглашать!

— Я им дам, свидания!.. — пробормотал Кирин отец.

Мысль о том, что внучка — небесный ангел — будет ходить на свидания с мальчишками, оскорбляла его до глубины души.

— К счастью, еще не скоро, — торопливо сказала Валентина, — к счастью, она еще долго будет маленькой, наша зайка, наше солнышко!

— А уши совершенно как у Сережки! — восхитилась свекровь.

— А пальчики длинные, Кирины, — поддержала теща, — глаза тоже, кажется, Кирины. Да, Миш? Посмотри!

— Никаких глаз не видно, — посмотрев некоторое время, заявил дед.

— Все видно!

— Тебе видно, а мне не видно.

— Ангел, — всхлипнула Валентина, — небесный ангел!

— Папа приедет, а нас нет, — качая ногой, заявил Тим, — вот он удивится! Мам, а ты когда домой?

— Дня через три, Тимка. А может, и раньше.

— Мам, ты давай быстрей. Без тебя плохо.

— Мы скучаем, — призналась Валентина, — но мы справляемся, Кирочка, вы не думайте! Вчера «пять» по английскому и... по чему еще, Тимочка?

— По алгебре. А по биологии трояк. За то, что я плевался.

— Зачем? — удивилась Кира.

— Господи, Кирочка, не обращайте внимания! Просто у нас был стресс, когда вас увезли. Я не догадалась оставить его дома, не водить в школу, и он там совсем извелся, бедный мальчик.

— Может, папа уже приехал? — сам у себя спросил Тим. — Мам, можно я домой позвоню?

— Если бы он приехал, он бы сразу позвонил, Тимка.

— С вашим папой это вечная история, — пробурчала теща, — когда у нас серьезные дела, так его нет! Вот не было бы вчера твоего Батурина дома, как бы ты добралась?! Нам с отцом через весь город ехать, а Александре Петровне вообще из-за города, мы бы не успели! Что он себе думает, твой муж?

— У него дела, Людмила Ивановна! Он же не развлекаться поехал, а в командировку!

— Еще не хватает, чтобы он поехал развлекаться, Александра Петровна! Кира, ты ему хоть позвонила?!

— Мам, он в Японии. Я пыталась позвонить, но соединяется плохо. А потом я была занята.

— А сам он позвонить, конечно, не может! — язвительно сказала ее мать. — Ему не до тебя и не до вашего ребенка! У него есть более важные дела!

— Улыбнулась! — воскликнул Тим, глядя на сверток. — Мам, а она разве умеет улыбаться?

Когда все родственники в новом порыве умиления и счастья рассматривали крохотное личико в надежде поймать улыбку, Сергей Литвинов как раз вышел из таможенного терминала.

Батарейки в телефоне сдохли еще в Токийском аэропорту, а зарядник был далеко, в багаже. Что за невезуха такая!

Сейчас он доберется до машины, подключит телефон к автомобильному электричеству и позвонит домой. Ничего не должно случиться за время его отсутствия — Кире оставалось еще больше недели, а не поехать он не мог.

Он поехал и возвращался теперь гордым победителем — консервативные японцы, не признающие на ключевых постах никого, кроме соотечественников, приняли решение повысить его в должности. Теперь Сергей Литвинов стал директором по науке отделения «Сони» в «странах СНГ и Восточной Европы». Сообщалось ему об этом с такими церемониями, как будто по меньшей мере его только что избрали новым японским императором вместо старого.

Пожалуй, зря он тогда хныкал и жаловался Кире на то, что у него нет ни карьеры, ни профессии.

Все у него есть.

У него есть Кира и почти двое детей.

Когда родился Тим, участие Сергея во всей процедуре сводилось к притаскиванию в роддом букетов и яблок и подлизыванию к строгой тетке, чтобы передала побыстрее. «Цветы нельзя!» — гремела тетка и швыряла букеты обратно.

Теперь все будет по-другому. Правильно. Как у людей.

От одной мысли о том, *как* это будет, его пробирал мороз.

Добравшись до джипа, он покидал в багажник вещи, заплатил по счету и включил наконец телефон.

Телефон соединился, когда он выезжал со стоянки.

Длинные гудки, и больше ничего. Даже автоответчик не работал. Сергей покосился на телефон, а потом на часы. Он совсем потерял чувство времени в этой самой Японии.

По часам выходило, что Тим должен быть дома, и Валентина должна быть дома. А Кира? Гуляет? Спит?

Ему вдруг стало так страшно, что застучали зубы. На

самом деле застучали, он отлично слышал их мелкую костяную дробь.

Он притормозил под знаком «Остановка запрещена», выдернул телефон из гнезда и набрал ее мобильный номер.

Впереди было серое шоссе, а по бокам яркие рекламные щиты.

Пятьдесят долларов за пятьсот минут, было написано на одном из щитов. Значит, подумал Сергей тупо, один цент за минуту. Или два? Или десять?

Гудки оборвались, и он на секунду закрыл глаза.

— Да!

В трубке слышались отдаленные голоса, восклицания и смех.

— Кира...

— Серый, — весело сказала Кира, — бревно бесчувственное, ты опять все пропустил!

Литературно-художественное издание

Устинова Татьяна Витальевна
РАЗВОД И ДЕВИЧЬЯ ФАМИЛИЯ

Ответственнчй редактор *О. Рубис*
Редактор *Т. Семенова*
Художественный редактор *А. Стариков*
Компьютерная графика *Н. Никонова*
Технический редактор *Н. Носова*
Компьютерная верстка *Е. Мельникова*
Корректор *Е. Сахарова*

В оформлении обложки использован рисунок *Н. Провозиной*

ООО «Издательство «Эксмо»
127299, Москва, ул. Клары Цеткин, д. 18, корп. 5. Тел.: 411-68-86, 956-39-21.
www.eksmo.ru E-mail: info@eksmo.ru

Оптовая торговля:
109472, Москва, ул. Академика Скрябина, д. 21, этаж 2.
Тел./факс: (095) 378-84-74, 378-82-61, 745-89-16.
Многоканальный тел. 411-50-74. E-mail: reception@eksmo-sale.ru

Мелкооптовая торговля:
117192, Москва, Мичуринский пр-т, д. 12/1. Тел./факс: (095) 932-74-71.
127254, Москва, ул. Добролюбова, д. 2. Тел. (095) 780-58-34

Полный ассортимент продукции издательства «Эксмо» в Москве:
Москва, ул. Маршала Бирюзова, 17 (м. «Октябрьское Поле»). Тел. 194-97-86.
Москва, Пролетарский пр-т, 20 (м. «Кантемировская»). Тел. 325-47-29.
Москва, Комсомольский пр-т, 28 (в здании МДМ, м. «Фрунзенская»).
Тел. 782-88-26.
Москва, ул. Сходненская, д. 52 (м. «Сходненская»). Тел. 492-97-85.
Москва, ул. Митинская, д. 48 (м. «Тушинская»). Тел. 751-70-54.

ООО Дистрибьюторский центр «ЭКСМО-УКРАИНА».
Киев, ул. Луговая, д. 9. Тел. (044) 531-42-54, факс 419-97-49;
e-mail: marinovich.yk@eksmo.com.ua

Полный ассортимент книг издательства «Эксмо» в Санкт-Петербурге:
РДЦ СЗКО, Санкт-Петербург, пр-т Обуховской Обороны, д. 84Е.
Тел. отдела рекламы (812) 265-44-80/81/82/83.

Сеть книжных магазинов «Буквоед». Крупнейшие магазины сети
«Книжный супермаркет» на Загородном, д. 35. Тел. (812) 312-67-34
и Магазин на Невском, д. 13. Тел. (812) 310-22-44.

Полный ассортимент книг издательства «Эксмо» в Нижнем Новгороде:
РДЦ «Эксмо НН», г. Н. Новгород, ул. Маршала Воронова, д. 3. Тел. (8312) 72-36-70.

Подписано в печать с готовых монтажей 18.05.2004.
Формат 70x90 $^1/_{32}$. Гарнитура «Таймс». Бумага газетная.
Печать офсетная. Усл. печ. л. 12,87. Уч.-изд. л. 15,6.
Доп. тираж IX 60 100 экз. (30 100 экз. РБ + 30 000 экз. ПсЛ).
Заказ № 9459

Отпечатано в полном соответствии
с качеством предоставленных диапозитивов
в ОАО «Можайский полиграфический комбинат».
143200, г. Можайск, ул. Мира, 93.